L'Agonie des dieux

A Lise,

Pour que vous suiviez,
sur les traces de Marcus
et d'Artemisia, les voies
de l'amour et de l'exotisme !
Bonne lecture !
Mlca
Fev. 2008

Du même auteur :

Voltaire et Paris, essai, The Voltaire Foundation, Oxford University Press, Oxford (Angleterre), 1981.

Le Désert et le loup, récit scout, Sherbrooke, Éditions Naaman, 1985.

Amina et le mamelouk blanc, roman, Ottawa, Les Éditions L'Interligne, 1998.

Ibn Khaldoun – L'honneur et la disgrâce, roman, Ottawa, Les Éditions L'Interligne, 2002.

Jean Mohsen Fahmy

L'Agonie des dieux

Roman

Collection « Paysages »

L'INTERLIGNE

Catalogage avant publication de Bibliothèque et Archives Canada

Fahmy, Jean Mohsen
    L'Agonie des dieux : roman / Jean Mohsen Fahmy.

(Collection « Paysages »)
ISBN 2-923274-03-2

    I. Titre. II. Collection : Collection « Paysages » (Ottawa, Ont.)

PS8561.A377A745 2005   C843'.54   C2005-904932-4

Les Éditions L'Interligne bénéficient de l'appui financier du Conseil des Arts du Canada, de la Ville d'Ottawa et du Conseil des arts de l'Ontario. Nous reconnaissons l'aide financière du gouvernement du Canada par l'entremise du Programme d'aide au développement de l'industrie de l'édition (PADIÉ) pour nos activités d'édition.

Les Éditions L'Interligne
261, chemin de Montréal, bureau 306
Ottawa (Ontario) K1L 8C7
Tél. : (613) 748-0850 / Télec. : (613) 748-0852
Courriel : communication@interligne.ca

Œuvre de la couverture : © 2005 Josée Bisaillon
Conception de la couverture : Christian Quesnel
Mise en pages : Arash Mohtashami-Maali
Correction des épreuves : Andrée Thouin
Distribution : Diffusion Prologue inc.

ISBN : 2-923274-03-2

À Charles, Caroline et Miriam

«C'est que là-bas [à Alexandrie], Aphrodite est chez elle; tout ce qui peut exister ou se produire sur terre, on le trouve en Égypte: fortune, sport, pouvoir, ciel bleu, gloire, spectacles, philosophes, or fin, jolis garçons, temple des dieux frère et sœur, le roi si bon, musée, vin, toutes les bonnes choses dont on peut avoir envie, et des femmes, tant de femmes, par la Vierge des enfers, que le ciel ne peut se vanter de porter plus d'étoiles, et à les voir elles sont pareilles aux déesses qui jadis vinrent prendre Pâris pour juge de leur beauté…»

HÉRONDAS
(poète grec du IIIᵉ siècle av. J.-C.)

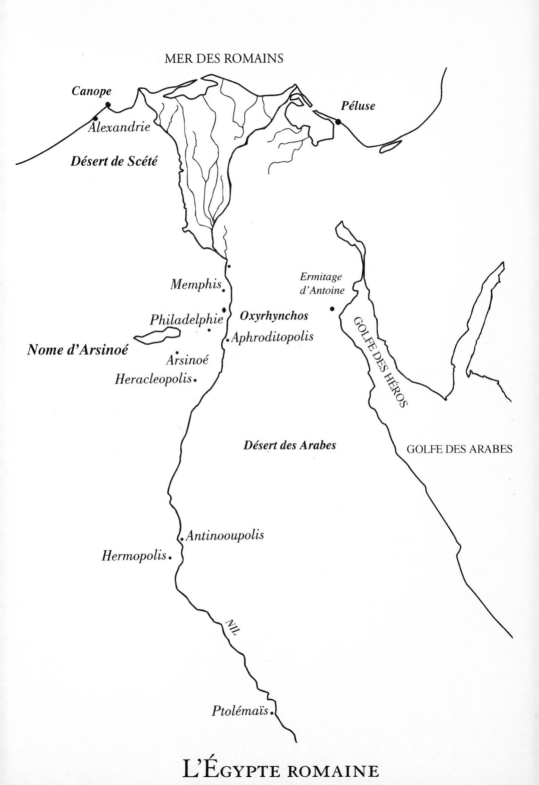

MER DES ROMAINS

Canope

Péluse

Alexandrie

Désert de Scété

Memphis

Ermitage
d'Antoine

Philadelphie   **Oxyrhynchos**

Aphroditopolis

Nome d'Arsinoé

GOLFE DES HÉROS

Arsinoé

Heracleopolis

Désert des Arabes

GOLFE DES ARABES

Antinooupolis

Hermopolis

NIL

Ptolémaïs

L'Égypte romaine

CHAPITRE PREMIER

M arcus, hypnotisé, regardait Artémisia s'avancer nue devant lui.

Il était venu ce matin-là, comme si souvent au cours des dernières semaines, pour voir la jeune fille. Chaque fois, perdu dans la foule ou caché derrière une colonne, il la dévorait des yeux. Quelquefois, il s'avançait au premier rang pour mieux admirer sa silhouette gracile. Artémisia passait devant lui, il lui souriait, elle baissait imperceptiblement ses longs cils, il sentait son cœur battre, mais la jeune chanteuse restait grave, tout absorbée par ses prières, ses chants et ses offrandes à la Déesse.

Marcus se souvenait de la première fois qu'il avait visité le temple d'Isis Pharae, sur l'île de Pharos. Artémisia lui avait dit qu'elle était une des musiciennes chargées du culte rendu à la Bonne Mère de l'Empire. Voulait-il la voir chanter devant elle? Il voulait, bien sûr. Il se serait rendu allégrement au tréfonds du désert, si Artémisia l'y avait invité.

Le lendemain matin, il s'était mêlé à la foule qui se pressait sur le parvis du temple. Il reconnaissait des Romains et des Grecs qui côtoyaient les Égyptiens, sans toutefois frayer avec eux. Même certains de ses légionnaires étaient là, dont un jovial Égyptien du nom de Tothès, que Marcus aimait bien. Le légionnaire vint le saluer avec respect.

Marcus admirait le temple de marbre. C'était le plus beau, le plus grand d'Alexandrie. Sur un des murs extérieurs, il avait découvert avec surprise l'effigie de l'empereur Dioclétien, le maître de l'Empire. Dioclétien portait le costume pharaonique. Un cartouche sur sa double coiffure encadrait des hiéroglyphes, ces signes mystérieux que Marcus voyait partout depuis son arrivée dans ce pays. Il s'agit, lui expliqua Tothès, du nom de l'Empereur, suivi de l'inscription *Fils de Râ, bien-aimé d'Isis et de Ptah*. Marcus haussa les épaules.

Une procession s'avança bientôt vers le temple. À sa tête, quelques prêtres portaient des chapelles en miniature ou des statuettes. Ils étaient torse nu, le crâne rasé et luisant. Les pans de leurs pagnes s'entrecroisaient sur le devant.

Quelques pas derrière les prêtres, le grand prêtre psalmodiait des paroles incompréhensibles. Il était vêtu d'une tunique de lin blanc et fin, et son crâne brillait aux rayons du soleil qui montait à l'horizon. Marcus le regarda longuement: c'était le père d'Artémisia, l'un des personnages les plus puissants de la ville.

Mais le décurion romain se détourna bientôt des prêtres et chercha avidement des yeux les prêtresses auxiliaires: deux rangées d'une dizaine de jeunes filles suivaient le grand prêtre. Artémisia était au milieu de la rangée de droite et Marcus apprit vite que sa place était toujours là: chaque fois qu'il revint au temple, il se dirigea immédiatement vers la droite du parvis.

Les prêtresses auxiliaires portaient des manteaux à franges noués sur la poitrine. Elles étaient coiffées de trois rangées de boucles parallèles et avaient la tête surmontée d'une couronne de fleurs. Elles avaient toutes des silhouettes souples et jeunes, mais Marcus n'avait d'yeux que pour Artémisia.

Les quatre premières prêtresses dansaient en balançant gracieusement leurs mains au-dessus de leur tête. Artémisia et les autres les accompagnaient de leurs instruments: la jeune Égyptienne agitait devant elle son sistre, tandis que les autres prêtresses tapaient sur des tambourins ou pinçaient les cordes d'une petite harpe.

Arrivé devant l'entrée du temple, le cortège s'arrêta. Le grand prêtre s'avança seul dans le vestibule. Un profond silence s'abattit sur la foule. On entendit alors s'élever dans l'air pur du matin une longue mélopée, chantée par le chœur des prêtresses. Marcus n'y comprenait rien. Ce n'était ni du grec, ni du latin, ni même le baragouin que parlaient les débardeurs égyptiens du port. Il devina que c'était l'ancienne langue des Égyptiens. Tothès le légionnaire lui servit d'interprète.

«Éveille-toi en paix, Grande Reine, éveille-toi en paix; ton réveil est paisible», psalmodiaient les chanteuses, tandis que les danseuses dessinaient dans l'espace de gracieuses arabesques. Leurs mains levées en signe d'offrande, leurs visages tendus vers la statue d'Isis qui trônait devant le portique du temple, elles adressaient à la Déesse silencieuse et altière des supplications filiales, pour qu'elle sorte de son sommeil et daigne s'occuper de ses enfants. Leurs anneaux aux bras et aux chevilles, les lourds colliers d'or, les médaillons qui pendaient sur leurs poitrines cliquetaient au rythme de leur danse sacrée.

Le grand prêtre commença alors une litanie: «Mère du dieu, Déesse joyeuse, Déesse-Mère, Déesse de l'Amour, Protectrice des femmes, Grande Magicienne…» À chaque invocation, le chœur des prêtresses insistait d'une voix de plus en plus pressante: «Éveille-toi, éveille-toi», et les danseuses faisaient tinter leurs bijoux.

Marcus avait jeté un regard curieux sur les danseuses, mais était vite revenu à Artémisia. La jeune fille rayonnait de ferveur. Marcus s'émut de la voir si gracieuse, le visage grave et tendu vers la statue de la Déesse à moitié nue. Elle était tellement plus belle que toutes les autres, avec ses lèvres roses et sa couronne de boutons de lotus !

D'autres prêtres s'avancèrent ; ils portaient dans leurs bras des vêtements et des bijoux ; ils habillèrent la statue d'Isis, couvrant de lin blanc ses seins de marbre froid, la coiffant d'une couronne de feuillage. Puis des porteurs d'offrandes déposèrent aux pieds de la Déesse des viandes rôties, des pains et des gâteaux, des jarres de bière et des amoncellements de fruits.

La Déesse était maintenant réveillée et habillée, toujours vivante, prête à manifester sa bienveillance à son peuple. Le rituel était fini, les prêtres et les prêtresses se dispersaient. Artémisia quittait le temple pour s'en retourner chez elle, parfois accompagnée par son père. Marcus n'osait l'aborder, mais la jeune fille lui souriait en passant.

L'officier regagnait vite sa caserne. Il vivait d'espoir : peut-être pourrait-il la voir de nouveau le soir, dans les jardins de l'île, l'aborder, bavarder avec elle. Sinon, il reviendrait le lendemain ou le surlendemain, pour assister à cette cérémonie qu'il trouvait bizarre, sinon un peu ridicule.

Quelques mois s'étaient ainsi passés. Deux ou trois fois par semaine, Marcus assistait au réveil d'Isis, c'est-à-dire venait regarder Artémisia s'avancer vers lui, gracieuse, belle dans son ardente ferveur, agitant le sistre, chantant des hymnes. Et puis, la veille, Tothès, qui s'était habitué à voir son chef se mêler aux adorateurs d'Isis, lui avait dit : « Décurion, il faudra aller plus tôt demain au temple. » À Marcus étonné, il avait expliqué : le lendemain, on célébrait la Nativité de la Bonne Mère ; c'était une grande fête, avec un rituel particulier. Le réveil de la Déesse aurait lieu à l'aube, plus tôt que d'habitude.

À peine le soleil avait-il rosi l'horizon, du côté du désert, que Marcus s'était précipité au temple. La foule était nombreuse et bruyante. Le son d'une trompette avait retenti et tout le monde s'était figé dans une attitude recueillie. Les prêtres s'avancèrent. Le grand prêtre portait une tunique plus belle encore que d'habitude. La pénombre n'était pas complètement dissipée et Marcus tendait le cou pour chercher des yeux les prêtresses.

Et c'est alors qu'il les vit s'avancer, toujours en deux rangs. Mais elles étaient nues, ne portant autour des hanches qu'un mince pagne de lin transparent. Le cœur de Marcus cessa de battre ; il regardait désespérément : où était Artémisia ? Elle s'avançait comme d'habitude au milieu de ses compagnes. Elle était nue, elle aussi. La lumière rosissait peu à peu, dégageant les contours de ses jeunes seins, donnant à sa peau un luisant d'albâtre blanc.

Marcus regarda autour de lui ; nul ne semblait s'émouvoir devant la nudité des jeunes filles. À la suite du grand prêtre, la foule psalmodiait avec ferveur des antiennes à Isis. Certaines musiciennes étaient un peu plus âgées qu'Artémisia, elles avaient le corps plus affirmé. Mais Marcus n'avait d'yeux que pour la fille du grand prêtre. Un vertige le saisit : celle qu'il aimait se promenait nue devant une foule nombreuse. Se doutait-il, quelques mois plus tôt, de ce qui l'attendait dans ce pays ?

❧

Marcus regardait son père avec tendresse.

Le vieux Hermias était tout courbé sur sa chaise. Son fils le trouvait soudain bien fragile. Cela ne faisait pourtant que quelques semaines qu'il l'avait vu. Marcus était en effet parti avec les autres légionnaires pour un entraînement intensif dans les montagnes au nord d'Antioche. Le général commandant la légion trouvait que ses légionnaires se relâchaient et avait décrété une sérieuse reprise en main. Pendant plusieurs semaines, les soldats s'étaient réveillés tôt, avaient transporté des sacs pesants, formé le carré, chargé l'ennemi fictif. Le soir venu, ils s'effondraient d'épuisement dans leurs tentes.

Le camp fini, la centurie de Marcus avait rejoint sa caserne, dans les faubourgs d'Antioche. Le jeune légionnaire avait demandé quelques jours de congé pour aller voir sa famille. Au bout de plusieurs heures de marche, il était arrivé devant la vaste demeure située au milieu de la propriété familiale, dans la campagne du nord de la Syrie. Il avait embrassé sa mère avec effusion et baisé la main d'Hermias avec respect et amour. Et son cœur, à la vue de son père vieux et fatigué, s'était serré.

Hermias et sa famille étaient riches. Leur propriété s'étendait sur plusieurs centaines d'aroures[1] et employait une armée d'esclaves. Hermias n'était plus capable de s'en occuper ; aussi en avait-il confié l'administration à son fils aîné, le frère de Marcus.

Hermias était non seulement riche, mais il comptait beaucoup dans le pays. Sa famille était originaire des montagnes du Taurus, au nord de la province de Syrie, et son grand-père avait déjà obtenu, près de cent ans plus tôt, la citoyenneté romaine. Depuis lors, la famille se glorifiait d'appartenir à l'aristocratie de la province, et tout le monde à Antioche et dans les environs respectait Hermias et ses enfants, car ils avaient leurs entrées auprès du préfet romain et pouvaient même en appeler directement à l'Empereur.

Marcus, le fils cadet, s'ennuyait à la campagne. Il parcourait souvent les quelques lieues qui le séparaient d'Antioche et passait de longues heures à

1- Un aroure égale 27,5 ares, soit 2750 mètres carrés.

déambuler dans les rues de la métropole syrienne, ou à boire du vin dans ses tavernes. Quelquefois, il se promenait sur les rives de l'Oronte ou allait assister à un spectacle dans l'immense amphithéâtre creusé dans les parois du Silpios, la fière montagne qui dominait la ville.

Quand il se promenait au bord de l'Oronte, il passait devant une île où se dressait, au milieu du fleuve, magnifique et imposant, le palais de l'Empereur. C'est là que le maître de l'Empire habitait quand il venait visiter sa province syrienne. L'Empire! Marcus était fier d'être romain, il admirait cet homme qui dominait le monde et qui se cachait dans de lointains et magnifiques palais.

Hermias se rendait quelquefois dans un des temples du voisinage et Marcus, désœuvré, l'accompagnait. Mais le marmonnement incompréhensible des prêtres étourdissait et ennuyait le jeune homme. Il s'étonnait des sacrifices d'animaux devant les statues des dieux et éprouvait un vague malaise à voir les fermiers de son père, les pauvres gens des environs et même des esclaves venir déposer dans le vestibule du temple des boisseaux de blé, des poulets longuement engraissés et de jeunes agneaux.

Au retour, Marcus rêvassait en traversant les champs et les jardins de son père. Ces dieux — Jupiter ou Zeus, Déméter ou Hermès, Apollon ou Astarté — lui semblaient lointains, silencieux, indifférents. Certains étaient cruels et ne cessaient de mentir, de se tromper, de se combattre. Marcus, en pensant à eux, haussait les épaules. Il attendait quelque chose. Quoi? Il ne le savait, mais avait des faims qu'il n'arrivait à satisfaire ni dans la maison de son père — où pourtant il ne manquait de rien — ni dans les innombrables délices d'Antioche.

Quand il eut vingt ans, son père lui demanda d'aider son frère à gérer la propriété. Mais Marcus n'avait décidément que peu de goût pour les semailles, les moissons et les animaux de ferme. Il voulait sortir de sa province, visiter l'Empire et, qui sait?, aller même jusqu'à sa capitale, Rome, qui scintillait de mille feux dans son imagination.

Il se décida à entrer dans l'armée. Au bout de quelques semaines d'entraînement, il devint décurion. Son statut de citoyen romain lui donnait la priorité sur les plus anciens légionnaires et le jeune homme se trouva à la tête de dix vétérans, dont certains avaient l'âge de son père, et qui venaient de toutes les parties de l'Empire : il y avait là des Syriens, des Parthes[2], Tothès l'Égyptien, un Ibère[3] et trois Latins qui agaçaient les autres en se vantant tout le temps de leurs ancêtres les Romains.

2- Populations caucasiennes et iraniennnes.
3- Espagnol.

La vie militaire, passé les premières semaines, n'apportait à Marcus que routine et corvées. Seule consolation : sa caserne, dans les faubourgs d'Antioche, lui permettait de s'évader souvent dans la grande ville. Il grimpait sans cesse les ruelles tortueuses qui escaladaient les pentes du Silpios, pour admirer de haut l'orgueilleuse métropole, ses innombrables jardins, son cirque de quatre cents coudées[4], son forum immense. Au loin, au-delà du port, la mer des Romains scintillait sous un ciel éclatant.

Il s'était lié d'amitié avec un autre décurion de sa centurie, Domitius, un Grec de Syracuse en Sicile, dont la famille, comme celle de Marcus, avait obtenu depuis longtemps la citoyenneté romaine. Domitius avait son âge et c'était également son titre de citoyen qui l'avait fait grimper dans la hiérarchie de l'armée.

Domitius était beau comme Apollon. Marcus admirait sa peau mate, ses cheveux bouclés, ses yeux noirs, son sourire éclatant. Son ami était gai et jovial, et quand les deux décurions parlaient de l'Empire, le Sicilien se montrait un partisan enthousiaste de Dioclétien. « L'Empereur, disait-il avec passion à son ami, a ressuscité la grandeur de Rome. Je suis fier de le servir. »

Le soir, quelquefois, Marcus allait retrouver les femmes qui attendaient sous les arcades de la rue principale. Domitius l'accompagnait ; le farouche défenseur de l'Empire se révélait un plaisant compagnon, riant à tout bout de champ et versant du vin dans les coupes des femmes à la gorge nue. Puis, les deux décurions se retiraient avec leurs belles dans l'obscurité discrète des chambres tenues par les taverniers.

Un jour, le général sonna le branle-bas de combat. La légion partait mater quelques tribus rebelles, de l'autre côté du Taurus.

Ce furent des semaines harassantes. Les légionnaires étaient chargés comme des bêtes de somme et ils devaient traverser les montagnes du nord à travers des cols qui montaient sans cesse. Les nouveaux juraient, les anciens serraient les dents et les centurions assuraient une discipline rigoureuse.

Quand l'armée déboucha dans la plaine, de l'autre côté des montagnes, Marcus crut que le plus dur était fait. Il se trompait : les tribus ennemies — quelques nomades de Cilicie[5] et de Cappadoce[6] qui refusaient de payer l'impôt à l'Empereur — s'étaient volatilisées. Le général envoya des espions partout ; on revint lui dire que les Cappadociens avaient établi leur camp dans une vallée dérobée à deux jours de marche.

4- Une coudée équivaut à environ 50 centimètres.
5- La Cilicie était au sud de l'actuelle Turquie.
6- Au centre de la Turquie.

Le général fit partir ses troupes au début de la nuit ; elles ne s'arrêtèrent que quelques heures, pour permettre aux bêtes encore plus qu'aux hommes de souffler : il fallait prendre les rebelles par surprise, et ce fut à marches forcées qu'on s'approcha de leur repaire.

La tactique réussit. Quand les Ciliciens et les Cappadociens virent arriver les premiers cavaliers romains, ils eurent à peine le temps de se rassembler ; leur vaillance ne put rien contre la discipline romaine : les légionnaires s'avancèrent en carrés, lances baissées, boucliers levés, et les volées de flèches qui s'abattaient sur eux n'entamaient en rien leur marche irrésistible.

Ce fut un carnage : les Romains tuèrent tous ceux qui n'avaient pas eu le temps de s'enfuir. Dans la vallée, un village de tentes se dressait encore ; des femmes et des enfants s'y terraient. Quelques légionnaires, entraînés par l'enthousiasme, commencèrent à les égorger, jusqu'à ce que le général ordonnât d'arrêter le massacre.

Ce fut sur le champ de bataille que Marcus fit la connaissance de Flavius. C'était un centurion basé à Antioche, mais dans une autre caserne que celle du jeune Syrien. Marcus l'avait vu quelques fois lors des manœuvres, mais ne lui avait jamais parlé.

Au moment où les légionnaires s'engouffrèrent dans le village de tentes pour y mettre le feu, ou pour tirer par les cheveux les femmes terrifiées qu'ils renversaient sur le sol pour les violer, il vit le centurion qui courait d'une tente à l'autre, ordonnant à l'un d'éteindre le feu qu'il venait d'allumer, tirant brutalement un autre couché sur une fillette. Puis d'autres centurions arrivèrent avec les ordres du général et les violences cessèrent.

Plus tard, pendant que l'armée, écrasée de fatigue, moins par le combat que par la marche qui l'avait précédé, se reposait au crépuscule, Marcus vit à nouveau le centurion qui parcourait le champ de bataille. Quelques légionnaires se penchaient sur les cadavres pour les piller. Quand le corps gémissait ou bougeait, ils l'achevaient proprement. Le centurion se mit à courir de l'un à l'autre, les houspillant, exigeant que les blessés soient rassemblés en un seul lieu. Puis il se dirigea vers le village, appelant les femmes qui y étaient encore cachées, les amenant vers les blessés sur lesquels elles se jetaient en gémissant.

Quelques légionnaires faisaient de grasses plaisanteries sur leur centurion au cœur tendre, d'autres haussaient les épaules. Domitius observait avec mépris et une froide fureur le centurion appeler les femmes pour s'occuper des blessés ennemis. Quant à Marcus, il regardait avec curiosité Flavius — il venait d'apprendre son nom — se démener sur le champ de bataille.

Après cette brève campagne, la légion retourna à Antioche. Marcus n'avait cessé de penser au comportement curieux du centurion. Lors des longues chevauchées et des bivouacs de nuit, il se rapprocha de lui. Les deux hommes sympathisèrent bien vite.

Flavius avait quelques années de plus que Marcus. Il était latin ; né dans un faubourg de Rome, il sillonnait les routes de l'Empire depuis cinq ou six ans. Un jour, Marcus s'enhardit : pourquoi avait-il protégé les bandits ciliciens qui s'étaient révoltés contre l'Empereur ? Flavius sourit et répondit de façon énigmatique. Marcus crut comprendre qu'un certain Seigneur avait ordonné au centurion de se montrer miséricordieux. Cette réponse le plongea dans la plus grande perplexité.

À Antioche, les deux jeunes gens continuèrent de fraterniser. Marcus trouvait en Flavius un camarade dont l'expérience l'enchantait. Flavius aimait la gaieté du décurion, qui l'emmenait souvent pour de longues chevauchées dans l'arrière-pays et l'avait présenté à sa famille. Cependant, Marcus évitait instinctivement de s'afficher avec Flavius devant son ami Domitius.

Un jour, Marcus revint à la charge : qui était ce Seigneur qui avait donné des ordres à son nouvel ami ? Ne devait-on pas obéir à ses supérieurs, et notamment au général qui commandait la légion ? Et surtout, ne devait-on pas être loyal à l'Empereur et n'attendre d'ordres que de lui ?

Flavius l'avait tranquillisé. Il était fidèle à Dioclétien et aimait Rome, qu'il servait avec fierté. Nul espion, nul rebelle ne lui donnait d'ordres. Ce Seigneur auquel il avait fait allusion ne pouvait d'ailleurs l'inciter à désobéir, puisqu'il était mort depuis près de trois cents ans. Il s'appelait Jésus, c'était un juif de la province de Palestine, au sud de la Syrie. Il avait dans l'Empire beaucoup d'admirateurs, qui l'appelaient Christ.

Marcus fut bouleversé : ainsi, son ami appartenait à cette secte des chrétiens dont on avait toujours dit autour de lui qu'elle était l'ennemie de l'Empire et qu'elle méprisait l'Empereur. Il se creusa la cervelle : quand il vivait encore dans la demeure familiale, que disait donc son père à ce propos ? Il ne se souvenait que de bribes ; il posa alors discrètement quelques questions autour de lui. Les réponses qu'on lui fit l'épouvantèrent.

Ces chrétiens formaient une secte dangereuse. Domitius en particulier les assimilait aux pires ennemis de l'Empereur. Il y avait bien d'autres sectes dans l'Empire ; elles y pullulaient même. On tolérait ces adorateurs d'autres dieux, on les encourageait même quelquefois, car leurs adeptes sacrifiaient volontiers à Dioclétien, mais ces juifs qui avaient réussi à attirer dans leurs filets des gens de partout dans l'Empire — et même des Romains comme Flavius — s'y refusaient obstinément. Les empereurs les avaient combattus sans arrêt.

Les plus vieux d'Antioche se souvenaient ainsi que, quelque cinquante ans plus tôt, l'empereur Dèce avait vigoureusement poursuivi ces sectateurs rebelles. Il avait jeté aux fauves ceux qui refusaient d'offrir des sacrifices aux dieux; d'autres avaient brûlé par milliers sur des bûchers; les citoyens romains qui avaient eu la faiblesse de se joindre à ces fanatiques avaient eu, eux, la tête tranchée.

Marcus s'étonnait: comment ces misérables avaient-ils pu survivre à un tel traitement? Surtout, ce qui le troublait le plus, c'était son ami Flavius qui n'hésitait pas à se dire l'un des leurs. Flavius, pourtant, était un excellent centurion, un des meilleurs de la légion. Ses hommes l'aimaient et l'admiraient. Comment pouvait-il être ce soldat romain exemplaire et appartenir en même temps à cette détestable secte juive?

Marcus se souvenait du petit oratoire consacré à Sérapis, près de la maison de son père. Les fidèles, après avoir prié le dieu, invoquaient ensuite l'Empereur, lui-même dieu. N'était-il pas normal d'unir dans une même invocation les dieux, l'Empereur et l'attachement à l'Empire? N'était-ce pas là surtout le devoir de ces serviteurs privilégiés de Dioclétien qu'étaient les soldats? Marcus, malgré le regard ennuyé et vaguement moqueur qu'il jetait sur les dieux de ses ancêtres, restait pourtant attaché à cette dévotion à l'Empereur, qui avait garanti la grandeur de l'Empire.

Flavius avait donc répondu brièvement à ses questions, mais n'avait pas insisté. Pourtant, Marcus continuait d'être intrigué. Il relança son ami quelques semaines plus tard. Pouvait-il lui expliquer?

Le centurion se mit alors à lui raconter une histoire ahurissante. Ce Jésus était né dans une petite ville de Palestine. Il avait rassemblé autour de lui quelques amis qu'il appelait ses apôtres. Il ne cessait d'annoncer à la troupe de plus en plus nombreuse qui le suivait la venue d'un royaume où les pauvres seraient riches et les riches pauvres. Surtout, il leur demandait de s'aimer d'un amour fraternel, total.

Les autorités de Jérusalem avaient fini par se lasser de ce trublion qui disait que ces hérétiques de Samaritains étaient les égaux des juifs pieux de Judée, ou que la loi de Moïse devait céder le pas à la loi de son Père. Les Romains, à la demande des autorités juives, l'avaient arrêté, torturé et cloué sur une croix.

Flavius poursuivait: l'histoire ne s'était pas arrêtée là. Jésus était sorti vivant de son tombeau, des dizaines de témoins l'avaient vu, lui avaient parlé, l'avaient touché. Puis ses amis s'étaient dispersés partout dans l'Empire pour annoncer son message de justice, d'égalité, d'amour radical.

Lui, Flavius, appartenait à une famille de chrétiens. Il y en avait beaucoup à Rome, comme ici même à Antioche et partout dans l'Empire, à Alexandrie comme à Jérusalem, à Byzance comme en Ibérie, en Gaule comme en Asie mineure, en Afrique ou en Cappadoce.

Les empereurs, ajoutait-il, se trompaient sur le compte des chrétiens. C'étaient de bons citoyens, puisque Jésus avait dit qu'il fallait rendre à César Auguste son dû. Mais ils croyaient fermement que Jésus était bien l'envoyé de Dieu son Père.

Dieu? avait demandé Marcus avec surprise. Lequel? Sérapis? Zeus-Jupiter? Hermès?

Flavius avait alors dit des choses encore plus surprenantes: il n'y avait, selon lui, qu'un seul dieu. C'est ce que Jésus, qui suivait en cela les traces de ses aïeux juifs, avait affirmé. Mais ce dieu unique était non seulement tout-puissant, il était surtout miséricordieux et il voulait embrasser dans sa compassion tous les hommes du monde — les Romains et les autres, et même les esclaves.

Marcus avait brusquement quitté son ami. Flavius était-il fou? Ce Jésus savait-il bien de quoi il parlait? Les esclaves seraient donc ainsi les égaux de leurs maîtres? Il se représentait les centaines d'esclaves du domaine de son père assis à la même table que sa famille. Il en ricanait presque. Et pourquoi n'irait-on pas plus loin: le général serait ainsi l'égal du légionnaire et l'Empereur du simple citoyen?

Il s'imaginait parlant à Domitius de ces élucubrations. Son jeune ami se révolterait contre ce sacrilège. L'Empereur était le chef suprême, dieu lui-même. Domitius faisait volontiers des offrandes devant son effigie. Et Marcus sentait confusément qu'il ne fallait pas dresser Domitius contre Flavius.

Les jours suivants ramenèrent le décurion à Flavius. Son ami l'accueillait toujours avec le même visage souriant. Non, décidément, Flavius ne pouvait avoir perdu la tête. Ce n'était d'ailleurs ni un couard, ni un imbécile, Marcus l'avait bien vu au cours des derniers mois. Alors?

Il rêvassait un jour à tout cela quand il se rappela soudain sa nourrice Claudia. Elle s'était occupée de lui après lui avoir donné le sein jusqu'à l'âge de trois ans. Il s'était attaché à elle et jouait tout le temps dans ses jupons. Elle riait alors, le soulevait dans ses bras et couvrait son visage de baisers mouillés et sonores. Et pourtant, Claudia était une esclave! Il n'avait jamais pensé à cela, mais il aimait cette esclave d'un amour aussi tendre que celui qu'il portait à sa mère. Ce juif — comment s'appelait-il donc? Ah oui! Jésus — n'avait peut-être pas tort, après tout.

Un cheminement souterrain se faisait dans l'esprit de Marcus. Il était porté spontanément à parler à ses soldats, à fraterniser avec eux. Il oubliait le plus souvent qu'il était citoyen romain, tandis que ses légionnaires n'étaient pour la plupart que des engagés des colonies. Tothès l'Égyptien était pour lui plus qu'un subalterne, presque un ami.

Dans tout le fatras que lui avait raconté Flavius, il retenait de plus en plus ce message de fraternité, qui correspondait bien à son tempérament. Il se mit à poser de nouveau des questions au centurion. Flavius le regarda avec surprise, mais lui répondit simplement.

Un jour, Flavius lui remit un rouleau de papyrus : c'était, lui dit-il, l'histoire de ce Jésus ; il y trouverait bien des réponses à ses questions. Marcus se mit à lire. Les paysages dans lesquels se déroulait cette aventure lui étaient familiers : autour du domaine paternel, dans les environs d'Antioche et, plus loin vers le sud, vers Damas, on retrouvait les mêmes arbres, la même végétation, la même lumière qui baignait cette Galilée et cette Judée où Jésus avait vécu et souffert.

Au début, la lecture lui laissa une impression curieuse : on n'y parlait que de malades, de faibles, de veuves, de morts même. Cela ressemblait à une épopée de vaincus. Mais ces vaincus allaient occuper le premier rang dans le royaume annoncé par ce juif. Et Jésus préparait ce royaume en guérissant les malades et en frayant avec les mendiants et les prostituées.

Marcus était profondément pénétré de l'esprit romain : il détestait les faibles et les vaincus. Les prostituées étaient ces silhouettes indistinctes qu'il étreignait dans les tavernes d'Antioche. Au début, il avait eu un haut-le-corps quand ce juif avait parlé avec tendresse des petits et des humbles. Mais le souvenir de Claudia lui revenait toujours à l'esprit : les petits et les humbles, c'étaient aussi sa nourrice, et ce légionnaire égyptien plein de bonhomie, et cette prostituée qu'il avait surprise un jour essuyant des larmes parce que son enfant était malade…

Marcus pénétrait de plus en plus dans l'univers de ce Jésus. Il commençait à admirer cet homme qui avait tenu tête aux puissants de Jérusalem. Il voulait en savoir plus ; Flavius était la complaisance même et répondait avec patience à toutes les questions.

Un jour, le Romain dit au jeune Syrien :

— Aimerais-tu voir d'un peu plus près ces chrétiens que l'on redoute tellement ?

Marcus acquiesça. Flavius lui fit jurer le secret absolu, puis lui donna rendez-vous le soir.

À la tombée de la nuit, le centurion entraîna son ami dans les ruelles d'Antioche. Il frappa discrètement à la porte d'une petite maison qu'un mur bas séparait de la ruelle. Un guichet s'entrouvrit, Flavius approcha son visage de la torche que l'on tenait ; on le fit alors pénétrer rapidement, Marcus sur ses talons, avant de refermer la porte, replongeant ainsi la ruelle dans l'obscurité totale.

Marcus était ahuri. Deux dizaines d'hommes, de femmes et d'enfants se pressaient dans la petite maison. Assis sur des nattes ou des coffres, ils parlaient avec animation, mais à voix basse. Ils se levèrent pour accueillir Flavius avec effusion. Les femmes l'embrassaient, les hommes l'étreignaient. Il montra Marcus : « Un ami », dit-il, et on leur fit une place dans le cercle.

Les conversations reprirent avec animation. On bavardait en grec et en araméen. Marcus connaissait les deux langues et suivit des bribes de conversation. Les chrétiens évoquaient leurs travaux, parlaient de leurs enfants, des taxes de plus en plus lourdes, du blé qui renchérissait. Marcus se serait cru dans la maison de son père, quand il recevait ses voisins et que l'on bavardait à bâtons rompus.

Un homme se leva bientôt. Il avait la quarantaine, une barbe bien taillée. « Le presbytre », souffla Flavius à l'oreille de son ami. L'homme déroula un papyrus et se mit à lire en araméen, puis en grec, des passages de l'histoire de Jésus que Marcus connaissait déjà. On y évoquait un aveugle nommé Timée, qui avait retrouvé la vue en suppliant Jésus de le guérir et en le poursuivant avec insistance.

Après la lecture, un repas fut servi ; on mit les plats sur la natte, au centre de la pièce, et le presbytre rompit un grand pain, puis il murmura quelques paroles avant d'en distribuer des morceaux aux autres. On fit aussi circuler une cruche de vin.

Le repas fut gai et animé, même si les convives retenaient leurs éclats afin de ne pas attirer l'attention des voisins. Tard dans la nuit, la réunion se termina et les chrétiens partirent dans le plus profond silence, à quelques minutes d'intervalle les uns des autres. Sur le chemin du retour, Flavius informa son ami que ces réunions se tenaient régulièrement dans de nombreuses maisons de la ville. « Tu vois bien, dit-il, que nous ne complotons guère contre l'Empereur. »

Marcus avait été touché par ces gens. Assez curieusement, il avait senti, au milieu d'eux, ce qu'il ressentait avec ses légionnaires : une fraternité sans apparat, une simplicité qui n'empêchait pas la gaieté, une sincérité dans les mots et dans le sourire.

Il n'osa pourtant pas parler de cette rencontre à Domitius. Il sentait que son ami, qu'il chérissait tendrement à l'égal de Flavius, le désapprouverait.

Il demanda à Flavius de l'accompagner de nouveau. Le centurion se rendait à ces réunions deux ou trois fois par mois, quand les besoins de son service le lui permettaient. Marcus l'y suivit régulièrement.

Les lectures du presbytre — il avait fini par comprendre que c'était le chef de la communauté — le renseignèrent de plus en plus sur les aventures de

ce Jésus que son ami appelait « Seigneur », et que les chrétiens priaient avec
ferveur. Il se familiarisa avec les petites localités de Galilée et de Judée, Cana,
Capharnaüm, Béthanie. Il fut surpris tout d'abord par le comportement du
Samaritain, puis finit par admirer l'histoire de cet étranger qui s'était arrêté
sur le grand chemin pour venir en aide à un ennemi, un juif. Il se rappela
alors la conduite de Flavius sur le champ de bataille de la Cappadoce.

Il fut longtemps étonné que Jésus ne jetât pas l'anathème sur les prostituées. L'amitié qui unissait Jésus et Lazare évoqua pour lui, furtivement,
l'amitié, la véritable tendresse qu'il portait maintenant à Flavius comme à
Domitius. Enfin, l'enseignement de Jésus selon lequel les pauvres, les humbles, les doux, les purs allaient avoir la meilleure part dans le royaume à
venir, tout en heurtant sa fierté de citoyen romain et ses convictions de
soldat, trouvait en lui un vif écho.

Il fut également touché par les souffrances infligées à cet homme. Il avait
déjà vu des esclaves suspendus à des croix sur le bord du chemin, et connaissait l'atrocité du supplice. Mais les témoignages sur sa sortie du tombeau et
son apparition à des dizaines de ses compatriotes — des femmes en premier
lieu, puis les apôtres, puis d'autres encore — l'étonnèrent d'abord, puis le
réconfortèrent plus qu'il ne voulait se l'avouer.

En même temps, son amitié pour Flavius grandissait. Le centurion souriait quand son ami insistait pour savoir quand se déroulerait la rencontre
suivante. Par ailleurs, les deux hommes communiaient dans leur attachement à l'Empire et Marcus se montrait insatiable quand Flavius lui parlait
de Rome où il était né, de son immense cirque, des bains où des milliers de
Romains se rencontraient l'après-midi pour se purifier et bavarder dans la
fumée des étuves, des sept collines surmontées de splendides édifices.

Marcus était maintenant convaincu que Flavius était sincère quand il
évoquait son attachement à l'Empire tout autant qu'à sa foi. Et pour lui,
qu'en était-il ? Le décurion se sondait. Il avait accompli jusqu'à maintenant
les gestes religieux d'une façon distraite, machinale. Quand il se rendait au
temple, il accompagnait son père plutôt qu'il ne vénérait les dieux. Tandis
que Flavius, quand il se retrouvait avec ses « frères » chrétiens, semblait si
convaincu, si heureux, si serein…

Marcus se rappela ses visites aux temples de Syrie, avec son père et ses frères.
Une fois le sacrifice offert, les gens se dispersaient sans s'aborder, sans se parler.
Le lendemain, les gardes-chiourmes recommençaient à bâtonner les esclaves, les
agents du fisc à terroriser les paysans, et les usuriers à voler tout le monde.
Tandis que ces chrétiens affirmaient vouloir vivre comme des frères ! Se pour-
rait-il qu'ils s'entraident vraiment, comme ils le proclamaient entre eux ?

Marcus finit par se dire qu'il aimerait bien devenir l'un de ces «frères». Certaines choses dans la vie de Jésus et dans son enseignement continuaient à le heurter, mais il admirait maintenant son appel à la fraternité et découvrait, surpris et ravi, que cet appel éveillait en lui des résonances puissantes…

Plusieurs mois passèrent. Un jour, Marcus annonça à son ami qu'il voulait devenir chrétien. Le centurion ne dit rien, mais lui serra fortement l'avant-bras avec un large sourire. Quelque temps après, il l'emmena rencontrer le presbytre dans sa maison. Celui-ci était tailleur de profession et employait deux apprentis chez lui. Il emmena les deux soldats dans une pièce retirée et bavarda cordialement avec la nouvelle recrue. Il fallait, lui dit-il, mieux connaître les enseignements de «Notre Seigneur»; et il lui remit deux longs rouleaux qu'il lui demanda de lire.

C'étaient les mêmes textes qu'entendait déjà Marcus lors des réunions clandestines; ils étaient en grec — langue que Marcus comprenait bien mieux que le latin — et racontaient la vie de Jésus, depuis sa naissance à Bethléem jusqu'à sa disparition aux yeux de ses amis. Marcus les lut et les relut attentivement. Puis il annonça au presbytre qu'il était prêt.

Un soir, devant la communauté réunie, celui-ci annonça que Marcus reniait les faux dieux et demandait d'adorer «Notre Père à tous». Les chrétiens se levèrent dans un brouhaha étouffé et l'embrassèrent avec amitié. Le presbytre annonça que son baptême aurait lieu dans quelques semaines.

Le mois suivant, Marcus se rendit à la maison qu'il connaissait maintenant si bien, vêtu d'une tunique de lin blanc. Flavius l'accompagnait; son ami était grave et silencieux. Toute la communauté était réunie, même ceux qui habitaient trop loin pour venir régulièrement aux réunions. Après avoir lu des passages qui racontaient le baptême de Jésus dans le Jourdain, le presbytre invita Marcus au milieu du cercle. Il lui posa quelques questions: croyait-il que Dieu était Notre Père à tous? Croyait-il que Jésus était son Fils, venu nous sauver? Qu'Il était ressuscité des morts? Croyait-il que nous étions tous des frères et des égaux au regard de Dieu? Reniait-il les faux dieux et les idoles? Chaque fois, Marcus acquiesçait. Le presbytre prit alors un peu d'eau dans une cuvette, la versa sur le front de Marcus et dit d'une voix forte: «Je te baptise au nom du Père, du Fils et de l'Esprit.»

Flavius fut ensuite le premier à étreindre son ami; une véritable émotion se lisait sur le visage du centurion. Les autres chrétiens l'embrassèrent à leur tour et le repas fut rapidement servi. Le presbytre, après avoir prié sur le pain, en prit un morceau et l'offrit à Marcus, ce qu'il n'avait jamais fait jusqu'alors. Puis il pria sur la cruche de vin et la passa au nouveau baptisé.

Marcus n'osait toujours pas évoquer sa conversion devant Domitius. Bientôt, cependant, les obligations de son métier l'accaparèrent. Il reprit les exercices, les périodes de garde, les tournées dans la province.

Quand il se trouvait caserné à Antioche, il allait aussi souvent qu'il le pouvait aux réunions du soir, dans la maison qu'il connaissait maintenant fort bien. Quelquefois, Flavius l'accompagnait. Marcus était maintenant connu des chrétiens et apprenait à les connaître. Il y avait parmi eux des artisans, un médecin, plusieurs fonctionnaires de la ville et même du palais royal.

Un jour, il demanda à son voisin le métier de trois hommes et de deux femmes qu'il n'avait pas encore abordés. « Ce sont des esclaves », lui répondit-on. Dans la demeure de son père, les esclaves le servaient ou labouraient les champs. Ici, ils partageaient le pain avec lui.

Un jour, le médecin avec qui il bavardait lui dit en souriant :

— Tu sais, Marcus, que nous avons, toi et moi, une place spéciale dans cette assemblée ?

— Comment cela ?

— Eh bien, la Bonne Nouvelle que nous lisons au cours de nos réunions et qui raconte la vie, la mort et la résurrection de Notre Seigneur, sais-tu qui l'a écrite ?

— Euh… non.

— L'un des auteurs s'appelait Marcus.

— Ah…

— Oui, reprit le médecin avec un sourire, et un second s'appelait Luc — comme moi. Mais ce n'est pas fini. Devines-tu d'où était originaire ce Luc ?

— Non.

— Eh bien, d'Antioche ! Et tu ne soupçonneras jamais son métier…

— Bien sûr que non, dit Marcus avec bonhomie.

— Eh bien, il était médecin ! N'est-ce point là une plaisante coïncidence ? Me voilà, moi, Luc, médecin d'Antioche, et toi, Marcus, en train de parler du Seigneur dont ce Luc, ce médecin d'Antioche donc, et ce Marcus ont raconté la vie.

Marcus sourit à cette pointe un peu naïve.

Un jour, le général convoqua les centurions à une réunion importante. De retour à la caserne, ceux-ci affichaient des mines mystérieuses. Le centurion qui commandait à Marcus convoqua tous ses décurions. Les officiers se retrouvèrent dans une pièce étroite. Le centurion annonça :

— Le général vient de recevoir des ordres de l'Empereur. Notre légion est redéployée. Nous quittons Antioche dans un mois.

— Où allons-nous donc, centurion ? demanda un des camarades de Marcus.

— À Alexandrie. En Égypte.

CHAPITRE DEUX

— Légionnaires, vous êtes invités, en cette année, la seizième du règne du divin Dioclétien César[1], notre Seigneur, à défendre et à protéger l'Empire et l'Empereur ici même à Alexandrie.

Le général était debout sur un petit tertre. Marcus voyait ses lèvres bouger, puis le héraut à ses côtés répétait le message d'une voix de stentor, qui déferlait sur les troupes en rafales d'éloquence. Marcus avait envie de s'éponger le front, mais il restait immobile, figé sous le soleil brûlant.

La légion avait débarqué la veille, à l'ouest d'Alexandrie. Les légionnaires avaient passé la journée à monter leurs tentes non loin de la colonne dressée jadis par Antoine en l'honneur de Cléopâtre, et que coiffait maintenant une statue de bronze de l'empereur Dioclétien. Ils installaient un camp provisoire, où ils passeraient quelques jours avant de prendre possession de leurs casernes dans la ville.

Marcus était heureux de retrouver enfin la terre ferme et de pouvoir se dégourdir les jambes, après deux semaines de navigation. Le général avait choisi de déplacer ses troupes par voie de mer, plutôt que de descendre par la Syrie et de traverser le désert du Sinaï.

Un jour, Marcus était parti chez lui pour dire adieu à ses parents. Il avait passé une semaine au domaine familial. Il était resté de longues heures en silence près d'Hermias. Son père s'était encore plus voûté quand le décurion lui avait annoncé son départ prochain. Après un long silence, il avait insisté pour lui recommander de bien servir l'Empereur et de ne jamais oublier qu'il était citoyen romain. Marcus avait détourné la tête pour cacher son émotion. Il était d'autant plus troublé qu'il n'avait pas osé annoncer à sa famille sa récente conversion à la foi des disciples de Christos.

1- 300 après J.-C.

Au moment du départ, Hermias serra longuement son fils contre lui, tandis que la mère et les sœurs du décurion sanglotaient en se couvrant la tête de poussière et en se frappant les joues en cadence.

Puis la légion s'était regroupée dans le port d'Antioche et les troupes avaient embarqué à bord des trirèmes aux voiles carrées. Comme il fallait naviguer contre les vents dominants, l'amiral décida de longer les côtes et les gardes-chiourmes firent claquer leurs fouets sur le dos des trois rangées de rameurs.

Les jours s'étiraient sans fin. On longea la côte de Syrie ; à l'horizon, les montagnes du Liban dressaient leur masse altière. Un jour, les navires jetèrent l'ancre pour quelques heures devant une petite ville entourée de sables, afin que les esclaves aillent puiser de l'eau fraîche dans l'oasis voisine. Marcus se renseigna et les marins lui dirent que la petite ville, nommée Rhinocoloura[2], était la porte d'entrée en Égypte.

Puis le Sinaï déroula à l'infini sa côte aride et désolée. Les soldats romains passaient leur temps à jouer aux dés ; Marcus et Domitius, qui avaient embarqué sur le même navire, ne cessaient d'évoquer Alexandrie. Domitius, qui n'y avait jamais mis les pieds, assurait que c'était un paradis où les filles étaient d'une grande beauté.

— Et puis, il y a Canope. Comment, tu ne connais pas Canope ? ajouta-t-il devant la mine surprise de son ami. Canope, mon cher Marcus, est le rêve de tous les hommes de l'Empire. Les femmes y sont belles et accommodantes, les plaisirs infinis, les fêtes plus somptueuses et plus libres encore qu'à Rome.

Marcus haussa les épaules en souriant, tandis que son ami reprenait de plus belle, avec une mimique gourmande :

— Ah ! Les délices de Canope !

Au bout d'une dizaine de jours, les légionnaires s'attroupèrent sur le pont pour regarder avec curiosité une grosse bourgade sur la côte : « C'est Péluse[3] », dit Tothès l'Égyptien à Marcus.

Le lendemain, le paysage changea soudainement. La côte était verdoyante et des bouquets d'arbres la dentelaient. La mer vira au brun rougeâtre. Aux légionnaires stupéfaits, Tothès expliqua :

— Nous sommes au mois de Mésoré[4] ; la crue bat son plein et le fleuve se déverse très loin dans la mer. Ce brun qui vous étonne, c'est la boue du Nil.

2- L'actuel El-Arish, près de Gaza.
3- Non loin de l'actuel Port-Saïd.
4- Août.

Alexandrie s'annonça bientôt dans l'aveuglante lumière de l'été. On passa devant Canope[5] et la presqu'île de Lochias; on contourna l'île de Pharos avant de pénétrer dans l'Eunostos, le port de la Bonne-Arrivée, à l'ouest de la ville. Puis le débarquement commença, en dehors de l'enceinte fortifiée qui entourait la ville.

Le lendemain, Marcus et Domitius entrèrent pour la première fois à Alexandrie par la porte Cyrénaïque. Marcus savait que la ville était la seconde de l'Empire, juste après Rome, mais il ne s'attendait pas aux splendeurs qu'il y rencontra dès les premiers pas. Même ses promenades dans l'orgueilleuse Antioche ne l'avaient guère préparé à la profusion de palais, de temples et d'édifices de la ville, plus magnifiques les uns que les autres.

Les deux amis passèrent de nombreux jours à se promener sur la voie Canopique, qui coupait la ville d'est en ouest. Elle était bordée d'un portique sur toute sa longueur; de magnifiques palais et des maisons privées somptueuses étendaient à l'infini, sur une longueur de quarante stades[6], leurs façades de marbre ou de pierre blanche, qui réverbéraient une intense lumière. La voie, malgré sa largeur, grouillait de cavaliers, de voitures, de piétons et d'élégantes qui s'y pressaient dans une cohue bruyante, ponctuée de jurons et de claquements de fouets.

Quand ils se trouvaient étourdis par ce tourbillon incessant, Marcus et Domitius se promenaient dans la rue des Palais. Ils pénétraient dans le Basileia, le quartier des résidences splendides construites par les souverains qui avaient régné sur la ville depuis sa fondation, six cents ans plus tôt. Le gouverneur romain résidait dans le palais de Cléopâtre, le plus somptueux de tous.

Les deux jeunes décurions ne tardèrent pas cependant à découvrir que l'endroit le plus agréable d'Alexandrie était l'île de Pharos. Ils se dépêchaient de franchir l'Heptastade, la longue jetée qui la reliait à la ville; ils ne se lassaient jamais d'aller jeter d'abord un coup d'œil émerveillé à la grande tour qui se dressait à l'est de l'île. La nuit, on y allumait un feu brillant qui dirigeait les navires vers la passe de la Corne du Taureau, avant qu'ils ne pénètrent dans le port.

Le jour, cependant, c'était la masse harmonieuse de la tour qui faisait l'admiration de Marcus. Carrée, à trois étages, son sommet semblait se perdre dans le ciel. Domitius soulignait à son ami la perfection de la statue de Zeus Sauveur qui la couronnait, ainsi que des statues d'Isis et de Sérapis qui en flanquaient les quatre coins; Marcus admirait le marbre et le ciseau du sculpteur, mais restait froid devant ces dieux en qui il avait cessé de croire.

5- L'actuel Aboukir.
6- Cinq kilomètres.

Un jour qu'ils partageaient leur enthousiasme avec un promeneur affable, celui-ci avait haussé les épaules en souriant. C'est vrai, leur dit-il, que la tour est belle, mais elle est surtout utile. Depuis qu'elle avait été construite, les marins romains, grecs ou phéniciens avaient cessé de redouter les hauts-fonds et les écueils d'Alexandrie, qui avaient fracassé tant de navires sur les rochers et envoyé tant de richesses, sans parler des hommes, par le fond.

Mais l'île de Pharos avait d'autres charmes que sa tour. À l'une de ses extrémités se dressait le temple d'Isis Pharae. De grands jardins s'étendaient en son centre, face à l'éblouissement bleu de la mer. Les Alexandrins y venaient par milliers à la fin du jour, quand la canicule baissait, pour jouir de la brise qui soufflait en permanence du large.

Domitius, qui accompagnait souvent son ami, aimait parader devant les Alexandrines qui se promenaient sur le bord de mer, suivies d'une ou deux esclaves. Quelquefois, il poussait Marcus du coude :

— As-tu vu ?

— Quoi donc ?

— Eh bien, cette jeune femme…

— Celle qui agite l'éventail ?

— Oui. As-tu remarqué avec quel art subtil son voile ne cache rien de sa tunique, de son corps souple, de ses hanches…

— C'est vrai qu'elle est belle, dit Marcus, que l'engouement de son ami amusait. Mais encore ?

— Eh bien, je l'intéresse…

— Allons, mon cher Domitius, tu prends tes désirs pour la réalité.

— C'est toi, Marcus, qui est bien naïf. Ne sais-tu pas que ce sexe est passé maître dans l'art de nous regarder sans en avoir l'air ? Ne sais-tu pas qu'il suffit d'un battement de cil, d'un rapide coup d'œil lancé en coin et la belle a déjà tout vu ?

— Tout vu ? Tu n'exagères pas quelque peu ?

— Tout vu, te dis-je. Ta mine, si elle est bonne ou rechignée. Ta carrure, si elle est solide ou malingre. Ton regard, s'il est franc ou fuyant. De sorte qu'elles nous épient sans même nous envisager.

— Fort bien, dit Marcus en riant, cette philosophie est bien plaisante, mais qu'a-t-elle à voir avec la femme à l'éventail ?

— Eh bien, il y a déjà eu non pas un, non pas deux, mais trois battements de cils. Je l'intéresse, te dis-je…

Les jeunes gens se promenaient ainsi tous les soirs après le service, le corps délié, la démarche souple, heureux de leur jeunesse, humant les parfums salés de la mer, admirant la grâce ondoyante des Alexandrines, avant de se recueillir au moment du coucher du soleil, saisis par la beauté fulgurante de cette mort sanglante qui se transmuait en une symphonie de rose et de mauve.

Flavius se mêlait quelquefois aux deux jeunes gens. Domitius le saluait avec courtoisie mais les deux officiers se parlaient rarement. Marcus sentait une gêne impalpable entre le décurion fidèle à l'Empereur et le centurion disciple de Christ. Mais les trois militaires oubliaient rapidement leur embarras en admirant ensemble les splendeurs de la ville, en s'exclamant devant les temples de Jupiter et de Sérapis ou encore en bavardant gaiement de la beauté des filles dans les jardins de Pharos.

Deux mois après leur arrivée dans la capitale de la province d'Égypte, Marcus et ses deux amis se trouvaient un soir dans les jardins de l'île, quand Domitius se mit à lui faire de grandes grimaces.

— Qu'y a-t-il donc? demanda Marcus, que ce manège agaçait.

— Tu vois cette jeune fille, là-bas, suivie de l'esclave?

— Ne me dis pas que tu l'as vue encore battre des cils !

— Oui, mais, hélas ! cette fois-ci, ce n'est pas moi qui l'intéresse.

— Comment donc?

— Marcus, si tu n'étais pas un grand rêveur, tu aurais déjà remarqué qu'on t'observe depuis quelques minutes déjà. N'est-ce pas, Flavius? dit-il en prenant le centurion à témoin.

Marcus, intrigué, regarda dans la direction que lui indiquait son ami, tandis que Flavius souriait.

Au milieu de la foule des promeneurs, deux femmes étaient immobiles, nonchalamment appuyées contre le parapet qui bordait la mer. La plus âgée des deux était manifestement une esclave. Sa maîtresse lui parlait avec animation. Marcus regarda cette dernière avec attention.

Le long voile sans lequel nulle Alexandrine ne pouvait sortir sans se déshonorer encadrait des cheveux noirs; sa tunique plissée tenue par des agrafes, d'une douce teinte verte, faisait ressortir la matité de sa peau et révélait une longue silhouette gracile. Dès qu'elle se rendit compte que Marcus l'observait, la jeune fille se détourna négligemment et disparut bientôt dans la foule des promeneurs.

Le lendemain, elle était de nouveau là. Marcus, venu seul avec Domitius, la suivit de loin, tandis que le Sicilien accablait son ami de railleries. Mais le décurion romain ne l'écoutait que d'une oreille distraite.

La jeune femme se promenait sans but précis. Quelquefois, elle s'arrêtait sous un arbre pour s'éventer doucement. La même esclave l'accompagnait et les deux ne cessaient de bavarder ensemble. Quand son regard croisait celui de Marcus, l'Alexandrine reprenait sa marche sans trop se presser, comme pour permettre au jeune homme de ne pas la perdre de vue.

La promenade se termina au parapet qui surplombait la mer ; Marcus s'accouda un peu plus loin et le spectacle des navires qui entraient dans le Grand Port, à l'est, ou dans le port de la Bonne-Arrivée, à l'ouest, ne réussissait pas à le distraire. Il n'avait d'yeux que pour la jeune fille et n'entendait même pas les saillies que Domitius lui chuchotait à l'oreille. Enfin, l'Alexandrine quitta sa veille après le coucher du soleil.

Le même manège se répéta le lendemain et les jours suivants. C'était devenu un jeu transparent pour les quatre protagonistes. Ils arrivaient à Pharos à peu près en même temps ; la jeune fille commençait sa promenade, accompagnée de son esclave et suivie à quelques pas par les deux décurions romains. Domitius s'exaspérait de ce qu'il appelait la « pusillanimité » de son ami et l'encourageait à aborder la jeune fille. Marcus en avait bien envie, mais n'osait guère.

Ce fut l'Alexandrine qui prit les devants. Au bout d'une semaine, elle quitta un soir le parapet auquel elle s'appuyait et s'avança résolument vers les deux militaires. Domitius prit un air suffisant, tandis que Marcus regardait avec surprise autour de lui, pour s'assurer que la jeune femme se dirigeait bien vers eux.

—Bonsoir, décurions, dit-elle en grec.

—Bonsoir, répondit Domitius en bombant le torse. Mais comment savez-vous que nous sommes des décurions ?

— Eh bien, dit-elle avec une imperceptible pointe d'ironie dans le ton, ce n'est pas d'hier que les Romains sont à Alexandrie, et nous avons appris à distinguer le légionnaire du décurion, et le décurion du centurion.

— Et… vous connaissez beaucoup de soldats romains ? C'était Marcus qui s'était enhardi à poser la question.

— Je n'en connais aucun, même si je peux en reconnaître beaucoup. Vous n'êtes pas les seuls que l'île de Pharos attire.

— Elle n'attire pas seulement les légionnaires et les gardes du gouverneur, observa Marcus. Si j'en juge par nos promenades des derniers jours, elle attire aussi beaucoup de jeunes filles de la ville. Et des jeunes gens aussi, d'ailleurs.

— Vous étonnez-vous de voir des Alexandrins se promener à Alexandrie ?

La question désarçonna le soldat, et surtout cette pointe de raillerie qui affleurait de nouveau sous le ton uni de la voix. Domitius eut alors le bon goût de se retirer. Comme l'esclave était restée en retrait, Marcus se retrouva en tête-à-tête avec la jeune fille.

— Non, bien sûr… Je voulais seulement dire… est-ce que vous venez souvent ici?

— Oui, presque tous les jours en été, car il fait si chaud en ville, répondit l'Alexandrine dont la voix était redevenue aimable.

— Et… votre esclave?

— Que voulez-vous dire? Vous craignez qu'elle ne soit là pour me surveiller? La jeune fille éclata d'un rire franc.

— Euh… pas vraiment, mais elle ne vous quitte jamais.

— À Alexandrie, les jeunes filles qui se respectent sont toujours accompagnées par une, sinon deux ou trois esclaves. Vous ne l'aviez pas remarqué?

— C'est que cela fait à peine quelques semaines que je suis à Alexandrie. Je n'avais pas vraiment vu…

— Mais il ne vous a pas fallu beaucoup de temps pour nous remarquer, puisque vous nous suiviez… Ainsi, reprit la jeune fille avec précipitation, comme si elle se surprenait elle-même de la hardiesse de sa remarque, vous venez d'arriver…

— Oui, nous avons débarqué il y a deux ou trois mois.

— Et pourquoi donc êtes-vous venus à Alexandrie?

— L'Empereur a estimé que la légion Cyrenaica, qui a la mission de défendre sa province d'Égypte, ne pouvait plus suffire à la tâche, et il nous a dépêchés en renfort… C'est vrai que les Égyptiens s'agitent sans cesse. Il y a seulement cinq ans, ils se sont révoltés, et l'Empereur a dû les mater dans le sang.

La jeune fille se rembrunit quelques instants, puis reprit ses questions.

— Et vous êtes romain?

— Citoyen romain… Mais je suis né près d'Antioche.

— Vous portez donc un nom syrien?

— Je m'appelle Marcus. Mon père m'a donné un nom romain, parce qu'il est fier d'être citoyen de Rome. Et vous, comment vous appelez-vous?

— On me nomme Artémisia.

— Vous êtes donc grecque?

— Grecque? C'était au tour de la jeune fille de paraître surprise. Mais non, je suis égyptienne. Pourquoi grecque?

— Eh bien… Tout d'abord, vous parlez parfaitement le grec. De plus, votre nom, c'est bien celui de la déesse d'Éphèse, en Ionie[7]…

La jeune fille eut un franc sourire.

7- Aujourd'hui sur la côte occidentale de la Turquie.

— Vous pouvez remarquer bien vite certaines choses, dit-elle avec un brin de malice. Je parle le grec comme tout le monde à Alexandrie, Égyptiens, Grecs, Romains, juifs… C'est notre langue commune. Même votre gouverneur nous parle en grec. Et quand il promulgue des édits au nom de l'empereur Dioclétien, c'est en grec que ses scribes les écrivent.

— Et… votre nom ?

— Dans ma famille, nous portons indifféremment des noms égyptiens ou grecs depuis plusieurs générations, comme je parle tout aussi bien le grec que l'égyptien. Mais je suis égyptienne, répéta-t-elle avec un soupçon d'orgueil, et mon père est respecté partout à Alexandrie. Le gouverneur le convoque même régulièrement à son palais pour le consulter.

— Et que fait votre père ?

— Il est grand prêtre de la divine Isis, en son temple principal d'Alexandrie.

Marcus en resta muet d'étonnement. Isis était partout vénérée dans l'Empire, mais ses fidèles savaient bien que son sanctuaire principal était à Alexandrie, sur l'île de Pharos. Ainsi donc, le père de cette jeune fille, cette Artémisia, était le grand prêtre, le principal adorateur et serviteur de cette divinité, que lui, Marcus, savait fausse depuis sa conversion à la foi des disciples de Christ. Sans trop savoir pourquoi, Marcus se sentit triste en entendant la fière affirmation de la jeune fille.

Celle-ci d'ailleurs faisait signe à son esclave. Elle quitta Marcus en le saluant d'un mouvement de la tête. L'officier romain regarda longuement la silhouette de la jeune fille ondoyer et se perdre dans la pénombre violette du crépuscule.

Le lendemain, il était fidèle au poste ; il ne fut pas déçu : Artémisia y était aussi. Marcus avait vaguement mentionné devant Domitius qu'il espérait bien retrouver de nouveau la jeune Égyptienne. Son ami avait compris et, prétextant un travail urgent à la caserne, l'avait laissé partir seul. Il n'avait pu s'empêcher cependant, en le voyant brosser vigoureusement ses habits, de soupirer à haute voix sur les charmes irrésistibles des Alexandrines.

Marcus prit l'habitude de retrouver la jeune fille dans les jardins de Pharos. L'esclave connaissait maintenant la routine et se retirait à quelques pas quand elle voyait l'officier romain s'avancer vers sa maîtresse. Artémisia et Marcus bavardaient de tout et de rien. La jeune fille, dont la vie n'avait guère eu d'aspérités jusque-là, se contentait de raconter à Marcus sa vie de famille, l'affection qui la liait à ses frères et sœurs, le prestige dont jouissait son père à Alexandrie et qui rejaillissait sur eux tous.

Elle demanda à quelques reprises à Marcus s'il avait connu Isis dans son pays, avant de venir en Égypte, et s'il lui avait déjà fait des offrandes dans ses temples. Marcus, mal à l'aise, lui avait confirmé qu'à Antioche et partout en Syrie, de multiples sanctuaires étaient dédiés à la Déesse. La priait-il ? avait demandé l'Égyptienne avec insistance. Marcus avait vaguement répondu qu'il avait accompagné quelques fois son père ou des amis aux temples d'Antioche.

Artémisia avait alors révélé avec fierté qu'elle était prêtresse d'Isis, l'une des musiciennes et danseuses chargées de réveiller, d'habiller et de distraire la Déesse. Elle avait invité Marcus à venir assister au rituel du réveil et le jeune homme avait vite saisi cette occasion de voir la jeune fille non seulement le soir, dans les jardins, mais même le matin, dans le temple, quitte à lui sourire de loin.

Marcus était pourtant embarrassé. Il sentait confusément qu'il lui faudrait dire un jour à la jeune fille qu'il n'allait au temple que par curiosité et non par ferveur. Il faudrait bien qu'elle sache qu'il était chrétien. Il ne savait pourtant comment le lui dire… Les chrétiens à Alexandrie semblaient plus nombreux et plus présents qu'à Antioche, mais ils se montraient discrets, car la population continuait à les mépriser et les autorités toléraient à peine cette « secte rebelle » qui refusait de reconnaître le caractère divin de l'Empereur et de lui faire des offrandes.

D'ailleurs, à la caserne, des bruits commençaient à courir. On disait que Dioclétien se montrait de plus en plus impatient à l'égard des chrétiens. Au début de son règne, il avait bien voulu faire preuve de mansuétude et leur avait permis de se réunir, de lire leurs ouvrages religieux et de manger ensemble, pourvu qu'ils ne fassent pas trop de zèle, qu'ils soient discrets et ne provoquent pas les citoyens. Mais sa patience avait des limites et il envisageait de sévir car, selon ses conseillers, les chrétiens se répandaient partout dans l'Empire comme la peste.

Un jour, Flavius l'avait abordé et entraîné dans un coin, loin des oreilles indiscrètes.

— Sais-tu ce que le général nous a dit ? Des rumeurs veulent que la cour exerce des pressions sur l'Empereur pour qu'il fasse le grand ménage des chrétiens. Et ce ménage commencerait à l'armée.

— Comment cela, à l'armée ?

— On prétend qu'il exigera de chacun des officiers de lui prêter serment.

— Je n'ai aucun problème à prêter serment à l'Empereur. Je suis fier de le servir, tout chrétien que je sois.

— Moi aussi, tu le sais bien, dit Flavius. Mais là ne s'arrêteraient pas les intentions de Dioclétien. On dit aussi qu'il exigera que chacun de nous fasse des offrandes devant son effigie.

— Des offrandes ? Mais ce serait l'adorer…

— Tu l'as dit. Et tu sais bien que nous n'adorons, toi et moi, qu'un seul Dieu.

— Et si nous refusions ?

— Au mieux, on nous licencierait de l'armée. Au pis aller…

— Et que disent nos frères de tout cela ?

— Rien pour le moment, puisque ce ne sont que des rumeurs. Mais d'autres officiers, chrétiens comme nous, s'inquiètent beaucoup. Si l'Empereur donne effectivement cet ordre, il faudra alors aviser…

Cette conversation avait encore accru le malaise de Marcus devant les questions d'Artémisia. Mais il oubliait vite ses soucis et ses scrupules quand, dans les jardins de Pharos, il voyait surgir devant lui au détour d'un sentier le visage d'Artémisia, les yeux d'Artémisia, le sourire d'Artémisia.

Au fil des semaines et des conversations, la jeune fille avait donc fait le tour de sa vie, simple et unie malgré la trépidation et les plaisirs de la grande ville. Mais elle ne cessait de poser des questions au Romain. Antioche était-elle belle ? Les montagnes du Liban, dont les forêts de cèdres fournissaient le bois des navires égyptiens, étaient-elles hautes ? Et lui, Marcus, où avait-il grandi ? Que faisait-il sur son domaine avant d'entrer dans l'armée ? Avait-il combattu ? Où ça donc ? C'était loin, la Cappadoce ?

Le jeune homme répondait en souriant à ce feu roulant de questions. Quand il raconta la bataille à laquelle il avait pris part contre les rebelles, les yeux de la jeune Alexandrine s'agrandirent et le jeune homme sentit son cœur cogner encore plus fort dans sa poitrine, devant l'émail immense et lumineux de ses prunelles noires.

Il se garda cependant d'évoquer les viols, les tueries, le pillage qui avaient suivi le combat.

Les soirées coulaient ainsi lentement, tissant une douce complicité entre les jeunes gens. Un jour, Marcus demanda à Artémisia son âge.

— J'aurai seize ans dans quelques semaines, dit-elle. Puis elle ajouta négligemment : Mon père veut que je me marie bientôt. Mes sœurs aînées étaient déjà de bonnes épouses à quinze ans. Je crois même qu'il a à l'esprit un jeune prêtre du temple, dont il aime la ferveur à l'égard d'Isis.

Cette réponse fit l'effet de la foudre sur le décurion romain. Il ne pouvait plus se le cacher : il était profondément amoureux de la jeune prêtresse alexandrine. Il ne pensait qu'à elle, ne rêvait que d'elle. Il s'émouvait devant son visage ovale, sa peau mate, ses lèvres roses, ses yeux noirs. Il admirait furtivement l'ourlet de son oreille, le subtil étirement de ses yeux vers les tempes. Il jetait parfois un regard à la dérobée sur les jeunes seins qu'il devinait sous la tunique ; et quand la jeune femme le quittait et qu'il suivait des yeux la silhouette dansante, souple, qui tanguait doucement dans l'or vaporeux de la lumière, il sentait ses mains devenir moites.

Or voilà qu'elle évoquait son mariage à un autre ; il tâchait de se rappeler ces prêtres qu'il voyait régulièrement au temple s'avancer en procession vers la Déesse. Lequel était ce « jeune prêtre fervent » dont parlait la jeune fille ? Il entrevit en un éclair un Égyptien qui faisait glisser la tunique d'Artémisia et mettait ses paumes sur ses seins. Il eut un haut-le-corps.

Ce soir-là et les jours suivants, Marcus vécut dans un tourbillon. Se pourrait-il que ces promenades, ces rencontres où il trouvait tant de douceur, puissent s'interrompre ? Se pourrait-il qu'un autre homme puisse interdire à la jeune fille de lui parler, de le rencontrer ou même de le regarder ? Se pourrait-il qu'un autre puisse l'entraîner vers une couche et vivre avec elle un délire qui froisserait les draps et arquerait son corps ?

Ces idées torturaient le décurion. Mais il ne savait trop quoi faire. Quelques jours passèrent. Il se calma un peu. Le père de la jeune fille n'était peut-être pas si pressé de la marier… Et puis, un soir, Tothès, son légionnaire égyptien, l'aborda :

— Décurion, il ne faudra surtout pas manquer la cérémonie du réveil d'Isis, demain matin.

— Et pourquoi donc, Tothès ?

— C'est que demain, c'est la fête de la Nativité d'Isis.

— Et alors ?

— Et alors, décurion, le rituel sera plus somptueux que d'habitude. C'est une grande fête, ici en Égypte, et toute la population aime à participer au réveil de la Bonne Mère.

— Eh bien, Tothès, puisque c'est ainsi, j'y serai.

Marcus souriait en son for intérieur. La Nativité d'Isis ne l'intéressait guère. Mais il pourrait ainsi voir encore une fois, dans la douce lumière du matin, s'avancer vers lui la belle Égyptienne.

Le lendemain, Marcus se retrouva au temple, au milieu d'une véritable cohue. Tothès avait raison, la foule était plus nombreuse que d'habitude. Les Égyptiens, les Grecs, les Romains se bousculaient joyeusement sur le parvis du temple. Et puis les trompettes avaient sonné. La procession avait commencé : les prêtres étaient plus nombreux que d'habitude. Ils portaient de petites chapelles, mais aussi des tiges de blé et d'orge, qu'ils levaient en l'air en les agitant.

D'autres prêtres habillés de lin et la tête tonsurée portaient des jarres du vin de l'oasis de Khargueh, des fleurs d'Égypte, des bols de lait, des bijoux en lapis-lazuli et en argent. Ils se prosternèrent devant Isis et lui offrirent la nourriture et la boisson. La Déesse, silencieuse et altière, attendait ses prêtresses qui allaient l'habiller et lui passer ses bijoux, avant qu'elle ne daigne jeter un regard sur ses adorateurs.

La musique des prêtresses se fit entendre. Le jeune homme tendit le cou, avide de capter le regard de la jeune femme. Et Marcus avait vu s'avancer vers lui Artémisia, nue sous un pagne transparent.

CHAPITRE TROIS

Tothès avait expliqué à Marcus, après la cérémonie du réveil d'Isis, que c'était la tradition : deux ou trois fois l'année, au moment des grandes fêtes de la Déesse — sa naissance, la découverte du corps de son bien-aimé Osiris, assassiné par son frère jaloux Seth, la naissance de son fils Horus — les prêtresses s'avançaient vers elle sans leurs voiles. On faisait cela de temps immémorial, et personne n'y trouvait rien à redire.

Marcus était bouleversé. L'image de la jeune fille nue sous les regards de milliers d'étrangers lui taraudait constamment l'esprit. Quand il se souvenait de ce moment où elle avait paru devant lui, ses seins luisant doucement au soleil levant, ses hanches drapées dans un voile transparent qui laissait deviner les courbes et les creux de son corps, une bouffée de chaleur le saisissait, le sang lui montait au visage et il chancelait comme sous l'effet d'un coup soudain.

Ses hésitations, ses réticences, tout disparut en un instant. Le soir même, il alla rencontrer Flavius, qu'il aimait et dont il appréciait la sagesse. Il lui raconta tout : ses nombreuses rencontres avec Artémisia, après leur contact initial dans les jardins auquel avait assisté le centurion, leurs longues conversations sous le regard du Zeus qui couronnait la tour de Pharos, leur complicité croissante, la simplicité de la jeune fille.

Quand il en vint à la cérémonie du matin, les mots s'étranglèrent dans sa gorge. Flavius le regardait avec une vive attention. Il finit par l'interrompre, pour lui donner le temps de se remettre de son émotion.

— Il n'y a guère de doute, mon ami, tu es amoureux de cette jeune Égyptienne.

— Tu as bien deviné, Flavius. Je ne voulais pas m'y arrêter… Maintenant, je ne veux plus la revoir exposée aux yeux de cette foule.

— Fort bien, je serais, dans des circonstances semblables, aussi déterminé que toi. Mais comment comptes-tu t'y prendre ?

— J'y ai réfléchi depuis ce matin. Je vais l'épouser.

— Il n'y a probablement pas d'autre solution. Mais tu saisis bien que ce ne sera pas là une tâche aisée…

— Parce que je suis soldat romain ?

— Ce n'est pas le plus important. Depuis trois cents ans que nous sommes ici, les Égyptiens ont fini par apprendre à vivre avec leurs occupants. Et tu n'es pas le seul à avoir succombé au charme de leurs yeux noirs, ajouta Flavius en souriant : des milliers de légionnaires ont pris leur retraite pour aller s'installer à la campagne avec leurs épouses égyptiennes.

— Alors ?…

— Le père de la jeune fille ne sera probablement pas heureux de savoir qu'elle a un soupirant étranger, surtout s'il a un jeune prêtre à l'esprit pour en faire son mari. Il s'agit probablement d'un de ses protégés.

— Pourtant, je suis citoyen romain. Cela va sûrement peser dans la balance.

— Tu n'as raison qu'en partie, Marcus. Tu sais bien que les empereurs ont fini par donner cette citoyenneté à tout le monde et son père. Presque tous les hommes libres de l'Empire sont maintenant citoyens romains. Cependant, ta famille l'est depuis très longtemps… Et puis, le grand prêtre a intérêt à cultiver des liens encore plus étroits avec les serviteurs de l'Empereur. Mais il y a autre chose…

— Quoi donc ?

— Tu es chrétien, Marcus, ne l'oublie pas. Ici comme ailleurs dans l'Empire, les esprits sont très échauffés contre nous. Épouserais-tu une adoratrice des idoles ? Le père d'Artémisia verrait-il d'un bon œil un gendre qui rejetterait ses croyances, sa raison d'être ?

Marcus était atterré. Sa voix maintenant était presque inaudible.

— Que dois-je faire, Flavius ? Je ne veux pas la perdre.

— Eh bien, tu as peut-être besoin de consulter des gens qui connaissent ce pays mieux que moi. Pendant que tu te promenais dans les jardins de Pharos et que tu y rencontrais ta belle, j'ai pris contact avec nos frères chrétiens d'Alexandrie. Je les ai rencontrés à quelques reprises. Certains seront de bon conseil, et je vais t'arranger une rencontre avec eux.

Deux jours plus tard, Marcus quitta comme d'habitude la caserne avant le soir, mais au lieu de se diriger vers l'Heptastade, qui menait à Pharos, il prit le chemin du cantonnement de Flavius. Son ami l'attendait et l'entraîna loin de la voie Canopique et de sa cohue.

Ils passèrent devant le Sérapéion, l'énorme temple construit en l'honneur de Sérapis et pénétrèrent bientôt dans un lacis de ruelles.

— Où sommes-nous ? demanda Marcus, qui n'était jamais venu dans ce coin de la ville.

— Dans le quartier de Rhakôtis, où se trouvent surtout les Égyptiens, répondit le centurion.

Ils arrivèrent devant une maison à trois étages, étroite, massive, qui ressemblait à une tour. Flavius l'entraîna dans un escalier obscur. Au dernier étage, il frappa à une porte de bois selon un rythme particulier ; celle-ci s'entrouvrit et on les fit entrer rapidement.

La pièce principale était pauvrement meublée ; des bancs de pierre encastrés dans les murs étaient recouverts de quelques coussins. Il y avait là trois hommes que Flavius serra dans ses bras. « Voici Marcus, notre frère », dit-il avec un large sourire.

Le premier homme était petit, vigoureux, les cheveux crêpelés, la barbe noire et abondante. Flavius le désigna :

— Marcus, voici Pierre, qui vient d'être choisi évêque d'Alexandrie par nos frères égyptiens.

Les deux autres hommes étaient en retrait ; le premier était plus âgé que l'évêque, les cheveux blancs, les yeux brillants et fiévreux. Il s'appelait Sarguayos et Flavius le présenta comme étant « le presbytre du quartier du Broucheion ». Le second, un homme jeune, souriant, affable, s'avança vers le décurion et lui donna l'accolade.

— Je m'appelle Macaire, dit-il, et je suis responsable des copistes de la Bibliothèque.

L'évêque invita les deux militaires romains à s'asseoir. Flavius prit la parole :

— Notre frère Marcus est amoureux d'une jeune prêtresse d'Isis. Il souhaite l'épouser.

— Rien de plus légitime, dit l'évêque en souriant.

— Cependant, reprit Flavius, il craint la réaction du père de la jeune fille.

— Et pourquoi donc ? demanda Macaire. Nous ne sommes plus au temps où les Égyptiens restaient à l'écart des Romains et où les Grecs refusaient de nous donner leurs filles en mariage. Nous connaissons tous de nombreux Romains, Grecs ou juifs qui ont épousé nos filles et nos sœurs.

— C'est que le père de cette jeune fille est le grand prêtre du temple d'Isis Pharae.

— Vous voulez dire Pâapis ? dit l'évêque. Alors, Marcus a raison d'être soucieux.

— Et pourquoi donc ? demanda Marcus, qui voyait son inquiétude redoubler.

— Eh bien, Pâapis est très attaché au culte de son idole.

Il y eut quelques instants de silence. Puis Sarguayos, qui n'avait pas encore pris la parole, tourna son regard de feu vers Marcus :

— Notre frère veut donc se marier avec une idolâtre ?

— Je veux… je veux épouser Artémisia.

— Fort bien, mais votre foi en Christ ? Allez-vous faire des offrandes à Isis ?

— J'ai bien l'intention de continuer à adorer le seul Dieu et à vénérer Christ, dit Marcus avec force.

— Votre épouse vous imitera-t-elle ? demanda encore Sarguayos, dont la voix basse résonnait comme dans une caverne.

— Je… je n'y ai pas pensé, mais j'espère bien la convaincre d'abandonner ses idoles…

L'évêque interrompit alors le presbytre :

— Tes questions, Sarguayos, témoignent d'un attachement louable à l'intégrité de notre foi. Aujourd'hui cependant, l'important est d'aider notre frère à épouser celle que Christ et l'Esprit ont mis sur son chemin.

— Il faudrait cependant que nos frères et nos sœurs s'épousent entre eux, afin que notre foi soit préservée et continue de grandir.

— Tu as raison, Sarguayos, reprit l'évêque, il faudrait dans la mesure du possible favoriser le mariage de nos enfants avec les adorateurs du vrai Dieu. Mais nous vivons dans une grande ville, nous sommes une minorité au milieu de la multitude des idolâtres, nous ne vivons pas repliés sur nous-mêmes dans nos quartiers, nous les côtoyons dans les rues et dans nos travaux. Tiens, justement, Macaire, eh bien, il travaille à la Bibliothèque avec des Grecs qui s'inclinent devant Sérapis, des juifs qui suivent la Loi de Moïse et rejettent celle de Christ, des Romains qui ne jurent que par Jupiter ou Mithra, ou encore avec nos frères égyptiens qui prient avec ferveur Isis ou son fils Harpocrate. Nous sommes aujourd'hui partout, au palais du gouverneur, à la Bibliothèque, à l'Académie et même dans l'armée, puisque vous n'êtes pas les seuls officiers et légionnaires chrétiens.

— Pierre a bien raison, renchérit Macaire. Nous ne pouvons pas empêcher l'amour de naître entre nos enfants et ceux des autres Alexandrins. D'ailleurs, bien souvent, quand les chrétiens se sont mariés à des adorateurs d'idoles, ils les ont amenés plus tard à la vraie foi.

Les cinq hommes continuèrent à discuter. Sur les conseils de Pierre et de Macaire — Sarguayos s'étant enfermé dans le mutisme —, il fut décidé que Flavius et Marcus iraient rencontrer Pâapis : il ne servait à rien de tourner autour du pot. Marcus lui ferait savoir qu'il était chrétien, mais n'insisterait pas pour que l'évêque bénisse son mariage. Flavius ajouterait à la démarche le prestige de l'armée. Et si Pâapis se montrait encore réticent, Macaire, qui avait ses entrées au palais grâce à son travail à la Bibliothèque, tâcherait de faire intervenir auprès du grand prêtre un membre influent de la suite du gouverneur.

Deux jours plus tard, Marcus se rendit à Pharos le soir, dans les jardins. Dès qu'elle le vit de loin, Artémisia eut un sourire rayonnant.

— Je craignais, lui dit-elle avec une moue qui ravit le Romain, que vous m'eussiez oubliée. Après la fête de la Nativité d'Isis, vous avez disparu très vite. Et cela fait bien une semaine que vous n'êtes pas venu ici.

Le ravissement de Marcus redoubla quand il se rendit compte que son absence de trois ou quatre jours avait semblé une éternité à la jeune Égyptienne. Il eut un élan et lui prit les mains.

— C'est que j'étais… malheureux, et aussi occupé.

— Malheureux?

— Oui. La fête d'Isis… eh bien, on ne la célèbre pas de la même façon à Antioche. Je n'avais jamais vu de prêtresses, euh… qui ne portaient pas de tuniques. Quand je t'ai vue avec seulement un pagne, j'ai été bouleversé et je suis parti.

— Mais… c'est la tradition, répondit la jeune fille. Une tradition suivie depuis toujours. Et puis, je n'étais pas… enfin, sans habits.

— Comment cela?

— Oui, notre bonne mère Isis nous protège et nous couvre de ses voiles.

Marcus en resta interloqué. La jeune fille reprit:

— Vous m'avez dit aussi que vous étiez occupé.

— Oui, je suis allé voir quelques amis. J'ai longuement discuté avec eux et réfléchi. Et j'ai pris ma décision.

— Votre décision? demanda la jeune fille avec un imperceptible tremblement dans la voix, car l'air mystérieux de Marcus l'inquiétait un peu. Quelle décision?

— Eh bien… j'ai décidé d'aller voir Pâapis.

— Mon père? Pourquoi donc? Artémisia semblait effrayée.

— Tout simplement pour lui demander ta main. J'ai décidé de t'épouser.

— M'épouser? La jeune fille ouvrit des yeux si grands, si noirs, si brillants, que Marcus aurait voulu figer ce moment pour l'éternité.

— Oui, Artémisia, t'épouser. Je veux me marier avec toi. Je veux vivre avec toi. Je veux te voir sans cette esclave qui ne nous quitte jamais des yeux. Je veux te voir ailleurs que dans les jardins de Pharos, où nous sommes invisibles au milieu de la foule. Je veux me promener avec toi sur la voie Canopique. Je veux que l'on m'envie parce que tu es à mes côtés. Je veux… je veux t'embrasser.

La jeune fille avait rougi vivement. Elle baissa la tête. Ce fut au tour de Marcus de s'inquiéter un peu.

— Je veux voir votre père, mais seulement si... enfin, si vous êtes d'accord, reprit-il en retrouvant soudain le vouvoiement.

— Faites... faites comme vous voulez, dit Artémisia d'une voix qu'il eut peine à entendre.

Marcus rayonnait. Il aurait volontiers bondi, couru autour de ce bosquet d'arbres, serré la jeune fille dans ses bras, mais il se retenait, d'autant plus que l'esclave semblait avoir perçu quelque chose d'insolite et les regardait avec insistance.

— Je dois cependant te dire quelque chose. Je vais cesser d'aller au temple d'Isis...

— Comment? Pourquoi cela?

— Artémisia, je suis... enfin, cela fait un an que... enfin, voilà... je n'adore plus Isis, car j'adore le seul, l'unique Dieu, que m'a révélé Christ Jésus. Je suis chrétien...

— Chrétien? Artémisia était devenue très pâle. Chrétien? Mais mon père ne voudra jamais... Il dit que les chrétiens sont les ennemis de l'Empereur et de l'Égypte. Il dit qu'ils complotent...

— Je sais, Artémisia. Ce que dit ton père, bien d'autres le répètent et le colportent partout. Mais c'est faux... Je t'expliquerai tout cela longuement. Mais je te le jure: j'aime Alexandrie, je respecte l'Empereur et je veux le servir, mais surtout, je... je t'aime, toi. J'irai voir ton père, je lui expliquerai.

— Comme vous voudrez, dit la jeune fille, la voix triste, la tête basse. Et elle s'éloigna avec l'esclave.

∽

De Pâapis, Grand Prêtre de la divine Isis, notre Joie salvatrice, Mère du dieu, la Toute-puissante, la Très Grande Reine, la Sainte de gracieuse forme, la Conductrice des muses, la Guerrière, l'Amour des dieux,
   À ses frères,
   Isarous, prêtre de la divine Isis en son sanctuaire de Philae,
   Khomnos, prêtre du divin Amon en son sanctuaire de Thèbes,
   Kolopè, prêtre du divin Ptah-Apis en son sanctuaire de Memphis,
   Mes frères,
   Je vous écris en ce vingtième jour du mois de Phaophi[1] pour vous donner de nos nouvelles et en avoir des vôtres.

1- Octobre.

Notre ville s'est presque totalement remise des troubles des dernières années. Vous vous souvenez que quelques têtes exaltées s'étaient soulevées contre l'Empereur, menées par un certain Domitius Domitianus, un aventurier sans cervelle. Ils avaient réussi à chasser le gouverneur romain et à s'emparer de la ville. Les soldats romains qui avaient eu le malheur de tomber entre leurs mains avaient été décapités sur-le-champ.

Tous les gens sages à Alexandrie savaient que cette aventure était folle et que l'Empereur n'abandonnerait jamais sa province d'Égypte, la plus riche de son Empire, et la ville d'Alexandrie, véritable perle de la mer des Romains. La population s'était terrée dans ses maisons, dans l'attente de la riposte de Dioclétien.

Hélas! nous avions raison. L'Empereur est entré dans une violente colère; il a envoyé ses meilleures légions qui ont assiégé la ville et l'ont reprise après de sanglants combats. Partout, de terribles destructions ont accompagné cette guerre, et en particulier le quartier du Musée, l'orgueil de tous les Alexandrins, a subi de grandes déprédations. Domitianus et ses partisans ont péri dans d'affreuses tortures et le gouverneur est revenu en grande pompe dans son palais.

Vous savez tout cela, mes frères, puisque ces événements sont déjà vieux de quelques années. Je suis heureux de vous dire que la reconstruction de la ville est maintenant achevée. Le quartier du Musée a retrouvé sa beauté d'antan et les Alexandrins ont retrouvé leur insouciance, leur légèreté et les plaisirs, licites ou non, qu'ils goûtent au Théâtre, au Gymnase, à Pharos ou à Canope.

Les Alexandrins ont cependant bien tort de ne pas voir les nuages qui s'accumulent à l'horizon. Si je vous ai rappelé nos épreuves des dernières années, c'est qu'elles ont eu des conséquences dans lesquelles je vois des présages sinistres.

En effet, l'empereur Dioclétien ne veut plus que sa province égyptienne soit de nouveau secouée par des troubles. Il a compris que sa légion Cyraneica, qui défend le pays, ne peut plus suffire à la tâche. Il a dépêché des renforts, et une légion est arrivée ici au milieu de l'été, venant d'Antioche en Syrie. Vous me direz que ce n'est pas la première fois qu'il y a des mouvements de troupes et vous vous demanderez en quoi ces soldats sont pour moi un signe. Laissez-moi donc, mes frères, vous ouvrir mon cœur, car mes craintes sont celles que nous devrions avoir tous pour l'avenir de notre pays.

Chez vous, mes frères, dans le centre et le sud de notre Égypte bien-aimée, il doit encore faire tiède, sinon chaud. Vous savez qu'ici, Phaophi amène des pluies et annonce les nuées de l'hiver. Mon cœur est, quant à lui, déjà plein de nuages, et mes yeux, la nuit, s'emplissent de la pluie de mes larmes.

Vous savez, mes frères, qu'Isis, et Amon, et Apis, et Horus, et Anubis, et Râ, et tous les dieux glorieux de notre pays étendent leur protection sur nous depuis le début du monde. Je suis le prophète d'Isis et vous êtes les prophètes d'Amon et de

Ptah-Apis, et notre destin en ce monde, notre dignité est de maintenir nos dieux heureux, de les servir et de nous assurer qu'ils continuent à jeter un regard bienveillant sur les hommes. L'ordre du monde, l'harmonie de l'univers dépendent de nous et de la tâche que nous accomplissons.

Mes frères, l'un de nos plus illustres prédécesseurs, le grand prêtre Manéthon, a écrit une histoire de notre pays. Quelquefois, la nuit, je m'enferme dans le lieu saint où je range les habits de la Déesse et les papyrus sacrés. Je déroule le papyrus de l'Histoire de Manéthon et je me mets à le lire. Il me faut plusieurs semaines de suite pour y parvenir, car l'histoire de l'Égypte, cette terre bénie des dieux, est longue et féconde.

Quand je parcours les glorieux faits d'armes que Manéthon a décrits, quand je lis la longue suite des pharaons des trente dynasties qui ont régné sur notre peuple, quand j'admire leur sagesse, leur bienveillance à l'égard de leurs sujets, leur dévotion aux dieux, quand je pense à Râ qui se réveille depuis toujours à l'orient pour nous inonder de sa lumière et de sa chaleur, quand je pense à tout cela, mes frères, mon cœur se gonfle de joie et de reconnaissance.

Je sais alors que les dieux nous ont toujours protégés. Ils ont toujours comblé l'Égypte de leurs bienfaits, car les Égyptiens les ont toujours vénérés. Et c'est alors que le doute et l'inquiétude commencent à me ronger, car je me demande si les dieux vont continuer à étendre sur nous leur protection.

Vous savez que les Romains nous gouvernent depuis trois cents ans, et trois cents autres années avant eux, les Grecs sont venus à la suite d'Alexandre et nous ont subjugués. Ils ont occupé notre pays, saisi nos richesses, exploité nos paysans, envoyé dans leurs villes lointaines notre blé et notre froment. Mais ils n'ont jamais pu se saisir de notre âme ; j'oserais même dire, mes frères, que c'est le contraire qui s'est produit.

En effet, ils nous ont asservis, mais nos dieux les ont conquis à leur tour. Dois-je vous rappeler ce qui est arrivé à la Bonne Mère Isis, dont je suis l'humble serviteur ? Elle a détrôné et remplacé les déesses des autres peuples. Elle est Astarté ou Artémis chez les Syriens, Cybèle en Thrace, Déméter ou Aphrodite chez les Grecs. Son temple à Rome est un des plus grands de la ville et partout dans l'Empire ses sanctuaires se sont multipliés.

Sérapis aussi, ce dieu devant lequel se prosternent les Grecs d'Alexandrie et de partout, n'est autre que nos divins Osiris et Apis. Nos conquérants savent aussi que notre Amon est leur Zeus et le divin Thot, leur Hermès. Les exemples ne manquent pas : ces peuples étrangers, après nous avoir conquis, ont été conquis à leur tour par nos dieux.

Or, si mon cœur est triste aujourd'hui, c'est que j'ai le sentiment d'une menace sourde, diffuse mais réelle : nos dieux sont menacés.

Je sais que vous êtes au courant de l'existence dans notre pays d'une secte qui suit les enseignements d'un juif nommé Christos. J'ignore si les entreprises de ses adeptes sont très visibles dans notre pays profond, et vous pourriez me donner quelques précisions là-dessus. Mais ici, à Alexandrie, les membres de cette secte affreuse sont partout et nous menacent directement.

Nos aïeux avaient cru que les sectateurs de cette nouvelle religion, qui est arrivée chez nous sous le règne de l'empereur Claude, allaient se conduire comme les autres juifs qui vivent en paix avec nous à Alexandrie, c'est-à-dire qu'ils allaient vivre entre eux. Hélas! il en fut tout autrement avec ces disciples de Christos. Dès le début, ils se sont montrés zélés et ont attiré dans leurs filets nos compatriotes qui avaient la faiblesse de succomber à leurs chants de sirènes.

Aujourd'hui, leur nombre a augmenté. Combien sont-ils? Je ne le sais, mais je sais parfaitement qu'ils se sont infiltrés partout; on les retrouve chez les humbles comme chez les riches, chez les Grecs comme chez les Égyptiens, et même chez les savants de la Bibliothèque et les fonctionnaires du palais du gouverneur.

Ils refusent de croire en nos dieux. Ils exigent de leurs nouvelles recrues de rejeter Râ, Amon, Isis et tous les autres dieux qui peuplent les cieux et les enfers. Ils leur interdisent de faire des offrandes devant leurs autels.

Ces sectaires s'attaquent ainsi à la fibre de l'Égypte, à son âme même. Imaginez, mes frères, s'ils triomphaient: nos dieux n'auraient plus d'adorateurs; leurs prêtres ne seraient plus là pour les servir. L'ordre du monde serait rompu. Qu'adviendrait-il alors de notre pays? Qu'adviendrait-il de la pauvre Égypte?

Un seul espoir me reste afin d'éviter cette tragédie que je crains. On répète partout que l'Empereur lui aussi est inquiet de l'audace grandissante de ces zélateurs. Je sais de source sûre qu'il s'apprête à sévir. On dit qu'il va commencer par épurer son armée, puis qu'il va appesantir sa main partout dans l'Empire. Réussira-t-il là où ses prédécesseurs ont échoué? Nous sommes suffisamment âgés pour nous souvenir de l'empereur Dèce qui avait vigoureusement poursuivi ces misérables. Des milliers d'entre eux avaient péri mais, comme la mauvaise herbe, ils se sont de nouveau multipliés. Je souhaite que Dioclétien se montre plus ferme encore que ses prédécesseurs et qu'il arrache cette ivraie du champ d'Égypte.

Vous vous étonnez peut-être, mes chers frères, de me voir m'attarder si longuement sur une situation que vous connaissez déjà; c'est que ces tristes idées que je rumine ne sont plus pour moi abstraites. Les chrétiens ne sont plus une menace plus ou moins lointaine à mon sacerdoce. Ils sont venus bouleverser ma vie, ils ont jeté le trouble dans ma propre famille. Mon cœur est plein de chagrin et veut s'épancher. Je sais qu'il trouvera auprès de vous une oreille attentive et un cœur fraternel.

Vous connaissez ma famille. Mes filles aînées sont mariées, la plupart de mes garçons aussi. Ils vivent tous à Alexandrie, et leur mère et moi avons grande joie à les voir souvent et à serrer dans nos bras les petits-enfants qu'ils nous donnent.

Ma dernière fille, Artémisia, n'est pas encore mariée, même si elle a déjà quinze ans. Je ne vous cacherai pas qu'elle est la prunelle de mes yeux et la joie de mon cœur. Je lui ai donné le nom de cette déesse grecque à laquelle les peuples de Syrie, de Lycie et d'Ionie identifient notre Mère bien-aimée Isis. J'en ai fait une des prêtresses de la Déesse et lorsque je m'avance en procession vers Isis et que je la vois agiter son cistre ou son tambourin en levant des yeux pleins de ferveur vers la Mère du dieu, mon cœur se gonfle de bonheur.

Or, un chrétien est tombé amoureux de ma fille. Il s'agit d'un Syrien du nom de Marcus, décurion dans la légion que l'Empereur a dépêchée d'Antioche en renfort. Comme je vous le disais, mes frères, des événements fort éloignés de nous peuvent avoir des conséquences incommensurables sur nos familles, notre destin, nos vies.

Il est venu me voir un jour, il y a déjà quelques mois, pour me demander la main d'Artémisia. J'étais secrètement satisfait : vous savez que je suis proche des Romains ; la famille de ce jeune homme a la citoyenneté romaine depuis fort longtemps ; de plus, il est décurion à un jeune âge. Pourtant, j'étais dans un profond embarras.

En effet, j'aime beaucoup un jeune prêtre de notre temple. Il s'appelle Nohotep. Dès qu'il est arrivé, jeune adolescent encore, au temple, j'ai été frappé par sa ferveur. Il ne vit que pour adorer et servir Isis. Je lui ai vite donné de nouvelles responsabilités : il a à peine vingt ans, mais est chargé d'habiller la Déesse de bijoux. Il faut voir avec quel respect, quelle vénération il passe les lourds colliers d'or au cou de la Très Grande Reine.

Il me témoigne le plus grand respect, s'absorbe dans l'étude de nos papyrus sacrés et est déjà fort avancé dans l'art de la divination. Je ne vous cacherai pas que j'espérais le marier à Artémisia, lier sa fortune à celle de ma famille et, qui sait, lui confier la charge de prophète de la Déesse lorsque les atteintes de l'âge et les fatigues de la vie m'obligeraient à cesser mon service auprès d'elle.

J'en étais là de mes réflexions et j'hésitais en mon for intérieur, lorsque ce Marcus a repris la parole : « Je dois vous dire, Pâapis, m'a-t-il dit, que je suis chrétien. Je chérirai et respecterai toujours Artémisia, mais je ne pourrai faire des offrandes devant la statue d'Isis. »

Il me sembla que la foudre était tombée sur moi. Je remerciai le décurion et lui promis une réponse rapide. Dans ma tête, dans mon cœur, je la connaissais déjà : ma fille n'épouserait pas un chrétien. Nohotep serait son compagnon pour la vie.

J'étais cependant intrigué. Où donc ce Marcus avait-il vu ma fille ? Le connaissait-elle ? Je lui posai la question. Elle m'avoua qu'ils avaient échangé quelques mots dans les jardins de Pharos. Je lui dis qu'il avait demandé sa main et la vis rougir. Je lui fis alors savoir que je m'apprêtais à lui répondre par la négative ; elle pâlit soudain comme si tout son sang avait reflué de son visage et, au moment où elle se détournait pour quitter la pièce, j'eus le temps de voir des larmes qui remplissaient ses yeux.

Que se passa-t-il alors ? Le revit-elle à Pharos ? Lui dit-elle mon intention ? Toujours est-il qu'un jour je vis arriver chez moi deux Romains : un centurion du nom de Flavius et un des secrétaires du gouverneur. Ils me parlèrent avec respect et courtoisie et me dirent beaucoup de bien de ce Marcus. Ils ne mentionnèrent pas une seule fois son appartenance à la secte des chrétiens. La connaissaient-ils eux-mêmes ? Je n'en suis pas certain, mais je compris qu'ils s'étonnaient de me voir hésiter devant une alliance avec un citoyen et un soldat de Rome.

Je parlai à ma femme ; à son tour, elle demanda à sa fille de se confier à elle. J'appris qu'Artémisia éprouvait de tendres sentiments pour le décurion. Elle connaissait vaguement mes intentions par rapport à Nohotep ; elle n'éprouvait pour lui aucun penchant. Pressée par sa mère, elle finit par lui avouer qu'elle aimait ce Romain et serait heureuse de passer sa vie à ses côtés. Elle respecterait cependant ma décision. Mais, en disant cela, elle paraissait bouleversée et se détourna de sa mère pour cacher encore une fois ses larmes.

Je vous l'ai déjà dit, mes frères, j'aime Artémisia d'un amour tendre. J'ai vite compris, derrière ses hésitations et ses silences, qu'elle serait malheureuse si elle épousait Nohotep. Mais je résistais encore. Les deux Romains, le centurion Flavius et le secrétaire, revinrent me voir. Y avait-il, derrière leur insistance, un message du gouverneur ? J'eus peur. J'étais troublé, déchiré entre mon attachement à Isis, mon affection pour ma fille et ma crainte de déplaire aux autorités. Bref, je finis par céder. Je convoquai Marcus pour lui annoncer que je lui confiais ma fille.

Ce furent des semaines troublées et pleines d'agitation. Je dus annoncer à Nohotep qu'Artémisia allait épouser un décurion romain ; je lui avais en effet laissé entendre naguère mes intentions. Il ne dit rien, mais je sais qu'il fut déçu, peut-être blessé. Je n'osai surtout pas lui dire que mon futur gendre était un chrétien. Il est profondément attaché à nos cultes et je suis convaincu qu'il partage mes vives inquiétudes devant les menaces qui pèsent sur nos dieux, nos traditions, nos croyances et notre pays.

Le mariage a eu lieu le dixième jour de Pharmouthi[2]. Nous n'avons plus parlé, Marcus et moi, de sa foi en Christos. Nous avons fait semblant d'ignorer les confidences qu'il m'avait faites. Ma fille demeure maintenant avec lui dans une petite maison accolée à sa caserne, non loin de la porte Cyrénaïque. Je l'ai

---

2- Avril.

revue, et son bonheur est la seule chose qui mette un peu de baume sur ma blessure.

Je continue à servir la Déesse avec dévotion. Nohotep semble encore plus fervent. A-t-il su quelque chose concernant le mari de ma fille? Je ne le sais, mais il me jette quelquefois des regards brûlants et ses silences me troublent.

Mes frères, je ne voulais, en vous écrivant cette lettre, que vous donner des nouvelles de notre ville et de mon sacerdoce. Je me suis laissé entraîner car, comme je vous l'ai dit, mon cœur déborde de sentiments contradictoires. Je n'ose confier à personne mes inquiétudes et mes souffrances : ma femme, mes fils et mes autres filles s'entendent parfaitement avec le décurion, car il est aimable et gai.

Je vous prie de me dire comment vous allez, si votre santé est bonne et si vos familles se portent bien. Vous voudrez peut-être aussi répondre à mes inquiétudes et me dire si la menace qui ronge la fibre même de notre société vous semble aussi pressante qu'à moi.

Je vais confier ces papyrus à un batelier qui transporte un chargement de jarres d'huile destiné aux nomes[3] du sud du pays. La fin de la crue et le vent d'hiver qui souffle du nord lui permettront de vous atteindre en quelques semaines.

Fait à Alexandrie, en ce mois de Pharmouthi de la seizième année du règne de Dioclétien César,

Le prophète d'Isis la bien-aimée,
Pâapis

3- Nom donné aux provinces égyptiennes sous les Romains.

CHAPITRE QUATRE

Marcus venait de quitter Corinthe et marchait sur une route de campagne. De longs cyprès bordaient le chemin et dessinaient contre le ciel des griffures vert sombre. Marcus avançait d'un pas ferme. Puis il vit au loin le domaine familial. Il pressa encore le pas. À la porte de la maison, il entrevit une silhouette. Plus de doute, c'était bien celle de son père. Son père! Hermias! Marcus sentit son cœur se dilater. Il se mit à courir. Mais plus il courait et plus Hermias s'éloignait. Marcus redoubla d'ardeur, mais Hermias, impassible, souriant, lointain, s'éloignait toujours à la même vitesse…

Marcus se tourna dans son lit. Il émergea lentement de son rêve. En se tournant, sa main heurta quelque chose de tiède. Il avait touché sans le vouloir l'épaule d'Artémisia, qui dormait à côté de lui. La jeune femme avait légèrement bougé, mais resta plongée dans un sommeil profond.

Marcus était maintenant pleinement réveillé. Il avança doucement la main vers sa compagne. La veille, après leur étreinte, Artémisia n'avait pas remis sa longue tunique de nuit : elle s'était pelotonnée nue contre lui, au chaud sous le poids des couvertures.

Marcus caressa lentement la hanche de sa femme. Sa main effleurait une chair dont il savait maintenant la douceur, le grain si particulier. Dans le calme de la nuit, il respirait des effluves tièdes, ce doux parfum épicé qui ressuscitait en lui les images des courbes et des creux du corps de son amante, où il le traquait avec bonheur.

Marius continua son exploration, ce long effleurement de ses doigts sur la chair aimée. Sa main glissa vers une cuisse qui se renflait juste en dessous de la croupe. Il aimait ce double sillon qui, au bas des fesses, les séparait des cuisses d'Artémisia, comme les cols de deux amphores de vin qui s'étranglent un peu avant qu'elles ne s'épanouissent somptueusement. Il aimait surtout l'explorer lentement de ses lèvres.

Il remonta vers le ventre en contournant le bombement du creux de l'aine et s'avançait doucement vers les seins lorsque Artémisia gémit et s'agita sur sa couche.

Marcus retira vivement sa main : il ne voulait pas la réveiller. L'émotion qui l'avait saisi au contact de ce corps aimé l'empêchait pourtant de se rendormir. Il se mit sur le dos, les yeux ouverts dans l'obscurité. Sa pensée dériva...

Flavius avait été de bon conseil : la rencontre qu'il lui avait conseillé d'avoir avec l'évêque Pierre et ses amis chrétiens avait été fructueuse. Sa visite à Pâapis lui avait pourtant donné des sueurs froides. Il avait vu le grand prêtre se raidir quand il lui avait annoncé qu'il était chrétien. Il l'avait quitté la mort dans l'âme, convaincu qu'il lui refuserait la main de sa fille.

Son instinct l'avait alors bien servi : il raconta à Artémisia sa rencontre avec Pâapis. La jeune fille éclata d'abord en sanglots ; puis elle se cabra :

— Il ne m'obligera pas à épouser Nohotep : il ne sourit jamais. Je vais en parler à ma mère. Et elle quitta Marcus d'un pas décidé.

Le décurion décida également d'en parler à Macaire : il savait qu'il trouverait auprès du bibliothécaire un allié amical. Il se rendit dans les Basileia, le quartier des palais, dépassa le Théâtre et le Gymnase et arriva devant le Musée. Il n'avait jamais visité l'institution dont il connaissait déjà à Antioche l'extraordinaire réputation.

Il admira le grand édifice rectangulaire de marbre blanc, entouré d'une promenade. Les Romains l'avait rebâti après les destructions des guerres d'Auguste, mais le Musée avait beaucoup souffert lors de la révolte des Égyptiens contre Dioclétien, quelques années plus tôt. L'Empereur, excédé par l'arrogance de ses sujets qui osaient se cabrer contre les taxes romaines et réclamaient leur liberté, avait ordonné le saccage de la ville, et particulièrement du quartier des palais et du Musée.

On avait réussi pourtant à préserver le palais de Cléopâtre et les murs extérieurs du Musée. Après le siège, les Alexandrins avaient nettoyé les décombres, consolidé les murs, refait l'intérieur. Et le Musée avait retrouvé un peu de sa gloire d'antan.

Marcus y pénétra : une grande salle était garnie de sièges sur tout son pourtour. Quelques hommes assis parlaient entre eux à mi-voix : c'étaient donc là les savants du Musée, qui avaient porté le renom de la ville partout dans l'Empire !

La Bibliothèque était à côté du Musée, tout près du palais du préfet romain. Elle était elle aussi de marbre blanc, mais beaucoup plus imposante, avec des annexes de lecture. Elle aussi avait été rebâtie deux fois par les

Romains, et encore tout récemment. L'ensemble était impressionnant mais faisait un peu délabré.

Macaire, prévenu, l'attendait à la porte de l'édifice principal : il lui fit visiter la grande salle ; partout, sur des rayons qui s'étendaient à l'infini, reposaient des rouleaux de papyrus de toutes les tailles. Macaire souriait devant la mine stupéfaite de son nouvel ami. Il lui raconta comment, au moment du siège de la ville par les légions de Dioclétien, les bibliothécaires, dont il était, avaient travaillé jour et nuit pour cacher les papyrus dans des caves anonymes de la ville. Ils avaient ainsi sauvé, selon les mots de Macaire, « un trésor de plusieurs siècles, l'essentiel du savoir et de la pensée des hommes ». Marcus souriait devant la passion véhémente de son ami.

Macaire entraîna ensuite le décurion dans sa salle de travail. Marcus lui raconta sa rencontre avec Pâapis et lui rappela sa promesse de l'aider. Macaire sourit :

— Un des principaux secrétaires du gouverneur est un de nos frères chrétiens ; il pourrait aller rencontrer le grand prêtre en sa qualité de fonctionnaire du palais. Et s'il était accompagné de Flavius, Pâapis ne pourrait qu'être impressionné par cette conjonction du pouvoir militaire et du pouvoir civil romains. Il n'a évidemment pas besoin de savoir que ses visiteurs sont tous deux chrétiens. Et Macaire éclata d'un grand rire.

Quelques jours plus tard, Flavius lui apprit qu'il avait visité Pâapis.

— Et puis ? demanda Marcus avec anxiété.

— Il a dit qu'il allait réfléchir. Il faut être patient, Marcus, avait répondu Flavius.

Il avait fallu une autre visite du centurion et du secrétaire, ainsi que les objurgations pressantes de la mère d'Artémisia — que Marcus n'apprit que plus tard —, pour que Pâapis consente enfin à cette union. Le décurion se rappelait encore parfaitement la seconde visite qu'il avait faite, sur invitation cette fois-ci, au grand prêtre : le cœur lui cognait dans la poitrine, ses mains étaient moites. Et si Pâapis, malgré tout, allait dire non ?

Le grand prêtre avait dit oui. Sans beaucoup d'enthousiasme. Il avait même marmonné, à la surprise du jeune homme, quelque chose sur sa fidélité à l'Empereur. Que venait faire l'Empereur dans cette affaire ? L'important, c'est qu'il avait dit oui. Et en quittant la maison d'Artémisia, Marcus dansait presque dans les rues.

Le mariage eut lieu au mois de Pharmouti. La brise qui soufflait de la mer avait déjà tiédi, le soleil se levait tôt, les journées étaient lumineuses et la campagne autour d'Alexandrie se couvrait de fleurs et embaumait des mille parfums du printemps.

Marcus avait loué une grande salle de fêtes. La famille d'Artémisia était nombreuse, joyeuse, bruyante, et Marcus avait bien de la peine à se retrouver entre les frères, les beaux-frères, les cousins et les amis ; à une des extrémités de la salle, un groupe joyeux et papillonnant de jeunes filles et de jeunes femmes, la tête ornée de couronnes de lotus, se poussait du coude en admirant de loin Marcus et ses amis légionnaires.

Le décurion avait invité Flavius, Domitius, d'autres militaires aussi, et même l'humble légionnaire Tothès. Ils étaient rutilants dans leurs cuirasses d'apparat ornées d'écussons dorés, les cuisses musclées sous leurs jupes de cuir, de magnifiques chlamydes rouges attachées sous le menton et négligemment rejetées sur les épaules.

Pâapis était là, entouré de prêtres d'Isis et de Sérapis, le crâne luisant dans la lumière des torches. À un moment donné, un jeune prêtre aux yeux de braise, l'air renfrogné, était lui aussi arrivé et s'était placé derrière Pâapis, où il demeurait immobile, en silence, le regard fixe. Chaque fois qu'il se tournait de ce côté, Marcus sentait son regard insistant posé sur lui. Le Romain finit par se sentir mal à l'aise devant ces yeux perçants et cette animosité palpable.

Un mouvement de curiosité entoura l'arrivée de l'évêque Pierre, de Macaire et d'autres amis chrétiens que Marcus s'était faits. Le décurion les présenta simplement à son beau-père. « Ce sont des amis », lui dit-il, et Macaire s'amusa en son for intérieur de voir l'adorateur d'Isis s'incliner légèrement devant le disciple de Christ.

Enfin, Artémisia arriva, accompagnée de sa mère et de ses sœurs. La jeune fille était resplendissante. Elle portait une tunique de soie verte ceinturée sous les seins, recouverte d'un manteau plissé à agrafes. Ses cheveux nattés étaient surmontés d'une couronne de lotus et de roses.

Devant les regards admiratifs et le murmure qui accueillit l'arrivée de sa fiancée, Marcus bomba le torse. Il la trouvait merveilleusement belle. La jeune fille avait rosi devant l'admiration des invités de la noce, ses lèvres tranchaient sur sa peau mate par leur carmin et ses sourcils au dessin délicat — il devina qu'on les avait épilés — soulignaient l'éclat lumineux de ses yeux noirs.

La fête fut un tourbillon de gaieté, malgré la gravité de Pâapis et la mine renfrognée du jeune prêtre, dont on lui dit qu'il s'appelait Nohotep. Des danseuses agrémentèrent la soirée, puis une armée d'esclaves installa des tables et des lits.

Le vin coulait à flots. Les esclaves versèrent d'abord du nectar de Chio, de Rhodes et de Lesbos, puis Marcus avait fait déboucher une jarre de vin de la Maréotide. Il avait appris à aimer ce vin d'Égypte, cultivé sur les coteaux du lac Maréotis, au sud d'Alexandrie.

De grands quartiers d'agneau, de chevreau, du gibier, du poisson et des coquillages arrivaient sans cesse des cuisines. Puis les esclaves entrèrent en grande pompe, portant des plateaux de homards d'Alexandrie, dont la simple mention faisait saliver les gourmets de Rome.

La soirée s'était terminée dans la gaieté la plus débridée. Le vin avait failli manquer, avant que le majordome ne découvre deux jarres non débouchées, et l'évêque Pierre avait mentionné avec un sourire malicieux les noces de Cana. Les invités non chrétiens avaient fait semblant, par politesse, de comprendre l'allusion et avaient souri.

Au milieu de la nuit, Marcus était parti avec Artémisia sur un char tiré par deux chevaux. La nuit était douce. La voie Canopique était silencieuse. Des torches fichées dans les entrées des demeures princières qui la bordaient l'éclairaient d'une lumière crépitante, qui faisait tanguer l'ombre des arbres et des colonnes des arcades. Marcus admira la largeur extraordinaire de la voie, maintenant qu'elle était vide de sa cohue habituelle

Il oublia cependant assez vite l'émerveillement que continuaient à susciter en lui les monuments de la ville. La présence à ses côtés de la femme qu'il aimait et qui n'osait pas se serrer contre lui, malgré la brise qui venait de se lever, l'engourdissait d'un bonheur plein, compact. Une attente informulée réchauffait ses membres.

Marcus avait acheté une petite demeure adjacente à sa caserne : il y demeurerait dorénavant avec sa femme. Quand il arriva à la porte, poussé par un élan soudain, il saisit la jeune femme dans ses bras et la porta jusqu'à la chambre qu'on leur avait préparée.

Dans la pénombre de la pièce — Artémisia s'était dépêchée d'éteindre la chandelle — il commença à la déshabiller. Il avait peine à la distinguer, mais il devina qu'elle levait vers lui un visage grave. Le manteau dégrafé, la tunique glissa avec un chuintement soyeux vers le sol.

Marcus leva les mains pour enlever la couronne de fleurs sur la tête d'Artémisia. Ce mouvement rapprocha son visage de celui de la jeune femme. Il posa doucement ses lèvres sur les siennes. Dans le silence de la nuit, il entendait la respiration d'Artémisia qui commençait à se précipiter.

Ils restèrent quelques instants ainsi ; Marcus pressa plus fermement les lèvres de sa bien-aimée. La tête de celle-ci bascula vers l'arrière, elle entrouvrit la bouche et Marcus l'enlaça. Il se rendit alors compte qu'il portait encore ses habits de noce. Il s'écarta d'elle un bref moment pour se déshabiller.

Le jeune homme serrait maintenant contre lui la jeune femme. Sa main avait commencé à explorer la courbe de son dos, partant de son épaule pour suivre la vague sinueuse qui aboutissait au creux des reins avant de s'épanouir en un galbe somptueux, qu'il palpait délicatement.

Ce contaêt avec la chair de sa bien-aimée, la pression satinée des seins de la jeune femme sur sa poitrine bouleversèrent Marcus. Il la pressa davantage contre lui, arquant son dos ; Artémisia, sentant contre son ventre le trouble de son amant, eut un bref mouvement de recul.

Marcus l'entraîna vers la couche. Il l'embrassait maintenant avec fougue. Quand il la pénétra, la jeune femme eut un cri.

Plus tard dans la nuit, Marcus reprit son exploration du corps de sa bien-aimée. Il l'embrassa longuement et la jeune femme répondit à son étreinte. Ils laissèrent monter en eux une longue et lente houle qui s'enflait sans cesse, puis la vague déferla sur eux. Artémisia cria de nouveau et Marcus, qui savait que ce cri était différent du premier, haleta lui aussi de plaisir.

Marcus s'agita dans sa couche. Le souvenir de cette première nuit, de ces premières étreintes, était si vif qu'il le troublait encore profondément, un an plus tard. Allons, il devait cesser de se laisser aller à ces rêveries, sinon il serait tenté de se retourner dans le lit, de serrer contre lui Artémisia, d'embrasser son épaule, de caresser ses cheveux, d'emprisonner ses seins dans le creux de ses paumes, et il ne voulait pas la réveiller.

Comme cette année avait passé vite ! Et pourtant, qu'elle avait été pleine !

Après le mariage, Marcus passa les premiers mois dans un tourbillon de bonheur. Il allait tous les matins très tôt à la caserne, mais les soirées étaient consacrées à sa nouvelle vie. Il découvrait avec une inlassable curiosité, avec un inlassable bonheur, la jeune femme qui vivait maintenant avec lui et dont il n'avait vu, jusqu'alors, que la retenue pudique pendant leurs entretiens à Pharos.

Dès les premiers jours, Marcus retourna d'ailleurs avec elle dans les jardins de l'île, mais il insista pour que l'esclave de sa femme ne les accompagnât pas. Il paradait avec elle dans les sentiers, souriant à droite et à gauche, épiant les regards des hommes sur Artémisia, admirant avec elle les statues des dieux qui ornaient la tour gigantesque et finissant toujours ses promenades près du parapet qui surplombait la mer et où il l'avait vue pour la première fois.

Il découvrait une Artémisia qu'il ne connaissait pas : la jeune femme était vive et espiègle. Elle aimait rire et sa gaieté se communiquait à tous. Quand Marcus rencontrait par hasard un collègue ou un ami, elle n'hésitait pas à participer à la conversation et Marcus souriait de la voir si hardie, si différente des autres femmes qu'il croisait, toujours discrètes, toujours en retrait.

Marcus avait vite constaté que l'Égyptienne était très attachée à sa famille. Elle rendait visite régulièrement à sa mère et à ses sœurs et Marcus voyait arriver chez lui, à toute heure du jour et du soir, les parentes et les amies de sa femme, tout un bataillon de femmes souriantes et bavardes.

L'esclave qui avait tellement agacé Marcus quand il rencontrait Artémisia à Pharos s'appelait Isidora. Elle avait suivi sa maîtresse, qui l'aimait et à qui elle était très attachée, dans sa nouvelle demeure. Le soir, Isidora passait de longs moments à défaire les nattes de la jeune femme et à lui brosser les cheveux, avant de lui enfiler sa tunique de nuit.

Marcus retrouvait sa femme toutes les nuits avec une impatience renouvelée. Un jour, il avait essayé d'empêcher Artémisia d'éteindre la chandelle, mais elle avait résisté. Ils avaient fini par la poser — toujours allumée — sur une table basse, dans un coin éloigné de la chambre.

Marcus déshabillait lentement sa femme. La vague lueur de la chandelle éclairait par intermittence son corps. Il voyait luire soudain un bout de chair pâle, la pointe rose d'un mamelon, un sein dont la lumière dansante grossissait démesurément l'ombre, ce qui les faisait rire.

Ils jouaient maintenant avant de s'étreindre. Marcus prenait les mains de sa femme et embrassait longuement la protubérance de chair au bout des doigts, à l'envers des ongles. Il lui disait qu'il aimait à la folie cette pointe d'elle qui jaillissait vers ses lèvres. Artémisia souriait d'abord, puis riait, puis le rire s'étranglait dans sa gorge quand les lèvres insistantes de Marcus remontaient doucement de sa paume vers son poignet et son avant-bras, s'attardaient un moment au creux de l'aisselle avant d'être attirées irrésistiblement par un sein dont la pointe se dressait déjà, dans l'attente de son effleurement.

La jeune femme s'était vite laissée aller avec son mari. Elle ne l'attendait plus passivement. Elle l'aguichait de son rire, de ses moues, de son regard. Ses grands yeux noirs que le fard étirait et soulignait le chaviraient. Elle voulait elle aussi jouer avec lui et, un jour qu'il l'avait longuement caressée et qu'il s'apprêtait à se coucher sur elle, elle l'écarta doucement et, approchant sa tête de sa poitrine, elle lui embrassa les seins.

Artémisia dit un jour à son mari qu'il avait besoin d'un esclave, qui le servirait à la maison et aiderait Isidora aux travaux domestiques. Il s'en ouvrit à Macaire.

— C'est, dit son ami, une excellente idée qu'a là ta femme. Puisque tu es maintenant marié, tu as besoin de mener un certain train de vie. Tu auras besoin de quelques esclaves. Tu peux bien commencer par en acheter au moins un.

— Mais c'est que je ne sais trop où les trouver, dit Marcus.

— Tu peux aller au marché, près du port, où les navires nous amènent à longueur d'année des esclaves thraces, éthiopiens[1], syriens ou palestiniens. Ou, mieux encore, tu peux acheter ou adopter un esclave trouvé sur le fumier.

1- Les Romains désignaient ainsi tous les peuples de race noire.

— Un esclave… comment dis-tu ? « trouvé sur le fumier » ?

— On voit bien, dit Macaire en souriant, que tu n'es pas alexandrin, mon cher Marcus, sinon tu n'aurais pas cette mine ahurie.

— Mais encore, dit Marcus, un peu piqué par la remarque de son ami, je ne sache pas que les esclaves naissent sur le fumier.

— Tu as bien raison, dit Macaire qui était redevenu sérieux, ils n'y naissent pas, mais on les y jette. Nos compatriotes grecs ont souvent l'habitude de jeter à la décharge leurs nouveau-nés non désirés. Depuis toujours, les Égyptiens les ont recueillis ; je dois reconnaître que la religion de nos ancêtres, toute idolâtre qu'elle soit, interdit l'infanticide, et depuis que Christ nous a appris que nous sommes tous enfants d'un même Père, à plus forte raison nous, les chrétiens, nous ne pouvons tolérer ce crime.

— Et… qu'arrive-t-il à ces nouveau-nés ?

— Eh bien, de nombreux Égyptiens les adoptent. Ce qui leur coûte d'ailleurs bien cher, ajouta Macaire d'un ton goguenard, car les Romains ont promulgué un édit qui leur permet de confisquer, à la mort des parents adoptifs, le quart de leurs biens, sous le prétexte qu'en adoptant d'éventuels esclaves, ils appauvrissent l'État. Nos amis de Rome engraissent donc le trésor impérial sans tuer la poule aux œufs d'or. Ils suivent ainsi les instructions de l'empereur Tibère, qui disait il y a trois cents ans à son préfet d'Égypte : « Je veux que tu tondes mes brebis, non que tu les écorches. »

Marcus se mit à rire. Macaire poursuivit :

— D'autres Égyptiens élèvent comme esclaves ces nourrissons abandonnés. Ce sont donc, contrairement aux esclaves étrangers, des serviteurs nés à Alexandrie, qui connaissent bien la ville et sont reconnaissants à leurs maîtres de les avoir sauvés de la mort.

— Je ne peux quand même pas recueillir un nourrisson. Même si je le voulais, Artémisia s'y objecterait, puisqu'elle me dit que j'ai besoin immédiatement d'un esclave.

— C'est bien pourquoi je ne te demande pas d'élever un enfant. Mais certaines familles égyptiennes en ont recueilli beaucoup et elles souhaitent peut-être en vendre certains. Laisse-moi me renseigner…

Quelques jours plus tard, Macaire revint chez Marcus avec un colosse basané. C'était un jeune homme de dix-huit ans. Il s'appelait Nikânor. La famille qui l'avait trouvé sur le fumier avait appris que sa mère grecque s'était laissé aimer par un Égyptien, d'où sa peau brune et ses cheveux crêpelés. Il était grand, massif, mais doux et silencieux. Il plut tout de suite à Marcus qui l'acheta. Quand Isidora sortit de la cuisine et vit le jeune homme, elle jeta sur la carrure du nouveau serviteur un regard de convoitise.

Au bout de quelques semaines, Marcus se demanda comment il avait pu vivre tout ce temps sans Nikânor. Le jeune homme le servait promptement et intelligemment. Il parlait peu, mais devinait d'un instinct sûr tous les besoins de son maître. Il acceptait avec une placidité tranquille les œillades d'Isidora. Il était d'une force peu commune et soulevait sans même ciller une lourde table de bois qui encombrait la cuisine et qu'Artémisia voulait constamment déplacer.

Marcus se laissait tranquillement aller au bonheur de vivre à Alexandrie. Son naturel ouvert et gai lui avait attiré de nombreux amis. Il fréquentait Macaire et rencontrait régulièrement l'évêque Pierre, à qui il s'était attaché à cause de sa bonhomie souriante ; ses ouailles d'ailleurs l'aimaient parce qu'il était simple et guère extrême dans ses opinions.

Marcus avait rencontré aussi d'autres chrétiens aux repas en commun pris le dimanche. Ils se réunissaient dans des maisons privées ou dans des lieux de culte que toléraient les Romains. C'étaient de petites bâtisses discrètes, souvent cachées derrière une haute haie ou un bouquet de sycomores.

Il retrouvait là des Égyptiens, des Grecs, des soldats et des fonctionnaires romains fraternellement réunis, et même quelques juifs convertis. Il aimait l'ambiance de chaleur et d'amitié qui présidait à leurs réunions et à leurs prières, et retrouvait toujours avec le même plaisir son ami Flavius qui venait adorer avec lui le seul Dieu et son Fils Christ Jésus.

Mais Marcus ne s'enfermait pas dans le seul cercle des chrétiens. Il sortait quelquefois avec Domitius, qui avait été le premier témoin de son amour pour Artémisia. Leur groupe s'était peu à peu élargi ; d'autres décurions et centurions, attirés par leur gaieté, se joignirent à eux. Puis Marcus fit la connaissance de quelques Alexandrins. Il finit par fréquenter régulièrement deux ou trois d'entre eux, dont un Grec du nom d'Apollonius et un juif appelé Iacov.

Apollonius méritait bien son nom, il était beau comme Apollon. Ses cheveux noirs tranchaient sur une peau très blanche. Tout en lui était bien proportionné : ses épaules étaient larges sans être boursouflées, ses cuisses étaient musclées, longues, fines, nerveuses, son ventre plat et le grain de sa peau fin et serré. Son regard attirait immédiatement l'attention : noir, intense, il fixait son interlocuteur avec insistance. Son nez était d'une perfection toute grecque, avec des narines qui palpitaient tout le temps de vie et de gaieté.

Ses amis le brocardaient sur sa beauté, mais il souriait de leurs plaisanteries. Il était cependant conscient de son charme et faisait pleuvoir sur les jeunes filles qu'il croisait mille sourires enjôleurs. On disait aussi qu'il allait souvent le soir rencontrer les filles du faubourg d'Éleusis et qu'il était l'un des habitués des fêtes discrètes et débridées que donnaient les riches Alexandrins dans leurs maisons de Canope.

Il était le fils d'un grand armateur d'Alexandrie, dont les nauclères[2] avaient fait la fortune en sillonnant la mer des Romains pour transporter le blé et le papyrus d'Égypte vers Rome et ramener à Alexandrie le bois de Phénicie, les métaux d'Ibérie, le vin de Grèce et les esclaves de partout. Il aidait son père et se rendait au port lorsqu'un navire arrivait, mais passait le plus clair de son temps à profiter de sa richesse, de son charme et de son caractère facile et liant.

Iacov, pour sa part, était beaucoup plus effacé. Il était de taille moyenne, de complexion moyenne, de figure moyenne. Il suintait la moyenne de tout son corps. Il se fondait partout, s'évaporait, se rendait invisible, dans les foules et les marchés comme le long des rues désertes, et passait partout inaperçu.

C'était un des scribes de la douane intérieure, dans le quartier de Schédia, mais Marcus, qui l'avait rencontré par hasard, avait vite découvert son érudition et le charme de sa conversation. Iacov connaissait en particulier les moindres détails de l'histoire de sa ville et le décurion ne se lassait jamais de l'entendre raconter les exploits d'Alexandre le Macédonien, qui avait fondé la ville, ou de Cléopâtre la Grande, qui avait séduit les deux hommes les plus puissants de son temps, César et Antoine.

Au milieu de ses félicités domestiques et malgré ses amitiés viriles et gaies, Marcus n'était pourtant pas pleinement heureux. Sa femme continuait à se rendre, quoique moins souvent qu'autrefois, aux cérémonies religieuses de la Déesse-Mère. Après son mariage, elle avait cessé d'être prêtresse d'Isis, mais son attachement à la religion de son père, nourri par de longues années de ferveur, était encore grand.

Marcus ne paradait pas partout sa nouvelle foi. Il n'en avait jamais parlé à Domitius, à Apollonius ou encore à Iacov. Il pressentait cependant que Domitius s'en doutait mais gardait lui aussi le silence.

Il découvrait avec surprise que de nombreux Alexandrins étaient chrétiens et le cachaient à peine. L'évêque Pierre lui avait dit un jour qu'un Égyptien sur trois était déjà chrétien. Le gouverneur romain et les autorités de la ville le savaient, mais semblaient impuissants à endiguer cette irrésistible montée. Tout le monde attendait les décisions de Dioclétien, dont on savait qu'il était de plus en plus irrité contre les chrétiens qui refusaient de l'adorer.

Marcus, coincé entre sa foi et son amour pour sa femme, était mal à l'aise. Le dimanche, quand son service le lui permettait, il quittait Artémisia pour rencontrer les chrétiens, tandis que la jeune femme allait, deux ou trois fois par semaine, assister à la cérémonie du réveil de la Déesse. Marcus s'en trouvait de plus en plus malheureux.

2- Les Romains désignaient ainsi tous les peuples de race noire.

Il s'en ouvrit à Pierre. L'évêque lui conseilla la patience et la douceur. Il lui rappela ensuite comment lui, Marcus, s'était converti à Antioche : en allant avec son ami Flavius aux réunions des chrétiens. Ne pourrait-il user du même procédé avec Artémisia et l'amener à découvrir d'elle-même que les disciples de Christ n'étaient pas les monstres que la propagande impériale décrivait ?

Marcus sauta sur l'idée, qui lui sembla inspirée. Il hésitait pourtant à en parler à Artémisia, car il craignait les réactions de sa femme. Il finit par aborder la question indirectement. Il fut tout surpris de voir qu'elle semblait curieuse et intéressée. Elle lui facilita même les choses en lui demandant s'il l'invitait à l'accompagner chez ses « amis du dimanche ». Il lui répondit en la serrant dans ses bras et en l'embrassant passionnément.

Sans qu'elle s'en rende trop compte, la jeune femme avait changé. Elle aussi était malheureuse de cette zone d'ombre dans sa relation avec son mari. Elle était maintenant sûre, par les fibres les plus intimes de son être, que les chrétiens n'étaient pas les sectaires dépravés et traîtres à l'Empire que décrivaient les prêtres d'Isis, et même son père : elle connaissait Marcus et savait qu'il n'était pas de cette étoffe-là.

Elle continuait pourtant à se poser des questions : comment pouvait-on adorer un seul dieu ? Amon et Osiris et Isis et Râ n'avaient-ils pas toujours veillé sur l'Égypte ? N'allaient-ils pas punir l'ingratitude de leur peuple, s'il se détournait d'eux ? Et qui était ce Christos dont elle avait vaguement entendu parler et qui était descendu du ciel pour parler aux chrétiens ? Les dieux n'étaient-ils pas déjà descendus du ciel pour s'incarner dans les pharaons d'Égypte et maintenant dans les empereurs de Rome ?

Quelque chose de plus obscur et d'informulé taraudait aussi la jeune femme : elle n'aimait guère que son mari la quittât chaque semaine pendant une demi-journée. Qui étaient ces gens qu'il rencontrait dans des demeures discrètes et dans des temples retirés ? Elle savait qu'ils parlaient longuement entre eux, lisaient des papyrus et mangeaient immanquablement ensemble. Elle savait aussi qu'il y avait là des femmes, vieilles et jeunes, pauvres et riches. Comment se déroulaient donc ces repas ? Marcus mangeait-il, buvait-il, riait-il avec elles ? Avec l'une ou l'autre d'entre elles ?

Une sourde inquiétude, une jalousie qui n'osait pas dire son nom s'étaient ainsi insinuées en elle. Quand son mari l'invita à l'accompagner, elle fut soulagée : au fond, peut-être n'avait-il rien à cacher.

Le dimanche suivant, Artémisia se rendit avec Marcus à la réunion des chrétiens. Celui-ci la présenta à Pierre et aux autres : elle fut accueillie avec de grands sourires. Elle fut déconcertée de rencontrer là le centurion Flavius et Macaire, de proches amis de son mari dont elle ignorait jusqu'alors qu'ils étaient chrétiens. Sa surprise redoubla quand une femme se leva et vint l'embrasser: c'était une amie de sa sœur aînée, qu'elle avait rencontrée parfois chez cette dernière.

Elle resta silencieuse, écoutant avidement ce qui se disait autour d'elle. Ce furent d'abord mille conversations bourdonnantes, à bâtons rompus. Les gens se donnaient des nouvelles de leurs familles et parlaient de leur travail et de leur santé. Elle se serait crue à une de ces visites que sa mère faisait souvent à ses amies et où l'on parlait de tout et de rien.

Puis Pierre se leva et déroula un papyrus: il lut une histoire qu'elle ne saisit qu'à moitié. Un certain Jésus — elle devina que c'était ce Christos que méprisaient si fort les prêtres d'Isis — se promenait sur une route, ou bien était-ce l'un de ses amis? Elle n'en était pas sûre. Toujours est-il que le promeneur rencontra un blessé sur son chemin, qui gisait apparemment là depuis de longues heures, puisque de nombreux passants l'avaient croisé et abandonné à son sort. Ce Jésus, ou son ami, s'arrêta donc, souleva le blessé, le chargea sur son âne, l'amena à la ville voisine et lui laissa une bourse pour se soigner.

Pierre prit la parole, après avoir roulé le papyrus: il fallait, dit-il aux gens présents, qui l'écoutaient avec attention, imiter Jésus et soigner les blessés que nous rencontrons tous les jours sur notre chemin, blessés du corps et blessés de l'âme. Puis il perdit son air grave, sourit et déclara que l'heure était venue de manger.

Ce fut une joyeuse rumeur: on amena des tables; des marmites fumaient déjà sur le feu. Le repas fut animé et gai. À un moment donné, Pierre prit un grand pain et le silence se fit. Il dit quelques mots qu'Artémisia ne saisit pas, le rompit et en distribua un morceau à chaque convive, mais se contenta de sourire en passant devant elle.

L'Égyptienne était soulagée: les femmes qui étaient là étaient habillées modestement et même si certaines d'entre elles étaient vraiment jolies, Marcus n'avait pas semblé leur porter plus d'attention qu'aux autres. Au contraire, il n'avait pas quitté sa femme d'un pas, avait mangé à côté d'elle et lui avait souri avec tendresse pendant toute la matinée.

Elle revint avec lui les semaines suivantes. Elle s'habitua vite au groupe. Elle aimait l'ambiance d'amitié et de simplicité qu'elle trouvait là. Elle prit l'habitude d'apporter, comme les autres femmes, un pot ou une marmite de ragoût qu'elle pendait au-dessus du feu pour le repas en commun.

Marcus était ivre de bonheur de voir sa femme l'accompagner chez ses frères chrétiens. Il ne cessait maintenant de lui parler de sa foi. Elle prêta elle aussi plus attentivement l'oreille aux lectures et aux paroles de Pierre. Elle s'attacha graduellement à ce Jésus qui guérissait des malades, parlait aux lépreux et promettait aux hommes un royaume où les larmes n'auraient plus cours et où les justes et les doux recevraient leur salaire.

Elle ne cessait de s'étonner de l'égalité qui régnait entre ces chrétiens venus de tous les horizons. À Alexandrie, les Grecs méprisaient les Égyptiens, les Romains exploitaient tout autant les Grecs que les Égyptiens, et les juifs dédaignaient tout le monde et tiraient fort bien leur épingle du jeu. Dans ce cénacle autour de Pierre, les Grecs, les Romains, les Égyptiens et les juifs convertis s'abordaient comme des frères.

Ce qui finit par séduire Artémisia, ce fut surtout l'exemple des amis de son mari, qui devenaient aussi les siens : ils semblaient tout partager entre eux. Elle apprit ainsi que deux hommes désignés par Pierre sollicitaient les chrétiens riches pour obtenir des fonds et les distribuer à ceux qui étaient dans le besoin. D'autres — notamment des femmes, dont l'amie de sa sœur aînée — se rendaient régulièrement au chevet des malades de la communauté.

Un jour, Artémisia rêvassait à la dernière rencontre du dimanche, lorsque l'image de son père s'imposa à son esprit. Elle tressaillit, se redressa dans son siège, soudain grave, soudain triste.

Que lui arrivait-il donc ? Comment pouvait-elle éprouver de la sympathie, de l'attirance même pour ces chrétiens que son père abhorrait ? Comment avait-elle pu oublier Isis, qu'elle avait aimée depuis l'enfance, qu'elle avait adorée, qu'elle avait servie ? D'ailleurs, elle l'aimait peut-être encore…

Artémisia était toute troublée. Elle se rendait compte qu'elle était attachée à la religion de son enfance, à la religion de son père, par toutes les fibres de son être. Et pourtant, la foi de Marcus était si séduisante, avec la simplicité de ses rites, la bonhomie de son grand prêtre, la fraternité de ses adeptes…

Un jour qu'elle visitait ses parents, Artémisia dit négligemment qu'elle avait accompagné son mari à l'une de ses réunions de prière. Pâapis, qui souriait jusqu'alors en regardant sa fille, se renfrogna aussitôt.

— Et… comment est leur temple ? demanda-t-il.

— Leur temple ? Artémisia se mit à rire. Ils n'ont pas de temple. Ils se réunissent dans une maison privée.

— Et qu'y font-ils ?

Artémisia parla des papyrus qu'on déroulait pour lire la vie de Jésus, puis des commentaires qu'en faisait Pierre, et enfin du repas qu'ils prenaient en commun. Pâapis resta un moment silencieux.

— Ils ne parlent donc ni de nos dieux ni de l'Égypte ?

Artémisia assura son père que les chrétiens ne complotaient pas contre l'Empire et semblaient sincèrement attachés à leur pays. Voyant Pâapis qui méditait en silence, elle s'enhardit :

— Ils me semblent moins dangereux qu'on ne le dit.

Le grand prêtre sembla sortir de sa léthargie.

— Ne comprends-tu donc pas que tout cela n'est que façade ? Tu ne saisis pas, Artémisia, qu'ils veulent notre ruine ? Les as-tu jamais entendus parler avec respect d'Isis ? Ne sais-tu pas qu'ils veulent abolir le culte de la Grande Déesse ? Abolir son culte, comprends-tu ? C'est comme s'ils voulaient m'enfoncer un couteau dans le cœur.

Artémisia était bouleversée. Pâapis se tourna vers elle :

— Tu ne dis rien ? Tu te tais ? Auraient-ils commencé à te séduire ? Ah ! Artémisia, Artémisia, toi qui t'avançais confiante vers la Mère du dieu, se pourrait-il que tu l'oublies ? Se pourrait-il que tu détournes ta face d'elle ?

La jeune femme éclata en sanglots et se précipita vers son père qu'elle étreignit. Mais elle n'osa plus jamais reparler de son dilemme devant lui.

Les semaines qui suivirent furent terribles pour elle. Elle avait continué à accompagner son mari aux réunions des chrétiens et une douceur paisible s'insinuait alors en elle. Mais quand elle revoyait l'image de son père, quand elle l'entendait dire : « Ils veulent m'enfoncer un couteau dans le cœur », des larmes pressées, brûlantes, jaillissaient de ses yeux.

Le temps passait et Artémisia retrouvait peu à peu la paix. Elle se rappela que son service auprès de la Déesse consistait à l'habiller, la nourrir, danser et chanter devant elle… La Déesse semblait alors toujours si lointaine, si exigeante. Il fallait amonceler à ses pieds de la nourriture, du vin, des offrandes sans fin. Tandis que Jésus — elle se rendit soudain compte qu'elle pensait « Jésus » et non plus « ce Jésus » — évoquait le pardon, le partage, l'amour. Cela, se disait Artémisia, est tellement plus concret, plus vrai…

La jeune femme dit un jour à son mari qu'elle souhaitait devenir chrétienne. Marcus l'embrassa avec émotion et l'accompagna le soir même chez Pierre. La fête de la Résurrection de Christ approchait et l'évêque leur dit qu'il la baptiserait alors.

Le jour de cette fête, Artémisia fut tout étonnée de voir qu'elle n'était pas seule à être baptisée ; plusieurs Alexandrins et Alexandrines, dont certains qu'elle connaissait vaguement, reçurent eux aussi le baptême. Elle sut que des cérémonies semblables se déroulaient dans toutes les églises où des presbytres tenaient des réunions de prière et de partage du pain. Elle comprit mieux alors l'inquiétude de son père, quand il se plaignait de « la progression foudroyante de cette secte ». Elle en éprouva de la tristesse pour lui, mais nul remords.

Artémisia confia à ses trois sœurs, sous le sceau du secret, sa conversion à la nouvelle foi. Elles n'en furent que modérément surprises : elles savaient déjà que Marcus était un sectateur de Christos. Elles pressèrent leur sœur de questions. Quand elle leur raconta les rencontres du dimanche, leur curiosité fut à son comble. Artémisia les invita à l'y accompagner.

Au bout de trois mois, les deux sœurs aînées de la femme du décurion demandèrent le baptême. Pierre ne voulut pas attendre la fête de la Résurrection de l'année suivante, qui n'arrivait que huit mois plus tard. Elles reçurent donc le baptême un jour d'automne de la dix-huitième année du règne de Dioclétien, avec leurs jeunes enfants.

Marcus était l'homme le plus heureux d'Alexandrie. Sa carrière se déroulait à merveille, ses légionnaires lui étaient attachés et l'on évoquait déjà pour lui la possibilité de devenir centurion.

Il était aimé par une femme qu'il aimait avec ardeur la nuit et tendresse le jour. Les regards admiratifs des hommes, qui la suivaient avec insistance lors de leurs promenades, soulignaient pour lui sa fortune et aiguisaient son bonheur.

Et maintenant cette femme adorait le même Dieu que lui, le seul et l'unique, et son Fils incarné, le Seigneur Jésus. Elle avait cessé de chanter devant les idoles et d'agiter le cistre devant la statue de marbre froid d'Isis. Elle s'était attachée, comme lui, à la communauté chaude et fraternelle des chrétiens.

Il est vrai que l'on continuait à murmurer que l'Empereur allait sévir contre les chrétiens. Mais cela faisait des années que l'on colportait les mêmes bruits. Marcus n'y croyait plus trop. Et puis, il était citoyen romain de longue date, fidèle serviteur de Dioclétien. Rien de grave ne pouvait lui arriver. Ces rumeurs et ces prédictions, c'était comme les grondements étouffés d'un orage lointain, qu'on entend par intermittence et qui finissent par se dissiper dans l'horizon obscur.

CHAPITRE CINQ

L'orage éclata sur Marcus avec une violence dévastatrice. Le décurion n'allait plus jamais oublier ce jour du mois de Tybi de la dix-neuvième année du règne de Dioclétien[1]. Il était dans la cour de la caserne lorsqu'il vit, à la porte cochère de l'édifice, Flavius qui lui faisait signe. Il s'étonna : son ami, qui était cantonné ailleurs, ne venait presque jamais là.

Le centurion lui fit un signe discret. Marcus alla à sa rencontre.

— Tu m'attendras ici à la fin de la journée, lui souffla Flavius. Il est impératif que je te voie.

Le soir, Flavius le guettait dans un renfoncement discret. Il l'entraîna.

— Où allons-nous ? demanda Marcus.

— Au Didascalée, répondit son ami.

Marcus connaissait cette école de catéchistes qui était la gloire de la communauté chrétienne d'Alexandrie, mais il n'y était jamais allé.

Ils arrivèrent à un grand édifice blanc, carré, situé dans un vaste jardin plein d'arbres du quartier du Broucheion. Le soir était venu, l'édifice semblait vide, mais une lumière brillait dans une pièce du fond.

Marcus y trouva Pierre, Macaire, le presbytre Sarguayos, un centurion chrétien qu'il avait vu quelquefois avec Flavius mais qu'il connaissait assez peu, et trois ou quatre autres hommes qu'il rencontrait pour la première fois. Ils s'assirent tous en cercle sur des tabourets. L'évêque prit la parole.

— Flavius et Lucius (c'était l'autre centurion) nous ont demandé de nous réunir d'urgence. Flavius a bien insisté pour que nous nous rencontrions ce soir. Nous allons donc entendre nos frères, en demandant au Seigneur et à l'Esprit de nous donner la force de les aider et la sagesse de les éclairer.

1- Janvier 303 après J.-C.

— Voilà, dit Flavius d'une voix brève. Un messager est arrivé hier sur un navire venant de Nicomédie[2]. Il apportait un édit que vient de signer l'Empereur. Le préfet a rassemblé immédiatement les chefs des deux légions cantonnées à Alexandrie et notre général nous a réunis à son tour.

— Et que disait l'édit? demanda un des hommes que Marcus rencontrait pour la première fois. Il sut plus tard qu'il s'appelait Achillas. Il était presbytre de la communauté chrétienne du quartier du Megas Limèn[3].

— Dioclétien ordonne à tous les militaires de l'Empire de faire des offrandes devant ses statues.

Un long silence suivit cette déclaration. Dioclétien passait aux actes. Il obligeait les soldats à reconnaître sa divinité afin de s'assurer de la fidélité de l'armée. Seuls les chrétiens s'opposeraient à cette offrande, pour eux idolâtre. Il les forçait ainsi à se dévoiler.

— Et… que dit le préfet? demanda Pierre.

— Il a donné ordre aux généraux d'amener les troupes devant la statue en bronze de l'Empereur qui se dresse à l'extérieur des murs, à l'ouest de la ville, et de leur faire brûler de l'encens et présenter des offrandes.

— Et les généraux?

— Les généraux vont obéir.

Un autre silence suivit.

— La situation est claire, dit Pierre. L'épreuve que nous craignions tous est à nos portes. Cela fait plus de quarante ans que ce calice de fiel nous a été épargné, depuis la persécution de l'empereur Dèce. Pendant ces quarante années, nous avons reconstruit nos églises, nous avons amené à la vraie foi d'innombrables frères d'Alexandrie et de partout dans la province et l'Empire. Mais les vues de la Providence sont impénétrables, et Dioclétien s'en fait l'instrument.

— Allons, allons, Papa[4] Pierre, dit Flavius avec un pâle sourire, l'Empereur n'a donné d'ordres que pour son armée. La situation n'est… difficile que pour nous.

— Je souhaite, Flavius, que tu aies raison, mais je crains fort qu'il ne s'arrête pas en si bon chemin. Depuis la mort du Seigneur, la croix semble être notre lot… Mais tu as raison sur un point: à l'heure actuelle seuls les militaires sont visés par cet édit. Que comptez-vous faire?

2- Aujourd'hui Izmit, en Turquie, sur le golfe de Marmara, non loin d'Istanbul. Dioclétien en avait fait sa résidence impériale.

3- Le Port oriental.

4- Titre que donnaient les premiers chrétiens d'Égypte à l'évêque d'Alexandrie. Équivalent du mot «pape».

— Je n'en suis pas encore trop sûr. Je n'ai pas eu le temps d'en parler avec Marcus. Lucius lui aussi vient de l'apprendre. C'est pourquoi j'ai tellement insisté pour que cette rencontre ait lieu. J'espère que nous trouverons auprès de vous de sages avis.

— On ne peut ni louvoyer ni hésiter, intervint Sarguayos le presbytre de sa voix caverneuse. Le chemin est nettement tracé et il n'y a pas d'ambiguïté possible : les chrétiens de l'armée devront se déclarer, refuser hautement de rendre un culte à un homme, fût-il l'Empereur…

— Notre frère Sarguayos a raison, l'interrompit Pierre, nous ne pouvons adorer Dieu et Dioclétien. Mais faut-il y aller carrément ? Nos frères doivent-ils immédiatement se dévoiler, au risque de perdre leur liberté, ou pire, et d'infliger mille souffrances à ceux qui les aiment ? N'y a-t-il pas moyen d'éviter l'épreuve, sans qu'ils renient leur foi ?

— Je dois ajouter, dit Flavius d'une voix hésitante, ce que m'a confié un centurion de mes amis. Après notre rencontre avec le général, il m'a pris à part et m'a dit qu'il savait que j'étais chrétien. Le général aussi connaît ma foi, ainsi que le nom de la plupart des officiers chrétiens. Il est vrai que, sans l'afficher, nous ne nous en cachions pas vraiment… Cet édit embête beaucoup le général. Certains de ses meilleurs officiers sont chrétiens. Mon ami le centurion m'a laissé entendre que celui-ci serait disposé à faire preuve de souplesse. Nous nous présenterions devant la statue de l'Empereur, nous dirions : « Je refuse de sacrifier ! » et le général attesterait : « Ils ont sacrifié ! »

— Comment, reprit Sarguayos d'une voix que la colère rendait rauque, comment peut-on tricher avec notre foi ? Notre Seigneur a-t-il hésité ? Peut-on tergiverser quand il s'agit de l'adoration du seul Dieu ?

— Mais c'est que, justement, nous ne sommes pas Notre Seigneur, reprit Pierre avec l'ombre d'un sourire. Il n'est pas toujours possible de s'élever aux mêmes hauteurs que le Fils de l'homme… Mais là n'est cependant pas la question. Nous devons aider nos frères de l'armée à se tirer d'un mauvais pas, sans renier l'essentiel.

— L'essentiel, rétorqua Sarguayos d'une voix ardente qui fusait en cadences de plus en plus pressantes, l'essentiel est de témoigner. Notre père Pierre vient de rappeler la persécution de Dèce, il y a une cinquantaine d'années. Nos ancêtres dans la foi n'ont pas reculé et ils ont payé de leur vie leur héroïsme.

— Heureusement qu'ils ne l'ont pas tous payé, car nous ne serions pas ici aujourd'hui, dit Macaire.

— Oui, reprit un autre homme qui n'avait pas encore parlé. Certains sont allés jusqu'au sacrifice ultime. D'autres pas…

C'était un homme jeune, de l'âge de Macaire environ. Il s'appelait Pacôme et était presbytre, comme Achillas et Sarguayos.

— Nous parlons, nous parlons, intervint alors Pierre avec une pointe d'impatience dans la voix. Nous ne cessons, nous les pasteurs de nos frères, de donner un avis, puis un autre. Et pourtant, c'est bien Flavius, Lucius et Marcus qui sont en première ligne. Ils agiront selon ce que leur dictera l'Esprit. Et nous, nous prierons pour eux — et pour nous tous.

Les dix hommes se dispersèrent. Dans la nuit obscure, un ciel étoilé épandait sur la ville endormie une soie opalescente.

Flavius et Marcus, à qui se joignait quelquefois Lucius — il était né à Neapolis, face à l'île de Capri, devant un golfe dont il assurait qu'il était le plus beau du monde —, passèrent de nombreuses semaines angoissées. Ils se réunissaient souvent pour parler de l'édit de l'Empereur. Ils étaient tombés d'accord : ils ne renieraient pas leur foi. Mais ils cherchaient désespérément un moyen qui leur permettrait de rester dans l'armée, en attendant que l'orage passe.

Le général commandant leur légion, qui les connaissait depuis qu'ils servaient sous ses ordres à Antioche, ne semblait pas pressé d'obéir aux ordres. Il avait bien convoqué ses légionnaires à l'extérieur de la ville et les vieux soldats avaient volontiers sacrifié devant la statue de Dioclétien. Les deux centurions et le décurion, d'autres officiers et soldats chrétiens aussi, avaient trouvé un prétexte pour ne pas accompagner les troupes et le général avait ignoré leur absence.

L'autre général, qui commandait la légion Cyraneica, stationnée depuis toujours à Alexandrie, était plus déterminé. Il accompagna ses troupes plusieurs jours de suite pour assister aux sacrifices. Certains militaires chrétiens refusèrent de faire des offrandes à Dioclétien. Ils furent renvoyés sur-le-champ de l'armée.

Les chrétiens d'Alexandrie se faisaient discrets dans leurs églises ou dans les maisons où ils se réunissaient. Ils prenaient encore plus de précautions pour aller participer aux repas du dimanche. On citait avec admiration les noms des militaires qui avaient proclamé haut et fort leur foi. Marcus sentit qu'on commençait à le regarder avec quelque surprise, quand il se promenait encore avec son uniforme. Flavius lui affirma avoir entendu des commentaires désobligeants sur « les malins qui savaient toujours se tirer d'affaire ». Les deux amis étaient malheureux et embarrassés et ne savaient trop quoi faire. Dans leurs longues conversations, ils en étaient même arrivés à envisager d'aller se déclarer publiquement devant le général.

Les premiers vents du printemps chassaient du ciel de la ville les nuages de l'hiver. Malgré l'inquiétude, malgré l'oppression que créaient les derniers événements, les chrétiens se préparaient à célébrer la fête de la Résurrection. Pierre raconta avec une fierté non dissimulée aux deux militaires que c'étaient les premiers Pères égyptiens du Didascalée qui avaient fixé la date de la fête, que suivaient maintenant les fidèles de tout l'Empire.

Quelques jours avant Pâques, un navire arriva dans le port, venant de Nicomédie. Un autre messager était à son bord, qui se précipita au palais du préfet. Celui-ci réunit d'urgence les chefs des bureaux palatins et de la chancellerie impériale, ainsi que les généraux de l'armée.

Dès le lendemain, des ordres partirent du palais aux stratèges des trente nomes[5] de la province. Le préfet était un homme méthodique, un fidèle serviteur de l'Empereur. Romain de l'ancienne école, il avait lu Tite-Live et voulait rétablir la grandeur de l'Empire en revenant aux vertus de travail, de frugalité et d'obéissance qui avaient fait sa gloire et son unité. Non seulement donnait-il des ordres à ses subalternes, il leur indiquait en détail les procédures à suivre et les sanctions à appliquer à ceux qui oseraient déroger à l'édit impérial.

Il ne fallut que deux ou trois jours à Marcus et à ses amis chrétiens pour en apprendre le contenu. Le 23 Mécheir[6] précédent, Dioclétien avait fait afficher l'édit dans sa capitale Nicomédie et l'avait ensuite envoyé aux préfets, aux proconsuls et aux légats de tout l'Empire. Les termes en étaient terribles.

L'Empereur interdisait partout le culte chrétien. Il ordonnait la destruction des édifices et des livres sacrés de la secte rebelle, la confiscation des biens de ses membres, la dégradation des chrétiens nobles, le renvoi de tous les fonctionnaires et militaires chrétiens et l'emprisonnement ou la mort de ceux qui ne se soumettraient pas. Il ordonnait à ses fonctionnaires la plus grande rigueur dans l'exécution de ses ordres.

Deux jours après la réunion des responsables, les bonnes gens du quartier du Broucheion virent arriver, tôt le matin, un étrange convoi. Plusieurs dizaines de soldats et d'ouvriers précédaient et suivaient de nombreuses charrettes tirées par des bœufs et portant un curieux appareillage : de gros troncs d'arbres semblaient suspendus à des treuils par de solides cordes.

Le convoi arriva devant le Didascalée. Le centurion qui commandait les troupes ordonna d'enfoncer les portes. Les soldats se précipitèrent à l'intérieur. Ils n'y trouvèrent qu'une paire de gardiens terrorisés.

5- Il s'agit des circonscriptions administratives de l'Égypte romaine, dirigées chacune par un stratège qui se rapportait au préfet à Alexandrie.
6- Février (de l'an 303, rappelons-le).

L'école semblait avoir été pillée. Partout, les tabourets, les bancs et les tables avaient été renversés ou entassés dans les coins. Les étagères étaient vides et certaines avaient même été arrachées des murs. L'édifice était désert et désolé.

Le centurion fit comparaître les gardiens. Il les obligea à s'agenouiller devant lui et ordonna à un légionnaire de tirer son épée du fourreau et de la poser sur leur nuque. Puis il leur demanda où étaient les presbytres, les savants, les catéchètes qui remplissaient d'habitude l'école.

Les deux hommes bredouillèrent qu'ils avaient tous quitté le Didascalée la veille. Le centurion entra dans une grande fureur. Il eut beau les presser, il ne put leur faire avouer où les chrétiens de l'école s'étaient enfuis et cachés, car ils l'ignoraient. Les gardiens étaient vieux et disaient manifestement tout ce qu'ils savaient.

Le centurion leur ordonna alors d'aller chercher tous les papyrus et les objets de culte dans l'école. Ils revinrent quelques instants plus tard : la récolte était maigre, car là encore on avait manifestement vidé l'école dans la plus grande hâte. Ils purent cependant trouver quelques vases sacrés et des rouleaux de papyrus qu'ils remirent en tremblant au centurion : celui-ci les déroula ; comme il ne lisait pas bien le grec, il les donna à un de ses assistants. L'homme lui dit qu'il s'agissait de la vie du fondateur de la secte, un juif nommé Jésus, racontée par des individus appelés Matthieu et Luc.

Le centurion fit empiler les papyrus dans la cour de l'école et y mit le feu. Puis il ordonna que les vases sacrés soient envoyés aux fonderies de la ville ; les plus beaux furent livrés au trésor du préfet.

Sur un ordre du Romain, des ouvriers et des militaires commencèrent à déraciner et à scier les arbres du jardin. Ils arrachèrent les grilles de la porte cochère et dévastèrent systématiquement l'intérieur de l'édifice. Ils montraient une hargne particulière à s'attaquer aux croix ansées qui étaient sculptées ou dessinées partout sur les murs.

Quand l'intérieur fut complètement détruit, le centurion fit un grand signe aux conducteurs des charrettes. Ceux-ci s'avancèrent dans la cour et encerclèrent les murs de l'édifice. Les ouvriers se précipitèrent sur les appareillages que portaient les charrettes et défirent les cordes auxquelles ils s'accrochèrent par grappes. Les troncs d'arbre se balancèrent de plus en plus vite et finirent par heurter les murs de l'école dans un fracas sourd. Ils faisaient office de béliers et un système ingénieux de poulies actionnées par les cordes les mettait en branle.

Au bout de quelques coups, les murs de l'école commencèrent à se lézarder. De grands pans de crépi s'en détachaient, mettant à nu les pierres maçonnées. Bientôt, même les pierres commencèrent à se fissurer, s'effritant quelquefois, ou perdant de grands éclats qui revolaient en l'air et que les ouvriers craignaient car ils pouvaient les blesser ou les éborgner.

Il fallut plusieurs semaines de travail acharné pour détruire le Didascalée. Les habitants du quartier assistaient, effarés, à ce saccage. Là où se dressait un bel édifice, discret mais imposant derrière sa façade d'arbres, il n'y avait plus que d'énormes amas de pierres et de gravats que les charrettes emportaient chaque soir. Quand l'opération fut terminée, un champ vide, comme une carrière abandonnée, s'étalait au milieu de l'élégant quartier, à quelques centaines de stades des palais des Basileia.

Quelques jours plus tard, Pierre racontait en pleurant à Marcus la blessure béante que lui causait la destruction du Didascalée :

— Cette école était notre honneur et notre gloire. De partout dans l'Empire on y venait pour apprendre la vie de Notre Seigneur et pour s'y armer afin de répandre la Bonne Nouvelle chez les idolâtres. Nos pères Pantène, Clément et Origène y ont étudié et enseigné. Grâce à leur science, nous pouvons maintenant démontrer aux idolâtres que notre foi en Jésus et en son Père est la seule voie du salut.

L'abandon précipité du Didascalée par les savants et les catéchistes s'expliquait aisément. Un fonctionnaire chrétien du palais du préfet avait été renseigné très vite sur le contenu du décret impérial et les ordres d'exécution. Il en avait tout de suite informé l'évêque d'Alexandrie. Pierre pensa immédiatement à l'école. Il fit prévenir ses occupants de la menace imminente. Pendant vingt-quatre heures, ce fut une véritable frénésie dans le grand édifice. On vida les étagères de leurs précieux papyrus qu'on transporta pendant la nuit dans des maisons amies. On rassembla les objets du culte. Quelques heures avant l'arrivée du centurion et de ses troupes, des chrétiens s'agitaient encore dans les pièces presque vides.

La plupart des autres églises d'Alexandrie n'eurent pas la même chance. On ne réussit pas à les évacuer à temps. En même temps que le Didascalée était la proie des démolisseurs, d'autres équipes s'attaquaient aux églises de quartier, sinon même à des maisons particulières dont les autorités savaient qu'elles hébergeaient des réunions dominicales.

Dans de rares cas, on procéda à la démolition des édifices à coups de béliers. Le plus souvent, les soldats y mettaient le feu et pendant deux ou trois jours de longues colonnes de fumée noire s'élevèrent dans le ciel d'Alexandrie.

Auparavant, les militaires obligeaient le presbytre et les fidèles qui avaient eu le malheur de se trouver dans l'édifice à comparaître devant eux. On leur présentait une effigie de l'Empereur et on leur ordonnait de s'incliner devant elle et de brûler un peu d'encens.

Quelques chrétiens obéirent. La majorité refusa. Les soldats les emmenèrent en prison. C'étaient les premiers d'une longue série.

On demandait aussi aux presbytres et aux gardiens de livrer les papyrus sacrés et les objets du culte. Là aussi, les militaires n'eurent pas toujours du succès, certains livres ayant été déjà emportés et d'autres, qu'on avait cachés dans l'édifice, brûlant en même temps que celui-ci.

Pourtant, on avait dressé un petit bûcher devant la porte de Canope, sur lequel s'entassèrent bientôt des dizaines de rouleaux de papyrus. On trouvait là pêle-mêle les évangiles de Jean et de Marc, les lettres de Paul et de Jacques, les livres de Papias, de Justin, d'Origène ou de Clément. Le tout partit un matin en fumée devant une foule nombreuse dont ce spectacle excitait la verve et les railleries.

Pierre avait appris que certains des vases sacrés du Didascalée avaient été envoyés au palais du préfet. Il souffrait de savoir que le représentant de l'Empereur se saoulait gaiement avec les coupes qui avaient servi à commémorer la Cène du Seigneur.

Dès que la nouvelle de l'édit s'était répandue à Alexandrie, Pierre et un grand nombre de presbytres s'étaient cachés dans des maisons amies. Les fonctionnaires de la chancellerie et des bureaux palatins furent sommés de prier devant l'effigie de l'Empereur et les chrétiens qui refusèrent furent renvoyés sur-le-champ. Parmi eux se trouvait Macaire le bibliothécaire.

Le lendemain de la réunion fatidique au palais du gouverneur, Marcus, qui ignorait encore les nouveaux ordres, se rendit comme d'habitude à la caserne. Il y trouva son ami Domitius, le décurion qu'il avait connu à Antioche, qui semblait l'attendre. Il l'entraîna dans un coin.

— Marcus, lui dit-il d'une voix pressée, il faut que tu partes.

— Que je parte?

— Oui, que tu quittes immédiatement la caserne.

— Mais… pourquoi donc?

— Comment, tu ne sais pas?

Et Domitius lui dit en deux mots que des ordres venaient d'arriver. Les militaires chrétiens qui avaient réussi à éviter l'édit précédent, imposant aux soldats de faire des offrandes à l'Empereur, devaient être arrêtés immédiatement.

— Mais comment sais-tu, dit Marcus après une brève hésitation, que je suis chrétien?

— Je le sais depuis déjà un moment. Je ne suis pas le seul: tes allées et venues du dimanche et tes absences lorsqu'il a fallu vénérer l'Empereur n'ont échappé à personne.

— Et… qui d'autre le sait?

— Mais à peu près tout le monde, mon ami, dit Domitius un peu brusquement.

Marcus allait de surprise en surprise.

— Et… qu'en penses-tu, Domitius?

— Ce que j'en pense? Je crois que ta secte est en train d'affaiblir l'Empire. Je crois que vous êtes en train de nous diviser. Je crois qu'il eût mieux valu rester unis dans l'obéissance à Dioclétien. Je crois que l'Empereur est le fils divin de Jupiter, le symbole et le ciment de notre unité. Je crois enfin que… je ne suis pas sûr de te comprendre.

— Je vais t'expliquer, commença Marcus…

— Tu m'expliqueras plus tard. Chaque minute qui passe nous rapproche du moment où le général devra obéir. Il sait que je te parle, comme d'autres parlent à tes amis. Il traîne un peu, mais il ne peut traîner indéfiniment. J'ai déjà prévenu Flavius, d'autres ont parlé à Lucius et les deux ont déjà quitté la caserne.

— Bien, dit Marcus, que l'inquiétude de Domitius commençait à gagner. Puis, se tournant brusquement face au décurion, il le regarda avec intensité: Domitius, dit-il, pourquoi fais-tu cela?

— Mais, parce que tu es mon ami et que je t'aime bien, malgré ta naïveté, lui répondit Domitius d'un ton bourru. Et, le prenant par le bras, il le poussa en dehors de la caserne.

Marcus retourna rapidement chez lui. Il trouva Artémisia qui s'alarmait. Des rumeurs commençaient à courir dans Alexandrie. On voyait partout des colonnes de soldats qui se dirigeaient vers les églises dans les différents quartiers.

Flavius ne tarda pas à rejoindre son ami: le centurion, qui était célibataire, demeurait à la caserne. Après l'avoir quittée précipitamment, il n'avait nulle place où se réfugier. Marcus lui offrit l'hospitalité.

Les deux militaires sortirent pour aller aux nouvelles. Ils étaient atterrés: l'armée était leur monde, l'univers dans lequel ils avaient grandi, la carrière qu'ils espéraient quitter après de longues années de service pour s'établir dans l'une des propriétés que l'Empereur accordait aux vétérans qui l'avaient bien servi.

L'armée était surtout ce creuset où ils trouvaient tous deux camaraderie et amitié. La chaleur des bivouacs, la fatigue partagée pendant les exercices éreintants dans le désert, la nécessaire complicité devant les dangers communs, tout cela, ils le pressentaient tous deux, allait leur manquer.

Marcus et Flavius n'avaient d'ailleurs pas d'autres sources de revenus. Ils savaient bien qu'ils ne retrouveraient pas de sitôt un travail, maintenant qu'ils étaient passés dans une quasi-clandestinité, et d'ailleurs, que savaient-ils faire d'autre, à part le métier des armes ?

Les deux hommes se promenaient à Alexandrie, remplis d'inquiétude. L'insolent soleil printanier, l'insouciance de la foule, les lazzis des jeunes gens que le printemps et la vue des jolies filles excitaient, tout soulignait avec cruauté leurs angoisses.

Ils rencontrèrent d'autres chrétiens, tout aussi désemparés qu'eux. Ils finirent par savoir où se cachait l'évêque. Ils allèrent le rencontrer. Pierre était assailli de fidèles que la peur attirait vers lui comme un aimant. Il donnait des conseils, réglait des problèmes immédiats, envoyait les chrétiens les plus connus — les hauts fonctionnaires, les centurions, certains presby-tres — chez d'autres fidèles, plus humbles, où ils pourraient se cacher au moins pendant quelque temps. Il eut à peine le temps de sourire à Marcus et Flavius, mais les invita à revenir le soir.

Après le coucher du soleil, une douzaine de chrétiens se retrouvèrent autour de l'évêque. Il y avait là, à part Marcus, Flavius et Lucius, les prin-cipaux presbytres et quelques hauts fonctionnaires, dont Macaire et un des responsables de la chancellerie. Pierre commença par les inviter à se ren-contrer tous les deux ou trois jours — chaque fois dans un lieu différent — afin de prendre les mesures qui s'imposaient. Quelques adolescents de la communauté, qui passeraient plus facilement inaperçus, feraient le lien entre eux.

Puis ils échangèrent des informations sur ce qu'ils savaient. La situa-tion était inquiétante. Le préfet avait bien organisé l'offensive. Dans tous les quartiers, la destruction des lieux de culte et l'arrestation de certains chrétiens s'étaient faites simultanément. Pourtant, on n'avait pas encore ordonné d'arrestations massives. Peut-être l'Empereur allait-il se satisfaire de ces mesures. Certains espéraient encore, dont les militaires. L'évêque semblait plus pessimiste.

Une espèce de routine s'établit : le groupe de responsables se réunissait le soir. On changeait régulièrement non seulement de maison, mais même de quartier. Et les chrétiens prenaient mille précautions pour se rendre au lieu de rendez-vous.

Pendant le jour, Marcus était désemparé. Sa vie jusqu'alors avait été ryth-mée par les obligations militaires. Il se retrouvait seul, sans grand-chose à faire. Il ne se cachait pas chez lui, sortait dans la ville, rencontrait encore des gens qu'il connaissait. Beaucoup lui souriaient, certains s'arrêtaient pour bavarder avec lui, mais quelques-uns l'évitaient et détournaient la tête pour ne pas croiser son regard.

Artémisia commençait elle aussi à souffrir des événements. Flavius avait beau être discret, leur maison était petite, elle ne pouvait guère s'isoler — pas même rester en négligé — et elle avait de moins en moins d'intimité avec son mari. Elle devait aussi toujours sourire aux deux hommes. Pourtant, elle aimait le centurion et n'aurait pour rien au monde envisagé de le voir partir.

Flavius sentait cette contrainte, mais n'avait nulle part ailleurs où aller. Marcus, quant à lui, devinait l'impatience de sa femme, mais ressentait pour son ami une tendresse fraternelle. L'impalpable tension qui commençait à régner dans son foyer l'agaçait de plus en plus. Il s'en ouvrit à Artémisia : la jeune femme l'assura qu'elle était disposée à accueillir avec chaleur, avec amitié, le centurion tout le temps qu'il fallait. Marcus lui sourit et l'embrassa.

Il sortait cependant de plus en plus souvent. D'ailleurs, son groupe d'amis continuait à le fréquenter. Il retrouvait là non seulement Flavius, mais également Domitius, Apollonius, Iacov, d'autres encore. Les jeunes gens se retrouvaient chez l'un ou l'autre, bavardaient gaiement, et pendant quelques minutes Marcus oubliait ses angoisses. Ses amis, qui étaient au courant de tout, ne s'appesantissaient d'ailleurs pas sur sa situation, même si la conversation portait souvent sur les décisions récentes du préfet.

Le soir, les réunions du groupe de chrétiens autour de Pierre étaient de plus en plus mornes, car les nouvelles devenaient franchement mauvaises.

Quelques semaines après la destruction des lieux de culte, le préfet passa à une autre étape de son plan : on apprit que des chrétiens bien connus, dont des fonctionnaires et de hauts gradés de l'armée qu'on avait laissés se réfugier chez eux, avaient été convoqués par le représentant de l'Empereur. Il les somma de brûler de l'encens devant l'effigie de Dioclétien. La plupart refusèrent. Ils furent immédiatement emprisonnés. Les prisons de la ville s'enflèrent bientôt d'un flot continu de chrétiens.

Puis les délations commencèrent. Les Alexandrins qui avaient eu maille à partir avec leurs voisins chrétiens se dépêchèrent de les dénoncer aux autorités. On vit ainsi de vieilles disputes d'argent, des querelles de voisinage, et même des mésententes d'héritage mener à des missives anonymes au préfet et à ses agents. Bientôt, ce ne fut plus seulement les chrétiens en vue qu'on arrêta, mais même les humbles et les pauvres.

On apprit enfin que le préfet recherchait activement l'évêque et les presbytres de la ville pour les emprisonner. Pierre dut se cacher encore plus secrètement qu'avant, changeant souvent de maison, allant d'un fidèle à l'autre. Ses soucis redoublaient à cause de l'inquiétude qu'il éprouvait pour la sécurité de sa femme et de ses enfants.

Marcus s'inquiétait de plus en plus, non seulement pour lui mais aussi pour sa femme. Ils vivaient maintenant dans la gêne. La mère d'Artémisia leur faisait parvenir des vivres, quelques pièces d'argent. Les sœurs d'Artémisia qui s'étaient converties vivaient elles aussi dans la crainte. Pâapis devenait de plus en plus sombre, mais ne disait rien à ses filles.

La sœur aînée de la jeune femme s'appelait Damiana; elle avait vingt ans et trois enfants. Artémisia l'aimait d'une affection particulière et les deux sœurs se retrouvaient souvent pour se réconforter mutuellement, car Damiana et sa famille s'étaient converties à la nouvelle foi.

Damiana s'inquiétait beaucoup — et surtout pour ses enfants, car l'on citait déjà l'arrestation par les Romains de familles entières, comprenant des enfants en bas âge. Elle disait à sa sœur qu'il fallait peut-être envisager de quitter Alexandrie car, même si les ordres du préfet s'appliquaient à tout le pays, peut-être qu'en province ses agents seraient moins zélés.

Artémisia répétait ces paroles à Marcus. Il hésitait, tergiversait. Il en parla un soir à Pierre et aux autres. L'évêque resta songeur, puis il dit :

— Il faudra peut-être en venir là. Nous ne devons pas nous jeter inconsidérément sous le glaive de nos persécuteurs.

Les journées coulaient ainsi, de plus en plus tristes, malgré la splendeur de l'été. Artémisia et Marcus vivaient maintenant dans l'angoisse quotidienne : que leur réservait donc l'avenir ? Que réservait-il à leurs amis, à leurs parents ? Que réservait-il à leur amour ?

CHAPITRE SIX

*D*e Nohotep, humble ſtoliſte[1] de la divine Isis, notre Joie salvatrice, Mère
du dieu, la Toute-puissante, la Très Grande Reine, la Sainte de gracieuse
forme, la Conductrice des muses, la Guerrière, l'Amour des dieux,
À ses pères dans l'obéissance aux dieux,
Isarous, prêtre de la divine Isis en son sanctuaire de Philæ,
Khomnos, prêtre du divin Amon en son sanctuaire de Thèbes,
Kolopè, prêtre du divin Ptah-Apis en son sanctuaire de Memphis,
Mes pères,
Vous ne me connaissez guère, puisque c'eſt la première fois que je vous écris.
Je ne me serais jamais déterminé à vous importuner, si je ne savais à quel point
vous êtes attachés au service de nos dieux. Votre sacerdoce leur eſt agréable et ils
jettent sur vous un regard bienveillant quand ils vous voient si empressés à les servir.
Mes pères, je m'appelle Nohotep, et je suis ſtoliſte de la divine Isis en son temple
d'Alexandrie. Rien ne me réjouit plus que de servir la Bonne Mère; je suis comblé
quand le matin je m'avance vers elle et, avec mes frères les autres ſtoliſtes, je lui
passe la robe après l'avoir réveillée. Et je tresse avec ferveur les couronnes de lotus
que je dépose sur sa tête sacrée.
Je suis le gardien de ses bijoux. Chaque matin, quand je m'avance vers sa
poitrine pour y déposer les colliers d'ambre et d'or, mon cœur eſt plein de dévo-
tion et le sein de la Déesse palpite sous mes doigts.
Peut-être m'avez-vous vu, quand vous êtes venus à Alexandrie et que vous
vous êtes proſternés devant la Déesse dans son temple. Je n'étais qu'un des nom-
breux jeunes prêtres chargés de son service, mais si l'amour et la ferveur pou-
vaient rayonner, alors, mes pères, vous avez dû me remarquer parmi eux.
J'ai grandi dans le temple et la Très Grande Reine eſt, depuis mon enfance,
ma seule joie, mon seul amour, ma seule consolation. J'éprouve pour elle et pour
ses frères et sœurs, les autres dieux de notre pays, une grande vénération.

1- Prêtre qui a la responsabilité de la toilette, de l'habillage et de la parure des statues divines.

J'ai été élevé dans cet amour par celui que je considère comme mon père, Pâapis, votre frère dans le sacerdoce et grand prêtre d'Isis. Il m'a appris à pressentir les besoins de la Sainte de gracieuse forme et à répondre à ses désirs. Il m'a aussi appris à aimer notre pays, à vénérer nos dieux et à respecter nos aïeux. J'aime Pâapis d'un amour filial, et c'est pourquoi mon cœur se déchire en vous écrivant cette lettre, car je vais le plonger dans l'affliction.

Vous savez, mes pères, que notre pays vit un moment exaltant de sa longue et glorieuse histoire.

Depuis longtemps déjà, des serpents que l'Égypte a réchauffés dans son sein se sont dressés contre elle, contre son âme, contre ses dieux. Je sais, mes pères, que dans vos provinces, les chrétiens, ces impies, ont osé blasphémer contre Amon, Râ, Apis et Horus, comme ils osent ici insulter Isis, son fils le divin Harpocrate et le divin Sérapis. Je sais que nous souffrons depuis longtemps de voir nos dieux dédaignés, nos temples vides, nos rites bafoués. Je sais surtout que les dieux sont en colère et que leur courroux nous plongera dans les pires épreuves.

J'ai souvent entendu mon père Pâapis se plaindre de cette insidieuse conquête de notre âme par des monstres qui osent affirmer qu'il n'y a qu'un seul dieu. Je sais qu'il a souffert de voir tant des nôtres se détourner de nous à l'appel des adorateurs de Christ. Et il m'a dit qu'il vous avait déjà parlé de ses inquiétudes.

Or, une aube nouvelle se lève sur l'Égypte. Nos maîtres romains ont enfin pris la vraie mesure de ce danger qui nous menace. Vous êtes déjà au courant que l'Empereur a décidé de s'attaquer aux chrétiens. Je suis heureux de vous dire que son préfet à Alexandrie a pris ses ordres très au sérieux et qu'une lutte à mort est engagée contre eux.

Des centaines d'entre eux ont déjà été arrêtés. Bientôt, ils seront des milliers. Après les avoir emprisonnés, le préfet a décidé de se montrer encore plus rigoureux; il va les obliger à abjurer leur hérésie. Sinon, son courroux n'aura plus de bornes.

J'espère de tout cœur que les stratèges et les officiers romains dans vos provinces suivent à la lettre ses ordres et que cet assaut contre les impies sera partout mené vigoureusement.

Nous pouvons enfin envisager le jour où nos dieux vont triompher. Nous pouvons enfin espérer que ces orties seront arrachées du champ d'Égypte.

Je suis allé, dès le début, partager ma joie et mon espérance avec mon père Pâapis. Je l'ai vu lui aussi heureux. Il m'a dit spontanément : « Nohotep, mon fils, j'attendais ce moment depuis longtemps. »

Malheureusement, je l'ai vu se rembrunir au fil des jours. Il n'était plus heureux. Bien au contraire, il m'a semblé affligé. Et quand je venais lui rapporter une bonne nouvelle, l'arrestation d'un autre scélérat ou la destruction d'une autre église, comme ces sectateurs appellent leurs temples, je le voyais se détourner de moi et son visage se contracter sous l'effet d'une grande contrariété.

Au début, je ne comprenais pas ce qui troublait sa félicité. Puis, j'ai saisi : il s'inquiète pour sa famille. En effet, mes pères, même si cela me coûte de vous le dire, il faut que vous sachiez que la secte des chrétiens s'est infiltrée au sein même de la famille de mon maître.

Sa plus jeune fille, Artémisia, a attiré les regards d'un officier romain. Pâapis m'avait promis sa main, et je m'étais laissé aller à la douceur de rêver à cette union, car je ne vous cacherai pas qu'elle est belle comme la Déesse qui est sur le trône[2] et qu'elle rayonne comme Râ à son lever. Je me voyais déjà vivre à ses côtés un bonheur domestique, déshabiller son corps avec la même ferveur que j'habille Isis et l'honorer avec une fougue digne de mon amour pour elle.

Pâapis en a décidé autrement. Il l'a donnée en mariage au Romain, même après avoir appris que ce dernier était chrétien. Je soupçonne qu'il a subi des pressions. J'ai cru même saisir qu'il avait eu peur de dire non. Quel danger l'a-t-il alors menacé ? Je me perds en conjectures et je ne comprends toujours pas.

Voilà, mes pères, l'ignominie dans laquelle nous sommes tombés : le grand prêtre d'Isis a marié sa fille à un chrétien. Je me souviens encore des noces et de la brûlure que je ressentais en voyant la fille de Pâapis au bras d'un ennemi de l'Égypte. Cette fille qui avait déjà été prêtresse d'Isis !...

Ce n'était, pour mon père, que le début des épreuves. Au bout de quelques mois, sa fille a abandonné les croyances de ses aïeux pour suivre les chrétiens. Ses autres filles ont imité leur jeune sœur, et maintenant une bonne partie de la famille du grand prêtre d'Isis est devenue chrétienne.

Je sais que Pâapis en souffre, mais il aime ses enfants et ne veut pas rompre avec eux. Mais le destin et l'empereur Dioclétien en ont décidé autrement.

Depuis que le préfet a lancé sa campagne contre les chrétiens, les Alexandrins sont encouragés à dénoncer cette engeance. Nombreux sont ceux qui ont répondu à cet appel et les défenseurs de nos dieux ont révélé au préfet les noms des ennemis de l'Égypte et les lieux où ils se cachent.

J'ai fait quelques allusions à cette situation devant Pâapis. J'ai rappelé que son gendre — qui se nomme Marcus — et les amis de ce dernier, dont certains sont des militaires, étaient chrétiens. Je crois même deviner qu'ils jouent maintenant un rôle important dans la communauté des rebelles. Leur arrestation les mettrait hors d'état de nuire. Or Pâapis peut informer les Romains. Il sait où se cachent Marcus et les autres...

2- Isis.

J'ai eu beau revenir en termes voilés et respectueux sur cette question, Pâapis m'a ignoré. Je sais qu'il souffre : il est déchiré entre son devoir de prophète et de premier serviteur de la Mère du dieu et son amour paternel.

Je suis, à mon tour, déchiré entre deux sentiments contradictoires. Moi aussi, je sais où demeurent Artémisia et son mari, ainsi que les autres filles du grand prêtre, car j'étais comme un membre de sa famille. J'aurais pu en informer immédiatement les autorités romaines : cela aurait entraîné l'arrestation non seulement de plusieurs chrétiens, mais surtout de certains de leurs chefs.

Cependant, j'hésite et je tergiverse. J'hésite, parce que je souhaiterais que les Romains arrêtent Marcus mais ne touchent pas à Artémisia. Je balance aussi parce que cette arrestation briserait le cœur de Pâapis et jetterait le déshonneur sur lui, sur sa famille et même sur l'ensemble des serviteurs de la Déesse.

Je sais que si Marcus était arrêté, les Romains ne tarderaient pas à apprendre de lui où se trouvent les autres, et surtout le chef suprême de la secte, un dénommé Pierre : ils ont pour cela des méthodes auxquelles même un militaire endurci ne pourrait résister. Ce serait pour nous et pour notre cause une grande victoire.

Mais si Marcus est arrêté, sa femme le sera aussi. Pouvons-nous éviter cela ? Puis-je éviter cela ?

Et puis, si Marcus est arrêté, les Romains ne tarderont pas à apprendre la conversion des autres filles de Pâapis. L'arrestation d'une grande partie de sa famille serait inévitable. Et c'est pourquoi je souffre, je recule, je ne me détermine pas.

Mes nuits sont dorénavant empoisonnées. Je les passe les yeux ouverts dans l'obscurité, à ruminer la terrible décision que je dois prendre. Et je ne peux en parler à quiconque, car le seul dont j'aurais pu solliciter et suivre les avis, c'est Pâapis.

Et c'est alors que j'ai pensé à vous, mes pères. J'ai pensé à vous car je sais votre attachement à nos dieux et à notre pays. J'ai pensé à vous parce que je sais votre sagesse et votre expérience. Je vous prie de m'aider. Je vous prie de m'éclairer. Je vous supplie de me sortir de ce terrible dilemme, qui oppose ma tendresse pour Pâapis, sa fille et sa famille à mon amour et à ma dévotion pour la Déesse.

Je confie cette missive à un batelier. Répondez-moi vite, car je sens dans mon cœur sourdre une décision. Et elle est terrible.

Fait à Alexandrie, en ce mois de Payni de la dix-neuvième année[3] du règne de Dioclétien César,

Le stoliste d'Isis la bien-aimée, la Déesse aux dix mille noms,
Nohotep

3- Juin 303.

❦

De Pierre, évêque et patriarche d'Alexandrie et Papa d'Égypte,
À ses frères dans l'Épiscopat,
Patermouthis, évêque d'Arsinoé,
Severus, évêque d'Oxyrhynchos[4,]

Je sais, mes frères, que vous êtes dans l'affliction et la souffrance, comme vos fidèles et comme les frères d'Alexandrie. Je vous écris aujourd'hui du fond de l'abîme où notre Église est plongée afin que nos supplications montent vers le Seigneur et qu'il ait pitié de ses brebis.

Je vous prierai de me répondre le plus rapidement possible, afin que je sache ce qui vous arrive. J'espère que votre affliction n'égale pas la nôtre et que vos épreuves ne sont pas aussi terribles que celles que nous subissons. Hélas ! je crains fort que ce ne soit là qu'un vœu pieux, car des fidèles qui ont des parents et des amis en province et qui ont eu de leurs nouvelles me racontent des histoires atroces.

Je dois tout d'abord vous dire que je suis personnellement sain et sauf. Vous savez que les agents du préfet me recherchent activement. J'en ai été prévenu et j'ai réussi à m'enfuir à la dernière minute. Je me cache maintenant chez un frère poissonnier, dans le quartier des Boucolies. Au milieu de ces gens simples et bons — des poissonniers, des maraîchers, des artisans —, les Romains et leurs hommes de main, égyptiens, grecs ou juifs, ne pourront me retrouver, à moins d'un délateur…

Mes parents, ma femme et mes enfants ont trouvé refuge dans une maison amie. Du moins, le souci de leur sécurité et les craintes pour leur vie me sont épargnés pour le moment. J'ai également demandé aux presbytres, aux diacres et aux principaux responsables de la communauté d'envoyer leurs femmes et leurs enfants dans des lieux sûrs et secrets.

D'autres soucis et d'autres craintes me submergent cependant. Tous les jours, dès l'aube, des fidèles viennent me voir. Ils me confient leurs angoisses, sinon leurs peurs. Je les réconforte et les bénis. Ils repartent dans la grande ville, inquiets de leur ombre, soupçonnant leurs voisins, craignant pour leurs familles.

D'autres m'abordent, pleurant et sanglotant. Leurs frères ou leurs sœurs, leurs femmes ou leurs maris, leurs enfants, leurs amis viennent d'être arrêtés et emmenés dans les prisons des Romains. Que puis-je alors leur dire ? Quelle consolation humaine peut diminuer leur affliction ? Je ne peux que leur rappeler que Notre Seigneur nous a montré le chemin de la Croix et que le martyre est le témoignage suprême que Dieu quelquefois nous demande.

4- Au temps des Romains, Arsinoé était la ville principale de l'oasis du Fayoum, au sud-ouest du Caire, et Oxyrhynchos était une localité située à cent kilomètres au sud du Caire, près de l'actuel Béni-Soueif.

Tous n'ont cependant pas ce courage et je dois, comme pasteur, tenir compte des faiblesses des uns et des autres. Dieu ne nous pas tous créés de la même pâte. Mais nombreux sont ceux qui répondent à l'appel, et même si mes yeux d'humain pleurent, mon regard reste fixé sur le Christ glorieux, qui les accueillera dans la maison de son Père.

Deux ou trois fois par semaine, je me réunis à la nuit tombée avec quelques frères : certains presbytres — vous connaissez notamment parmi eux Sarguayos et Achillas —, d'anciens légionnaires ou officiers qui connaissent bien la mentalité des Romains, et d'autres membres influents de la communauté. Nous échangeons les nouvelles que nous avons glanées pendant la journée et surtout nous organisons l'aide à accorder aux persécutés : nous déplaçons une famille menacée dans une maison amie plus discrète, nous organisons la fuite d'Alexandrie de ceux qui craignent une arrestation imminente, nous procurons de la nourriture à celles qui ont perdu un mari ou un père...

Nos épreuves ne peuvent aller qu'en augmentant, car les Romains raffinent tous les jours leurs procédés de chasse et n'épargnent aucun effort pour se débarrasser de nous.

Au début, ils se contentaient d'arrêter les plus connus d'entre nous. Puis ils ont fait appel à la délation. Je suis heureux de vous dire, mes frères, que très peu de fidèles ont dénoncé d'autres chrétiens. Hélas ! nous sommes suffisamment nombreux et nous nous étions suffisamment affirmés pour que nos voisins et nos amis qui n'ont pas entendu l'appel de Jésus n'aient aucun doute sur notre foi. Et nombre d'entre eux nous ont dénoncés. Certains parce qu'ils estimaient que tel était leur devoir civique. D'autres, pour de misérables affaires d'argent, ou pour régler de vieilles querelles ou assouvir d'anciennes rancunes. Hélas ! de sordides questions d'amour contrarié ou de convoitise à l'égard de la femme du voisin ont même pu jouer un rôle dans ces dénonciations...

Le préfet a alors estimé que la délation n'était pas suffisante. Il a décidé que tous les habitants du pays devaient obtenir un libelle[5] certifiant qu'ils avaient sacrifié aux dieux. Il a mobilisé à cet égard tous les fonctionnaires du Bureau des libelles de l'administration palatine.

Il faut se présenter devant les statues des divers dieux que l'on trouve sur les places publiques, brûler un peu d'encens, et l'agent en faction vous remet un libelle. Ce document devient essentiel pour survivre à Alexandrie.

Certains des frères ont soudoyé des fonctionnaires pour obtenir le document. D'autres ont envoyé des esclaves faire l'offrande à leur place. D'autres enfin refusent tout net et doivent se terrer de plus en plus, ne sortant souvent que le soir ou à la nuit tombée, quand les patrouilles romaines relâchent leur surveillance.

5- Du latin *libellus, petit livre*. Aujourd'hui, nous dirions un *certificat*.

Le préfet a eu une autre idée infernale : il a fait clôturer tous les marchés publics. Il faut dorénavant y pénétrer par une porte où des gardes vous demandent d'exhiber le libelle. Nos frères qui n'en ont pas ne peuvent donc plus acheter de vivres. Pour manger, ils doivent recourir à mille subterfuges, et déjà on voit des idolâtres qui en profitent pour vendre des poissons, des légumes et des fruits loin des marchés publics, mais à des prix exorbitants.

Des milliers de nos frères, de nos sœurs et de nos enfants ont déjà été arrêtés et le préfet a donné ordre de vider certains entrepôts des deux ports pour les y entasser, car ses prisons débordent. Il a commencé par convoquer devant lui ou devant ses agents les plus connus d'entre eux, pour leur demander d'abjurer leur foi en Christ. Quand ils refusent…

Ah, mes frères, ma main tremble et je voudrais tremper ma plume dans mon propre sang, si cela pouvait leur éviter de verser le leur. Car quand ils refusent d'adorer Dioclétien, ou Isis, ou Sérapis, ils sont instantanément condamnés à mort.

Et quelle mort… Une frénésie de sang, un goût morbide pour les pires tortures semblent s'être emparés du préfet, de ses sbires et de ses bourreaux.

Nombreux parmi nos frères arrêtés sont citoyens romains de longue date, ou de souche latine. Ils ont exigé du préfet qu'ils subissent le supplice réservé depuis toujours aux Romains, c'est-à-dire qu'ils aient la tête tranchée. Le préfet leur a ri au nez en leur disant que leur crime était tellement atroce qu'il les dépouillait de tous leurs privilèges de citoyens de Rome.

Pour quelques-uns cependant — et notamment un centurion nommé Lucius, que j'ai bien connu avec certains autres militaires romains —, le préfet a hésité. Il a fini par céder et notre frère Lucius a eu la tête décollée au glaive il y a quelques semaines. Le préfet a voulu en faire un exemple et le martyre a eu lieu sur la grande place publique, au croisement de la voie Canopique et de la rue des Palais, à quelques toises des Basileia.

Une grande foule s'était massée pour voir mourir notre frère. C'est, hélas ! devenu pratique courante. La populace d'Alexandrie se réjouit de nos tribulations et la vue de nos souffrances est devenue un spectacle très couru. Cependant, la mort par décollation est simple, rapide, sans grand drame ni grande invention, et la foule reste sur sa faim. Tandis que d'autres fois, c'est à un véritable théâtre de l'horreur qu'elle est conviée.

C'est ce qui s'est passé lors du martyre d'un de mes enfants les plus chers. Il s'agit de Pacôme, presbytre du quartier de Rhakôtis. Son nom vous est peut-être connu par les missives des Alexandrins, car longtemps avant le début de cette persécution, son amour pour Dieu et Son Fils, sa charité à l'égard de tous en avaient fait un des presbytres les plus aimés d'Alexandrie.

Pacôme était jeune, mais de bon conseil, et je l'avais inclus dans l'assemblée que je réunissais régulièrement pour discuter des affaires de la communauté. Il s'y retrouvait avec ses confrères Sarguayos et Achillas, les Romains Flavius, Marcus et Lucius, notre frère martyrisé, d'autres encore.

Il y a trois semaines, Pacôme rendait visite à une famille nombreuse lorsqu'un voisin charitable eſt arrivé en courant. Il les a prévenus que des gardes romains approchaient de la maison : plus de doute, on venait les arrêter. Pacôme n'a pas hésité : il les a fait sortir en hâte par une porte arrière, tandis qu'il se portait au devant des agents du préfet. Il les a accoſtés, a longuement parlé avec eux, leur donnant des indications fausses sur la maison qu'ils cherchaient, afin de permettre à la famille en fuite de prendre le large. Les militaires ont fini par trouver son comportement suspicieux, l'ont arrêté et l'ont emmené devant le préfet.

Pacôme a hautement proclamé sa foi devant le représentant de l'Empereur. Le préfet en a été enragé et l'a livré à ses bourreaux.

Nous avons su tout de suite la sentence prononcée contre lui. Nous savions qu'il allait mourir le lendemain matin. Quand, cachés dans d'amples manteaux, nous sommes arrivés au champ d'exécution, sur les rives du lac Maréotis, au sud de la ville, nous y avons trouvé une foule immense. Des gens avaient apporté des tabourets, d'autres des viſtuailles qu'ils étendaient sur l'herbe. Une ambiance de fête régnait, au milieu des rires et des plaisanteries.

Les bourreaux avaient dû recevoir des inſtruſtions spéciales, ou alors ils avaient bien saisi le courroux du préfet, car ils avaient réservé à notre frère un traitement odieux.

Je vous demande pardon, mes frères, de vous raconter ces hiſtoires terribles, mais il faut que l'on sache le courage et la foi de nos frères. Il faut que ces récits passent d'âge en âge, afin que le sang versé par les chrétiens d'Égypte témoigne à jamais de leur attachement à Dieu.

Pacôme a été dépouillé de ses habits et étendu par terre. Des aides-bourreaux lui ont déchiré le corps à l'aide de coquillages. Ils ne voulaient même pas se servir d'ongles de fer, qui auraient créé des plaies plus profondes, afin de prolonger le supplice.

Quand son corps a été déchiré et couvert de sang, on a versé dans ses plaies sanglantes du sel et puis lentement, goutte à goutte, du vinaigre. Notre frère criait sans cesse, au milieu des moqueries et des bouffonneries de la foule, que la vue du sang avait excitée.

Ses souffrances étaient atroces, mais ne suffisaient pas à le tuer. Et c'était d'ailleurs là l'intention diabolique de ses tortionnaires. Quand, après plusieurs heures de hurlements, sa voix a commencé à faiblir et qu'on a senti qu'il approchait de la mort, c'eſt-à-dire de la délivrance, on a amené un gril. On avait en effet allumé dès l'aube un grand bûcher, afin que le bois brûle et donne des braises ardentes, sur lesquelles on a posé l'inſtrument du supplice.

Puis on a transporté Pacôme sur le gril. Un grésillement atroce s'est élevé dans le silence soudain de la foule, que l'horreur du spectacle avait figée pour quelques instants. Une terrible odeur est montée dans l'air avec une fumée noire, et la lie des hommes, rassemblée là, a recommencé à plaisanter sur ce «sacrifice» offert au dieu des chrétiens.

Nous nous étions regroupés dans un coin du champ. Nous avions assisté, épouvantés, au supplice du presbytre. Nous cachions nos larmes et nos sanglots dans nos voiles et nos manteaux, et d'ailleurs le grondement de la foule noyait nos supplications au Seigneur. Mais quand Pacôme a été mis sur le gril, certaines des femmes présentes commencèrent à gémir à haute voix, d'autres s'évanouirent dans nos bras et, afin d'éviter les regards curieux qui se tournaient vers nous, il a fallu les emmener en les portant presque.

Je suis resté jusqu'à la fin, avec quelques frères. Pacôme avait été tellement affaibli par son supplice que la flamme du gril l'a achevé rapidement. Au bout de quelques minutes d'atroces gémissements, sa voix s'est éteinte. Notre frère venait de mourir, c'est-à-dire de ressusciter auprès du Seigneur.

Je suis resté plusieurs jours prostré après ce supplice. Mon corps s'était vidé de ses larmes. Et pourtant, il a fallu que je me ressaisisse, car la mort de Pacôme n'a été qu'un épisode dans la longue succession de souffrances qui s'abattent sur nous.

En effet, nos frères venaient encore me rencontrer tous les jours pour me parler de leurs épreuves. Je devais, avec l'aide de mon conseil, continuer à les aider à se cacher, fuir, se reloger, se nourrir. Une espèce de routine dans la clandestinité s'est ainsi établie au cours des mois. Routine souvent interrompue par des émotions intenses.

En effet, chaque jour, certains de nos frères subissent le martyre. Il semble que nos tortionnaires veuillent ranimer tout le temps l'intérêt des foules ou tentent de frapper nos imaginations à un tel point que nous finissions par céder. En effet, leur créativité dans la mise à mort n'a guère de limites.

Le catalogue qui suit est sinistre et l'horreur, à force de répétition, émousse la fièvre et la surexcitation des foules : nos frères, nos sœurs et quelquefois même leurs enfants — y compris des nourrissons — sont décapités. Ils sont égorgés. Ils sont jetés au feu. Ils sont envoyés en haute mer dans des barques délabrées. Ils sont déchirés par des ongles de fer. Ils sont attachés à des chevalets et meurent de soif au soleil. Ils sont crucifiés. Ils sont fouettés avec des lanières de bœuf jusqu'à la mort.

Le préfet, qui pensait nous terroriser, s'étonne de plus en plus devant notre foi et notre détermination. Il a donné de nouveaux ordres : certains d'entre nous sont torturés mais pas jusqu'à la mort. Puis on envoie à leur chevet des médecins, afin de panser leurs plaies, réparer leurs membres et guérir leurs blessures. Quand ils sont bien rétablis, ils sont invités à apostasier. Certains cèdent. D'autres refusent et leur martyre recommence, une fois, deux fois, trois fois.

Nous témoignons ainsi à Alexandrie en suivant l'exemple que nous a donné notre père Marc[6], quand il a refusé de sacrifier à Sérapis. Nos frères se souviennent qu'il a été attaché par une corde et traîné dans la rue sur plusieurs stades. La nuit, quelquefois, nous allons en secret dans l'église des Boucolies, où son corps est enterré, pour le prier et lui demander de nous donner force et courage.

Je ne veux pas vous importuner plus longtemps avec mes plaintes. Je sais que vous avez vous aussi bien des sujets d'affliction et de souffrance. Je vous prie de m'en parler et de partager avec moi vos épreuves.

Je confie cette missive à un de mes diacres. C'est un homme sûr, prudent et pondéré. Il a décidé d'aller visiter notre père Antoine dans sa retraite du désert afin de le supplier de prier pour nous. Il vous remettra cette missive en chemin.

J'espère avoir bientôt de vos nouvelles et de celles de nos frères de la Thébaïde[7].

Fait à Alexandrie, en ce mois de Mécheir de la vingtième année[8] du règne de Dioclétien César,

Pierre, évêque et patriarche d'Alexandrie et Papa d'Égypte

❧

— La situation ne peut qu'empirer, dit Pierre. Depuis la mort de Lucius et de Pacôme, l'étau se resserre autour de nous.

Ils étaient réunis dans une maison dont les persiennes de bois étaient fermées et les rideaux tirés. Il faisait nuit et seule une lanterne sourde leur permettait de deviner leurs traits. De l'extérieur, nul n'eût pu deviner qu'une dizaine d'hommes étaient rassemblés là.

Quand l'évêque évoqua Lucius et Pacôme, il y eut un moment de silence.

— Pourquoi dis-tu, Papa Pierre, que l'étau se resserre? demanda le presbytre Achillas. Depuis le début de cette persécution, il y a un an, la situation a toujours été terrible.

— Tu as raison, répondit Pierre, elle a été terrible pour nos sœurs et nos frères qui paient de leur sang leur fidélité à Christ. Cependant, après la mort de Lucius, le préfet s'est engagé avec plus d'acharnement que jamais à traquer les militaires chrétiens. C'est miracle que nos frères Flavius et Marcus n'aient pas encore été arrêtés.

— Tu as raison, Pierre, dit Flavius. En éliminant les militaires chrétiens, il s'assure de la fidélité de l'armée.

6- Il s'agit de saint Marc l'évangéliste, qui a évangélisé l'Égypte et a été martyrisé à Alexandrie en 68.

7- Les Grecs avaient donné le nom de Thébaïde au désert autour de Thèbes (Louxor). Sous les Romains, le mot avait fini par désigner toute la Haute-Égypte.

8- Février 304.

— Et, depuis la mort de Pacôme, il a ordonné que tous les presbytres soient vigoureusement poursuivis, dit Achillas. De nombreux frères dans le service des églises sont déjà tombés…

— Ainsi, dit Pierre, il assure d'une part sa mainmise absolue sur l'armée et d'autre part il affaiblit nos communautés en faisant tuer leurs presbytres. Et pas seulement les presbytres, ajouta-t-il après un moment de silence. Les presbytres, les diacres, les fidèles les plus actifs dans chaque quartier, bref, les piliers de la communauté… Cette stratégie semble réussir. De nombreux frères fuient, se cachent, n'osent plus défier les agents du préfet. Quelques-uns cèdent à la peur et remettent aux Romains nos livres sacrés et nos objets de culte. Une infime minorité, hélas ! apostasie. Il faut cependant craindre qu'elle n'augmente, car les souffrances sont terribles et la chair est faible.

Il y eut un autre silence. Marcus le rompit.

— Et… qu'allons-nous faire, Pierre ? Nous savons que la persécution s'est étendue à tout l'Empire, même si elle est particulièrement féroce ici, en Égypte. Que pouvons-nous faire pour aider nos frères à résister à cette pression intolérable ?

— Tu as raison, Marcus, de souligner que nos souffrances ne sont pas uniques. L'assaut de l'Empereur contre les chrétiens se produit partout, me dit-on, même si l'Égypte est, de loin, le champ où la férocité de ses agents s'est donné le cours le plus libre, le plus odieux. Il faudrait peut-être…

L'évêque n'eut jamais l'occasion de préciser sa pensée : il fut interrompu par un bruit soudain dans l'entrée de la maison, qui était gardée par un adjoint de l'évêque. On l'entendit qui discutait furieusement avec un homme. La porte de la pièce s'ouvrit violemment, l'adjoint pénétra en trombe :

— Papa Pierre, dit-il d'une voix essoufflée, il y a ici un furieux qui veut absolument entrer. Il dit qu'il connaît Marcus.

L'ex-décurion allait se lever quand on vit s'engouffrer dans la pièce une silhouette massive. C'était Nikânor, l'esclave de Marcus.

— Maître, dit-il… Puis il s'arrêta.

— Qu'y a-t-il, Nikânor ? demanda Marcus d'une voix impérieuse.

— Maître, ils sont venus à la maison, cet après-midi. Je n'ai rien pu faire pour les en empêcher. Heureusement que vous m'aviez dit où vous alliez être…

— Qui est venu à la maison ?

— Les soldats romains, maître. Et ils ont arrêté la maîtresse. Ils l'ont emmenée entre deux légionnaires… Isidora et moi, on n'a rien pu faire. La maîtresse pleurait en vous appelant. J'ai pensé vous le dire tout de suite. Ils ont arrêté la maîtresse…

CHAPITRE SEPT

D amiana était au bord de l'évanouissement.
La jeune femme avait versé toutes les larmes de son corps. Elle avait crié. Elle avait hurlé. Elle s'était précipitée sur Marcus et lui avait martelé la poitrine à coups de poing. Il avait fallu qu'Isidora et une autre esclave s'interposent ; maintenant, Damiana était assise sur une chaise, prostrée, haletante.

Marcus était livide. La veille, après la terrible annonce faite par Nikânor, il s'était mis à trembler de tous ses membres. L'épreuve qu'il craignait venait finalement de l'atteindre. Jusqu'alors, avec Flavius, Macaire, Pierre et les autres, il s'était dépensé sans compter pour aider les chrétiens d'Alexandrie à survivre à l'ouragan de souffrances, de sang versé et de familles détruites qu'avait déclenché sur eux la persécution de Dioclétien. Il se donnait corps et âme, mais n'avait pas encore ressenti dans sa chair l'aiguillon mortel de la rage impériale.

Et voici que le témoignage que d'autres avaient été appelés à rendre était maintenant exigé de lui. L'épreuve le frappait directement, dans sa famille, dans sa femme, dans son amour.

Il sut immédiatement qu'il aurait tout donné pour que les policiers du préfet l'arrêtent, lui, et épargnent sa femme. Il se représenta Artémisia entre deux brutes insensibles, jetée sans ménagement dans une cellule de prison ou dans un entrepôt où s'entassaient des dizaines d'autres malheureux. Cette image le frappa physiquement ; il eut un haut-le-cœur et crut qu'il allait vomir.

Déjà Flavius, Macaire et les autres s'empressaient autour de lui. Il fallut prendre des décisions : Marcus ne pouvait retourner chez lui. Il alla passer la nuit chez Macaire, accompagné de Flavius, qui habitait avec lui depuis le début de la persécution, et de Nikânor. À l'aube, il avait déjà les yeux grands ouverts et une souffrance tenace lui labourait la poitrine, comme un rongeur qui s'y serait réfugié et lui grignoterait méthodiquement le cœur.

Il savait que sa maison lui était dorénavant condamnée. La police y reviendrait régulièrement et ne tarderait pas à l'emmener à son tour en prison. Le préfet la confisquerait peut-être, obéissant en cela au décret de l'Empereur.

À la prière de Marcus, Macaire envoya un esclave demander à Isidora de quitter discrètement la maison de ses maîtres et de se rendre chez Damiana, la sœur aînée de sa maîtresse. Quelques heures plus tard, Marcus l'y rejoignit, accompagné de Nikânor. Il avait décidé en effet de se cacher pendant quelque temps chez Damiana.

La jeune femme avait été surprise de voir arriver l'esclave d'Artémisia, qui refusa d'expliquer l'absence de sa maîtresse. Ce fut Marcus qui, à son arrivée, lui apprit l'arrestation de sa sœur.

Damiana devint blanche, puis se mit à pleurer. Au fur et à mesure qu'elle se pénétrait de la terrible nouvelle, elle devenait de plus en plus agitée, criant, sanglotant, frappant le jeune homme désemparé, hoquetant, incapable de proférer un mot. Il fallut que les esclaves la saisissent presque avec rudesse pour la calmer.

Au bout de quelques instants, elle leva la tête, regarda son beau-frère avec un calme effrayant, et lui dit froidement :

— Marcus, je te hais. C'est toi qui es responsable de cette horreur. Si jamais Artémisia était torturée ou mourait, je te maudirais pour toujours.

Elle se tut pendant quelques instants puis reprit d'une voix presque inaudible :

— Tu es venu dans notre famille et tu nous a séparées de notre père et de notre mère. Tes paroles étaient de miel et Artémisia, et puis moi, et puis nos sœurs, nous t'avons cru. Tu nous parlais d'un monde où règneraient la justice et la bonté, d'un Dieu qui nous aimait et nous protégeait et voulait que nous nous aimions tous comme des frères.

Elle se tut encore. Elle haletait. Quand elle recommença à parler, sa voix s'enfla en un crescendo furieux :

— Où est-il, ton Dieu, maintenant ? Où est-il, ce Dieu tout-puissant, qui nous a demandé d'abandonner nos dieux et de tourner le dos à Isis que nous aimions depuis notre enfance ? Où était-il, quand le préfet de l'Empereur arrêtait ma sœur et se prépare peut-être à la torturer ? Où est-il, Marcus, où est Dieu, où est Christ ?

Damiana mit son visage entre ses mains. Ses épaules se soulevaient de façon convulsive. Quand elle releva la tête, des larmes coulaient sur son visage ravagé :

— Va-t-en, Marcus, va-t-en, car je vais finir par t'exécrer et maudire le jour où Artémisia t'a rencontré. Si tu veux me revoir, reviens avec ma sœur.

Tant qu'Artémisia sera la proie du préfet, cette maison te sera fermée. Et si Christ est vraiment ce Seigneur miséricordieux dont tu nous as parlé, prie-le, Marcus, prie-le de venir en aide à Artémisia, car mon cœur est brisé.

Marcus était bouleversé. Il retourna chez Macaire. Le bibliothécaire l'accueillit de nouveau comme un frère et lui offrit de se réfugier en permanence chez lui, en compagnie de Flavius qui n'avait plus d'asile. L'ancien officier le serra contre son cœur, car il savait que Macaire s'exposait ainsi à de grands dangers.

Cela faisait vingt-quatre heures qu'Artémisia avait été arrêtée. La douleur de Marcus ne diminuait pas, mais il retrouvait un peu de calme et de lucidité. Les mots de Damiana le hantaient : « Reviens avec ma sœur ! » Dans le tourbillon des premières heures, une seule image s'imposait à lui : Artémisia avait été arrêtée. Obscurément, il croyait que c'était, pour la jeune femme, la fin du chemin, à moins qu'elle n'apostasiât. Il pressentait qu'elle refuserait de revenir à l'idolâtrie. Et même si cela le déchirait, il ne voulait pas qu'elle reniât Christ, comme il savait qu'il ne le ferait pas lui-même s'il était dans la même situation.

La fin du chemin… Les mots qui lui avaient traversé l'esprit lui vrillèrent soudain les tempes. Ainsi, Artémisia allait mourir. Puis il entendit la voix pressante, convulsive, de Damiana : « Reviens avec ma sœur ! »

Il savait que de nombreux chrétiens s'étaient cachés ou avaient quitté la ville pour éviter la persécution. Mais il n'avait jamais entendu parler d'un prisonnier en fuite : nul n'avait pu quitter les cachots du préfet, sauf pour être torturé ou mourir. Nul jusqu'à maintenant… Pouvait-il espérer être le premier à arracher une victime des griffes des Romains ? Avait-il la moindre chance de faire évader sa femme, de la cacher, de la soustraire à une mort terrible ?

Il savait qu'Artémisia n'était pas dans un danger immédiat. Les prisons étaient pleines de chrétiens qu'on ne martyrisait pas immédiatement. Mais il savait aussi que si l'on découvrait qu'elle était la femme d'un ancien militaire, son sort serait vite scellé.

Soudain, un espoir insensé le saisit. Au lieu de se morfondre dans le chagrin, la souffrance et la culpabilité, ne pourrait-il pas agir, faire quelque chose, sauver sa femme ?

Il s'en ouvrit tout d'abord à Flavius. L'ex-centurion parut d'abord surpris, puis devint songeur :

— Je ne sache pas que l'on ait déjà tenté une évasion de l'intérieur des prisons, encore moins que l'on en ait organisé une de l'extérieur, depuis le début de la persécution. Mais rien ne nous empêche de l'envisager.

Il se tut un moment et reprit :

— Le Seigneur ne nous demande pas de détourner notre face de Lui, mais Il n'exige pas non plus que nous nous précipitions sur le calice pour le boire jusqu'à la lie. Lui-même a tenté de l'éviter, au jardin des Oliviers.

Les deux amis discutèrent brièvement. Ils tombèrent vite d'accord. Organiser la fuite d'Artémisia n'allait pas être chose simple. Il fallait du temps. Il fallait un plan minutieux.

— Il faut surtout, dit Flavius, de l'argent et des intelligences à l'intérieur de la prison. Il faut aussi savoir où tu emmènerais Artémisia, si tu réussissais à la sortir de sa geôle. Il faudra aussi envisager de te cacher avec elle, de disparaître toi aussi, car les espions du préfet ne tarderaient pas à lui apprendre qui lui aurait arraché cette jeune chrétienne. Et il sera furieux. Gare ensuite, s'il met la main sur toi !

Marcus se rembrunit. Les paroles de son ami lui dévoilaient soudain l'énormité de sa décision, les difficultés qu'il aurait à affronter. Avait-il vraiment la moindre possibilité de déjouer le préfet, de triompher de l'énorme, de l'implacable, de la rigoureuse mécanique romaine ?

Flavius sentit son découragement. Il reprit :

— Il est clair, mon cher Marcus, que tu ne peux agir seul. Tu peux, bien entendu, compter totalement sur moi, car c'est moi… enfin, c'est moi qui t'ai parlé le premier de Jésus et t'ai amené à la foi au Père. Quelquefois, je me sens responsable. Je sais, je sais, reprit-il en voyant le brusque mouvement de Marcus qui se redressait, c'est toi qui as pris cette décision, c'est toi qui as demandé le baptême, et cela fait longtemps que je vois ton attachement indéfectible à Christ.

— Je te remercie, Flavius, dit Marcus, profondément ému. Maintenant, qu'allons-nous faire ? Par où commencer ?

— Eh bien, je te disais qu'il nous faut de l'aide, de l'argent, des intelligences. Donc, à nous deux, nous ne suffirons pas.

— Tu as raison. Il faudra en parler à Pierre. Il est de bon conseil.

— C'est vrai, il est de bon conseil et il faudra le tenir au courant, demander ses avis. Mais ce n'est pas suffisant. D'abord, Pierre n'a pas d'argent et il n'a pas non plus, que je sache, des intelligences chez les Romains ou dans leurs prisons.

— Pourtant, de nombreux frères sont des militaires ou des fonctionnaires. Certains n'ont peut-être pas encore été dénoncés. Ils occupent encore des fonctions…

— Tu as raison, mais à moins qu'ils ne soient des intimes du préfet, ils ne sauront pas précisément ce qui se passe. Non, ce n'est pas suffisant, répéta Flavius.

— Ce n'est pas suffisant… Qui d'autre donc pourrait nous aider? demanda Marcus que les paroles de son ami commençaient à intriguer.

— Eh bien, tout d'abord, Domitius.

— Domitius?

— Oui, Domitius. Je sais qu'il n'aime pas beaucoup les chrétiens et qu'il nous a regardés avec dédain quand il a appris ta conversion. Mais je sais aussi que c'est un de tes amis de longue date et qu'il t'aime bien. Penses-tu qu'il pourrait te donner un coup de main?

— Je crois… je peux bien sûr le sonder là-dessus. Mais pourquoi lui?

— Eh bien, Domitius est à l'armée. C'est un adorateur des dieux, il s'affiche publiquement et ne cesse d'assurer que Dioclétien est fils de Jupiter. Nul ne se méfiera de lui, bien au contraire. Par les généraux, il saura ce que pense le préfet. Il saura découvrir les mesures mises en place pour la garde des chrétiens. Il apprendra d'avance les intentions de leurs tortionnaires. Il nous dira de combien de temps nous disposons.

— Tu as raison, Flavius, il faudra que je lui parle.

— Et tu pourrais aussi parler à Tothès, qui te servait quasiment d'aide de camp à la caserne. Il n'est pas chrétien, mais je ne sais pourquoi il ne me semble plus très éloigné d'embrasser notre foi. De plus, il a pour toi une véritable vénération.

— Là-dessus, tu as raison, Flavius, et j'aime moi aussi beaucoup Tothès. Mais en quoi nous serait-il utile? Il n'est qu'un simple légionnaire et n'a pas les entrées de Domitius.

— Mais il a des muscles et il se bat bien… C'est un gaillard solide, et nous pourrions en avoir besoin.

— Des muscles? Tu crois donc qu'on pourrait en venir aux coups?

— Je ne crois rien du tout, mon cher Marcus, mais notre métier de militaire nous a appris qu'il faut tout prévoir. Le tout n'est pas de se précipiter sur l'ennemi, comme les généraux n'ont cessé de nous le marteler. Il faut prévoir des renforts, envisager le pire…

— Macaire aussi sera mis au courant, reprit Marcus après un moment de silence.

— Bien sûr, puisque nous demeurons tous les deux chez lui. De plus, Macaire, même s'il a quitté la Bibliothèque, a encore bien des amis et des accointances au palais et dans la chancellerie impériale. Il sera fort utile.

— Magnifique, dit Marcus, que cette conversation avait revigoré. Il faut leur parler…

— Hé, hé, pas si vite, dit Flavius en souriant, ce n'est pas fini…

— Pas fini?

— Oui, il faudra aussi embrigader Apollonius et Iacov.

Marcus en resta bouche bée. Flavius se mit à rire.

— Oui, mon cher Marcus, il faut penser à tout, comme je n'ai cessé de te le dire, et nos amis Apollonius et Iacov peuvent être aussi utiles que Macaire, sinon plus.

— En quoi donc?

— Eh bien, Apollonius est plein aux as. Il a une fortune colossale. Nous avons parlé d'argent, t'en souviens-tu? L'argent peut saper bien des convictions, endormir bien des veilleurs, réveiller bien des mémoires, graisser bien des clefs, ouvrir bien des portes, abattre bien des murs. L'argent, mon cher Marcus, est le nerf de notre entreprise et Apollonius en a à ne pas savoir quoi en faire. Et ce n'est pas tout…

Flavius hésita un moment. Marcus le relança avec curiosité.

— Eh bien, reprit l'ancien centurion, Apollonius connaît aussi fort bien le port, ses secrets, ses recoins, ses bas-fonds et sa faune toute particulière, puisqu'il aide son père dans son commerce. Et c'est là une science bien utile. Qui sait? Peut-être nous faudra-t-il recourir à quelque personnage peu ragoûtant, mais qui sera essentiel au succès de notre entreprise. D'ailleurs, Apollonius ne connaît pas seulement les gens du port. Il a des… disons des amis partout dans la ville, certains fort honorables et d'autres que nous n'avons pas encore eu l'occasion de rencontrer. Peut-être même que nous ne voudrions jamais les rencontrer.

Marcus médita ces paroles. Puis il reprit:

— Et Iacov? Je ne crois pas qu'il ait beaucoup d'argent, lui. Ni d'ailleurs des amis à la mode d'Apollonius.

— Il possède quelque chose d'aussi précieux que l'argent et les amis: une connaissance intime de la ville. Il connaît les rues, les ruelles, les fortifications, les bâtiments, l'histoire de cette ville mieux que quiconque. Après avoir tiré Artémisia de prison, il faudra la sortir de la ville, ou bien alors l'y cacher dans un endroit où les sbires du préfet ne pourront jamais la retrouver.

— Tu as encore raison, Flavius, dit Marcus avec une pointe d'admiration dans la voix. Je ne sais comment te remercier…

— Tu me remercieras quand tu pourras serrer ta femme dans tes bras. Pour le moment, nous avons bien du pain sur la planche. Il faut donc réunir nos amis. Je te conseille d'être prudent pendant quelques jours. Envoie donc Nikânor à Domitius, pour l'inviter à te rencontrer. Pour moi, je vais alerter les autres…

Ils avaient eu beau choisir une nuit sans lune, une espèce de blancheur diffuse les obligeait à se cacher dans l'ombre du moindre mur, à se fondre dans les bosquets d'arbres ou même à se courber pour se dissimuler dans les buissons des jardins de Pharos.

Ils attendaient un signal pour se mettre en branle. Ils s'étaient cachés dans les jardins à la nuit tombée, mais dans le ciel pur et sans nuages de ce mois de Thot[1], les constellations brillaient d'un vif éclat et les étoiles épandaient sur la ville endormie une lueur vaporeuse.

Il y avait une autre source de lumière qui inquiétait beaucoup Marcus : la tour à l'extrémité de l'île de Pharos qui servait à guider les navires la nuit. Les gardiens avaient, comme chaque soir, allumé à son sommet un grand feu et les flammes crépitantes jetaient de brusques éclats de lumière qui dissipaient les ombres du jardin ou en créaient d'autres, soudaines, mouvantes, dansantes, qui faisaient tressaillir le jeune homme et l'amenaient à se tourner nerveusement de tous les côtés. Mais la présence à ses côtés de Domitius, attentif, l'esprit en alerte, et de Tothès, le légionnaire égyptien, calme, placide, silencieux, le rassérénait aussitôt.

Marcus devenait pourtant de plus en plus fébrile : qu'attendait donc Apollonius pour donner le signal ? Pourvu qu'il réussisse… Pourvu que… Marcus sentit brusquement un malaise l'envahir. Apollonius ferait-il ce qu'il avait promis ?

Marcus se souvenait des journées qui avaient suivi sa conversation avec Flavius. Domitius était venu le voir. Quand il apprit l'arrestation d'Artémisia, il ne put s'empêcher de hausser les épaules :

— Il fallait s'y attendre. Je t'avais dit que ce n'était pas sage de te joindre à ces… gens-là.

Marcus eut un haut-le-corps ; Domitius le vit et se ressaisit :

— Bien sûr que je vais t'aider, reprit-il d'un ton bourru. Puis il prit Marcus par les épaules dans un geste d'amitié.

Le soir, Flavius avait réussi à rassembler autour de lui Marcus, Macaire, Apollonius et Iacov. Domitius, pour sa part, qui ne pouvait s'absenter de sa caserne, assura qu'il parlerait à Tothès.

Les amis de Marcus étaient curieux : à quoi donc rimait cette réunion ? Pourquoi Flavius leur avait-il fait jurer le secret, en les convoquant à la rencontre ?

Flavius parla brièvement. Dès qu'il leur annonça l'arrestation de la femme de leur ami, quelques jours plus tôt, il y eut divers mouvements au sein du groupe. Marcus remarqua en particulier Apollonius qui deve-

1- Septembre.

nait très pâle. Il resta une minute silencieux, comme prostré. Marcus lui sut gré de cette marque d'amitié. Puis Flavius évoqua en quelques mots les intentions de Marcus, sa décision de tenter le tout pour le tout afin de faire évader sa femme.

Le Grec prit le premier la parole. Il affirma qu'il était non seulement possible de sauver Artémisia, mais qu'il fallait le faire. Lui, Apollonius, n'épargnerait aucun effort. Il mettait toutes ses ressources au service de Marcus. Il fallait agir tout de suite, dresser un plan, recruter des hommes… Marcus était surpris de l'exaltation de son ami, qu'il mit sur le compte d'une émotion légitime.

Chacun intervint. Ils discutèrent longuement et se répartirent les tâches. Ils décidèrent de se retrouver régulièrement.

Dès les premiers jours, Macaire les tranquillisa : au palais du préfet, on ignorait tout de l'arrestation de la fille du grand prêtre d'Isis, de surcroît femme d'un ex-décurion. Elle se fondait dans la masse anonyme des dizaines de chrétiens arrêtés chaque jour.

Macaire promit aussi de sonder Pierre sur une cachette éventuelle pour Artémisia et Marcus. L'évêque connaissait sûrement un lieu secret, lui qui devait acheminer tous les jours des chrétiens inquiets vers des retraites clandestines.

Iacov promit d'être disponible : il mettrait toute sa science au service de son ami. Il connaissait aussi, ajouta-t-il, quelques personnes bien placées, qui pourraient être utiles le moment venu.

Ce fut pourtant Apollonius qui se montra le plus actif. Il prit littéralement l'affaire en main. Après l'émotion des premiers moments, il redevint le jeune homme gai et railleur qu'il avait toujours été. Mais il révélait des aspects de son caractère que ne connaissait pas Marcus : un esprit de décision et un grand sens de l'organisation.

Flavius avait eu raison quant à Apollonius : le jeune Grec connaissait tout et tout le monde à Alexandrie. Il ne lui fallut que deux jours pour savoir où l'on avait emmené Artémisia. L'Égyptienne était emprisonnée avec des dizaines d'autres chrétiens dans un vieux bâtiment de douane désaffecté de l'Eunostos, le port de la Bonne-Arrivée, à l'ouest de l'île de Pharos.

Quelques jours plus tard, il apprit qu'Artémisia avait été arrêtée à la suite d'une dénonciation anonyme. Une lettre était arrivée aux bureaux palatins désignant Artémisia et son mari comme appartenant à la secte dangereuse des chrétiens, ces ennemis de l'Empereur et de l'Empire. On ne sut jamais qui l'avait écrite. Pourtant, un ami de Macaire à la chancellerie, mis sur la piste, affirma que le dénonciateur devait être quelqu'un d'instruit : écrite en démotique[2], la lettre était élégante et concise, au contraire des dénonciations du bas peuple, souvent incorrectes et vulgaires. Seul quelqu'un qui avait longuement étudié auprès d'un scribe ou dans un temple pouvait l'avoir rédigée.

Apollonius finit aussi par savoir comment la garde était assurée, quelle unité de légionnaires était de faction dans le port et dans quelle pièce de la douane les femmes étaient entassées. Quand Marcus ou les autres lui demandaient ses sources d'information, il haussait les épaules et faisait un grand geste désinvolte de la main, son éternel sourire un peu railleur sur les lèvres.

Ce fut également Apollonius qui proposa un plan, qu'il raffina surtout avec Flavius. On aurait dit qu'il s'était toujours mû dans cet univers clandestin. Il pensait à tout, avait réponse à tout. Ainsi, même quand tous les détails furent prêts, trois semaines après l'arrestation, et que Marcus piaffait d'impatience, ce fut lui qui suggéra d'attendre encore quelques jours pour passer à l'action au cours d'une nuit sans lune.

Le plan était simple : grâce à ses « contacts », Apollonius avait fait prévenir l'Égyptienne de se tenir aux aguets. Puis il avait soudoyé le geôlier de garde. L'homme devait mettre une poudre dans l'espèce d'épaisse bouillie que ses aides bâfraient le soir. Lui-même, le trousseau de clés pendant en évidence à sa ceinture, en mangerait aussi : les gardiens sombreraient tous dans un sommeil profond.

— Seulement dans un profond sommeil ? avait demandé Flavius.

— Oui, avait répondu Apollonius avec un grand éclat de rire. Pourquoi prendre la peine de les éliminer ? Ils auront déjà assez à faire le lendemain à se justifier devant les Romains, quand ceux-ci découvriront la fuite d'Artémisia. Et notre geôlier n'aura peut-être pas assez de toute la bourse que je lui ai donnée pour se tirer de ce mauvais pas.

Marcus frissonna légèrement. La gaieté de son ami lui semblait un peu déplacée.

Ils discutèrent longuement sur le sort à réserver aux légionnaires romains qui étaient de faction au port et qui montaient la garde à l'extérieur des bâtiments. Domitius, appuyé en cela par Marcus et Flavius, s'opposa à ce que l'on tente de les soudoyer ou, pire, de les attirer dans un guet-apens, ce que proposait Apollonius, qui assurait avoir suffisamment de « braves » pour s'acquitter de cette tâche. Il finit par accepter le point de vue des autres ; il

---

2- La langue des anciens Égyptiens écrite en caractères simplifiés. Apparu au septième siècle avant Jésus-Christ, le démotique a été ensuite transcrit en caractères grecs et a donné naissance à la langue copte.

lui fallut alors payer quelques bandits pour s'assurer de la fréquence et des heures de ronde du guet romain.

Un matin, Apollonius avait fait savoir à Marcus et à ses amis qu'ils allaient tenter le coup le soir même. Domitius et Tothès s'étaient éclipsés discrètement de la caserne à la nuit tombée et avaient rejoint Marcus chez Macaire. Le bibliothécaire n'allait pas les accompagner, car il n'avait pas de rôle à jouer cette nuit-là. « Je vais prier pour elle — et pour toi », souffla-t-il à Marcus au moment où ce dernier quittait la maison.

Marcus avait mis pour l'occasion son uniforme de décurion, qu'il n'avait pas endossé depuis plusieurs mois, depuis le début de la persécution. En enfilant sa cuirasse, en glissant le glaive à son côté, il eut un moment d'émotion : il aurait tellement aimé continuer à servir dans la légion… Il s'ébroua : le moment n'était pas aux regrets, il fallait se concentrer sur la tâche qui l'attendait.

Les trois militaires se mêlèrent à la foule qui finissait de quitter les jardins de Pharos. Puis ils se dirigèrent nonchalamment vers un bosquet plus épais, dans l'ombre duquel ils se glissèrent. Le soleil avait sombré dans la mer, la nuit était tombée et l'obscurité devint vite épaisse ; puis la lumière des étoiles et de la tour avait dégagé peu à peu les contours autour d'eux. Et c'est alors que Marcus avait commencé à s'inquiéter.

Apollonius devait leur donner le signal. Il allait apparaître à un endroit donné, au bout de l'Heptastade qui joignait la ville à l'île. Les trois hommes s'étaient rapprochés de l'endroit désigné, mais étaient restés par prudence sous le couvert des arbres : ils scrutaient désespérément l'obscurité, craignant de ne pas voir Apollonius.

Le Grec avait enfin paru, vague silhouette dans la pénombre : la voie était libre. Marcus, Domitius et Tothès quittèrent leur cachette et le rejoignirent. Les quatre hommes traversèrent rapidement l'Heptastade. Ils se retrouvèrent bientôt dans le port.

Marcus ne tarda pas à percevoir quelques mouvements dans le clair-obscur. Il crut même distinguer des silhouettes derrière certains des édifices du port, ou encore des ombres suspectes derrière les caisses et les ballots qui s'entassaient sur les quais. Il les montra du doigt à Apollonius. L'autre fit un geste d'insouciance de la main. Marcus comprit qu'il s'agissait encore de « connaissances » du fils de l'armateur qui montaient la garde.

Apollonius les menait sans hésiter dans l'obscurité, contournant ici un bâtiment, s'arrêtant un moment derrière un autre pour s'assurer que la voie était libre. L'ancienne douane où étaient emprisonnés les chrétiens se trouvait au sud-ouest du port, juste avant le lieu-dit des Bains de Cléopâtre et il leur fallut marcher longuement pour y arriver.

Soudain, Apollonius leur fit signe de s'arrêter et de se baisser. Lui-même semblait s'être évanoui dans l'ombre. Quelques instants s'écoulèrent; on entendit un bruit de pas, des voix qui bavardaient tranquillement. Des silhouettes apparurent à quelques pas d'eux. Marcus reconnut des légionnaires qui passaient, riant, pleins d'insouciance: les soldats du guet qui faisaient leur ronde.

Dès que le bruit de leurs pas eut décru, Apollonius fit un geste de la main et s'avança résolument vers l'édifice. Il avait beaucoup insisté: il fallait que le tout se passât dans le plus grand silence, non seulement pour ne pas alerter les Romains ou un quelconque geôlier qui n'aurait pas eu sa ration de bouillie somnifère, mais surtout pour ne pas éveiller les chrétiens endormis qui, voyant la fuite de l'une des leurs, auraient pu mettre en danger toute l'opération.

Les quatre hommes arrivèrent rapidement au bâtiment. La porte en était entrebâillée. Ils y pénétrèrent: ils se trouvaient dans une vaste pièce, qui avait probablement logé les agents de la douane. Une lanterne finissait de s'éteindre dans un coin.

Deux hommes gisaient par terre. Ils étaient sûrement tombés des tabourets sur lesquels ils étaient assis, car ils avaient des pauses grotesques, les jambes étalées, les bras en croix. Une assiette de bouillie avait maculé la chemise de l'un d'entre eux, qui avait dû l'entraîner dans sa chute.

Un troisième homme — le chef des deux autres, sûrement — ronflait quant à lui, toujours assis à son tabouret mais la tête posée entre ses deux mains sur la table. Il savait ce qui l'attendait et avait pris ses dispositions pour ne pas tomber. Apollonius prit le trousseau de clefs qui était accroché à sa ceinture.

Domitius et Tothès restèrent dans la salle: ils devaient surveiller la porte, afin d'empêcher une entrée intempestive d'un geôlier ou d'un garde du guet. Apollonius et Marcus franchirent une porte au fond.

Ils se trouvaient dans un couloir étroit et long, qui se perdait dans la pénombre. On entendait des bruits, des gémissements, quelques marmonnements étouffés, des toux. Les chrétiens enfermés dans les pièces dormaient, ronflaient, rêvaient. Les deux hommes s'immobilisèrent un instant, pour habituer leurs yeux à l'obscurité.

Apollonius savait que les femmes étaient dans la pièce du fond. Il s'y dirigea d'un pas résolu, mais dans le plus grand silence. Marcus, pour ne pas le perdre de vue, était littéralement collé à lui.

Ils arrivèrent devant une porte. Apollonius inséra une clé dans la serrure: elle ne tourna pas. Il en prit une autre: elle ne tourna pas non plus. Il y avait encore de nombreuses clés. Le bruit qu'elles faisaient en glissant dans leur anneau de métal semblait avoir été entendu. On perçut un vague mouvement derrière la porte. Quelqu'un qui gémissait s'était tu.

La troisième clé était la bonne. Elle tourna dans la serrure, le pêne sortit en grinçant de la gâche, la porte s'entrouvrit et Apollonius la poussa doucement.

Une suffocante odeur de sueur, d'haleine fétide et d'urine les frappa au visage. Il leur fallut quelques instants pour entrevoir des corps couchés sur des paillasses jetées par terre. Une forme se retourna en gémissant. Une femme qui rêvait se mit soudain à marmonner distinctement des noms : « Elle appelle peut-être son mari ou son père », souffla Apollonius à l'oreille de Marcus.

Derrière la porte, une ombre se tenait accroupie. C'était Artémisia. Tant qu'Apollonius s'était tenu dans l'embrasure de la porte, elle n'avait pas bougé. Quand enfin Marcus poussa son ami de côté et qu'elle reconnut sa silhouette, elle se leva d'un bond et se jeta dans ses bras.

Marcus s'attendait à ce moment. Il savait qu'il ne pouvait ni étreindre ni embrasser sa femme ; le temps leur était compté. Il la prit fermement par la main et voulut l'entraîner dehors.

Le mouvement d'Artémisia avait alerté quelqu'un. Une voix ensommeillée demanda : « Quoi ? Qui ? » On vit un buste se relever dans le fond. Des ombres s'agitèrent dans le noir.

Soudain, une espèce de fantôme sembla jaillir de la masse informe des corps qui gisaient sur le sol. En un éclair, Marcus devina une femme un peu corpulente, mais agile comme un chat. Elle voulait se faufiler entre Marcus et la porte. Le jeune homme, embarrassé par Artémisia dont il avait saisi un bras, hésita une fraction de seconde.

Apollonius réagit avec la rapidité de la foudre. Il écarta Marcus et sa compagne et repoussa fermement la femme, qui retomba dans le noir. On entendit des cris, des jurons. Le Grec tira la porte qui se referma. Ils repartirent en toute hâte dans le corridor. Déjà, dans la pièce où s'entassaient les prisonnières, on tambourinait sur la porte. Des voix d'hommes commençaient à se faire entendre dans d'autres salles.

En un éclair, les quatre hommes et la jeune femme avaient quitté la douane. Marcus avait jeté un manteau qu'il avait apporté sur les épaules d'Artémisia, en partie pour la protéger de la fraîcheur de la nuit, mais surtout pour cacher sa robe car, comme il s'y attendait, elle était maculée de taches noirâtres nauséabondes et était déchirée en plusieurs endroits.

Apollonius les entraîna vers l'ouest. Derrière eux, sur l'île de Pharos, la lumière de la tour diminuait d'intensité. Mais des torches fichées ici et là dans les bâtiments jetaient de brusques éclats de lumière et le Grec longeait tout le temps l'ombre des murs.

Ils arrivèrent bientôt à l'extrémité du port. Il y avait là un quai qui donnait d'un côté sur la mer et de l'autre sur une grève en contrebas. Il fallait descendre sur la grève, mais le quai y plongeait directement de plusieurs toises. Apollonius avait tout prévu : il avait une longue corde enroulée autour de la taille. Il la dénoua rapidement, l'attacha à un pieu et la déroula le long de la paroi qui descendait vers la grève.

Sur les instructions du Grec, Tothès se saisit d'Artémisia, la jucha sur ses épaules et lui attacha les deux mains par le devant. La jeune femme semblait frêle sur les épaules du géant égyptien, mais ne disait pas un mot.

Domitius et Apollonius se saisirent de la corde et descendirent la paroi abrupte. Puis ce fut au tour de Tothès, tandis que Marcus le regardait avec inquiétude. Mais le légionnaire avait tranquillement pris la corde entre ses grosses mains et le poids de la jeune femme sur ses épaules ne semblait guère l'incommoder.

Il était au milieu de la descente lorsque Apollonius dit d'une voix étouffée mais claire : « Tothès, dépêche-toi ! » Marcus se redressa : l'urgence dans la voix de son ami l'avait alerté. Quelque chose se passait en bas.

Au bout de quelques secondes, il entendit un bruit étouffé. C'étaient des voix. Elles se rapprochaient : plus de doute, c'était une patrouille du guet ; on distinguait deux personnes qui bavardaient. Apollonius avait tout prévu, sauf que les Romains feraient patrouiller non seulement le port, mais même les grèves du bord de mer.

Tothès avait lui aussi entendu. Il accéléra le rythme. Il lui restait à peine une toise à descendre quand il sembla perdre l'équilibre. Il sauta sur la grève, s'écrasa lourdement sur le côté. Artémisia tomba rudement à ses côtés, sa tête heurtant les galets. La jeune femme jeta un cri.

La conversation des deux soldats du guet s'interrompit soudain.

— As-tu entendu, Hesychius ? dit l'un d'eux.

— Oui, répondit l'autre. On dirait un cri.

— Et c'est quoi, à ton avis ?

— Oh, ça doit être un oiseau de nuit, peut-être une chouette, dit le nommé Hesychius.

— Tu as probablement raison, mais allons voir quand même.

À ces mots, Apollonius fit un signe à Domitius. Tothès se débarrassa d'Artémisia et, malgré sa corpulence, se releva avec l'agilité d'un chat. Les trois hommes sortirent des couteaux qu'ils avaient attachés à leurs mollets.

Les deux légionnaires du guet s'approchaient de la muraille que le quai dressait à cet endroit. Ils semblaient inquiets malgré les fanfaronnades d'Hesychius et avaient ralenti leur marche.

Marcus se désespérait, au haut du quai. Il n'entrevoyait que vaguement ce qui se passait. Soudain, il vit, au moment où les deux légionnaires n'étaient plus qu'à quelques pas de l'endroit où se cachaient ses amis, jaillir ceux-ci de l'ombre.

Ce fut bref, foudroyant et silencieux. Les deux légionnaires n'eurent même pas le temps de se rendre compte de ce qui leur arrivait. Tothès assomma le premier avec un gros galet qu'il avait ramassé dans sa main et qu'il abattit avec violence sur la tête du malheureux Hesychius. L'autre tenta d'esquisser un mouvement vers son glaive : Apollonius lui enfonça sa lame entre les côtes.

En un éclair, Marcus fut en bas.

— Il faut partir, et vite, dit Apollonius. Le réveil de certains prisonniers, et maintenant ceci. Il y a eu trop de bruit et les Romains ne tarderont pas à réagir.

Ils se remirent en marche. Artémisia avait été assommée dans sa chute et gémissait doucement. Tothès l'avait de nouveau juchée sur ses épaules. Ils se dépêchaient en silence. Les vagues croulaient sur la grève en un grondement sourd et monotone qui voilait le bruit de leurs pas.

Bientôt, quelques maisons misérables se détachèrent contre le fond plus clair de l'horizon. Apollonius bifurqua et pénétra dans la ville. Ils s'enfoncèrent dans des ruelles ténébreuses. Le Grec avançait d'un pas assuré.

Il s'arrêta bientôt devant une maison et frappa discrètement à une porte. Elle s'entrouvrit et Iacov en sortit. Le groupe se remit en marche.

Maintenant, c'était le juif qui les dirigeait. Artémisia avait cessé de gémir. Elle appela Marcus d'une voix faible. Le jeune homme se précipita vers elle. Elle voulait marcher, mais son mari insista pour qu'elle demeurât encore quelque temps sur les épaules de Tothès, afin de ne pas ralentir leur marche.

Ils arrivèrent bientôt à la muraille qui ceinturait la ville. Ils devaient quitter Alexandrie, mais il n'était pas question qu'ils sortent par la porte Cyrénaïque, ou par l'une des autres portes plus petites. C'était alors que Iacov s'était révélé précieux.

Il les entraîna dans un dédale de ruelles qui longeaient la nécropole de la ville. Celle-ci était adossée aux murailles qui encerclaient Alexandrie. Iacov s'engagea avec assurance entre les tombeaux. L'endroit était désert et inquiétant.

Ils arrivèrent dans un coin de la nécropole qui semblait abandonné. Les stèles et les monuments funéraires étaient brisés, la mauvaise herbe poussait partout.

Ils s'approchèrent d'un épais bosquet d'arbres, qu'ils traversèrent. De l'autre côté, la muraille était partiellement écroulée. Un amoncellement de gravats et de vieux bois s'adossait à la partie la plus basse.

— C'est là qu'il faut passer, souffla le juif.

Ils se hissèrent sur l'espèce de petit monticule et franchirent la muraille. De l'autre côté, il fallut sauter, mais ce n'était pas très haut. Ils reprirent leur marche ; ils étaient maintenant dans la campagne, au milieu des champs.

Apollonius les emmenait vers le sud. Au bout d'une autre heure de marche, ils arrivèrent au bord du lac Maréotis. Ils s'arrêtèrent. Au loin, quelques faibles lueurs piquetaient l'horizon noir : c'étaient les lanternes des pêcheurs partis la nuit pour jeter leurs filets.

À un moment donné, ils s'accroupirent dans les roseaux, dans le silence le plus complet. Au bout d'une longue minute angoissée, ils entendirent un faible glissement sur l'eau. Une barque s'approcha. Elle était manœuvrée par un homme d'âge mûr et un adolescent.

— Ce sont des pêcheurs chrétiens, un père et son fils, murmura Apollonius. Pierre, sollicité par Macaire, a réussi à les convaincre de vous transporter de l'autre côté du lac. Mon cher Marcus, voici le moment venu de nous séparer. Nous, nous retournons à Alexandrie, et il faudra nous dépêcher avant que l'aube ne pointe.

Ils se détendirent tous un bref moment. Marcus serra ses amis dans ses bras et sauta dans la barque. Au moment où il se retournait pour tendre la main à sa femme et l'aider à embarquer, il vit Apollonius qui tenait Artémisia serrée contre lui dans une longue étreinte.

CHAPITRE HUIT

La traversée du lac ne dura pas longtemps. Les fanaux des pêcheurs dansaient sur l'eau noire un lent ballet lumineux. Quelquefois, dans l'obscurité, une voix jaillissait d'une des barques. Le patron qui les transportait répondait avec cordialité, mais faisait signe à Marcus et Artémisia de se faire tout petits au fond de l'embarcation. À l'horizon, un frémissement de lumière annonçait la fin de la nuit.

Marcus s'attendait à voir le patron s'engager dans le canal qui partait du lac et reliait Alexandrie à sa voisine Canope, à l'est. Macaire n'avait pas voulu, pour plus de sécurité, lui révéler la retraite qu'il avait prévue pour eux avec l'aide de Pierre. Le jeune homme imaginait donc qu'ils iraient s'installer, sa femme et lui, quelque part dans la campagne qui entourait Alexandrie, dont la fertilité nourrissait la ville toute l'année de blé, de fruits et de légumes et dont les vignobles étanchaient la soif insatiable des Alexandrins.

À son grand étonnement, la barque dépassa l'entrée du canal et finit par aborder à la rive sud du lac, dans un endroit désolé où nul bruit ne se faisait entendre, nulle présence humaine ne se laissait pressentir. Elle glissa silencieusement dans les roseaux et s'immobilisa.

Quelques instants plus tard, un homme surgit du brouillard du matin. Marcus et sa femme quittèrent la barque. Le patron leur murmura, au moment où ils le remerciaient : « Que Christ vous protège, mon frère, ma sœur ! »

L'homme qui était venu les chercher était grand, maigre, vêtu d'une longue tunique grise. Il ne parlait que pour dire l'essentiel. Ses yeux, enfoncés dans d'obscures et profondes orbites, luisaient. Artémisia, en le voyant, frissonna.

L'homme les entraîna vers une dune de sable derrière laquelle deux solides mulets attendaient paisiblement en mâchonnant des ronces. Il monta sur le premier, Marcus sur le second, tandis qu'Artémisia se juchait devant lui, en amazone.

Ils se dirigèrent plein sud. À leur gauche, le ciel rosissait, puis s'enflammait. Au fur et à mesure que le soleil montait à l'horizon, il dévoilait autour d'eux un paysage nu et désolé. Au début, ils croisèrent quelques figuiers qui zébraient le ciel de leurs troncs trapus, noueux, torturés. Puis ce furent des amas de figuiers de Barbarie ; les mulets se tenaient à distance respectueuse de leurs larges palettes ovales, afin d'éviter le dard de leurs épines.

Ils pénétraient maintenant dans le désert. La chaleur augmentait rapidement, devenait suffocante. Le soleil blanchissait le ciel. Les mulets, stoïques, continuaient d'avancer dans l'implacable rayonnement. Leurs sabots sonnaient sur les larges cailloux noirs et brûlants.

À midi, la chaleur devint intolérable. Le guide, qui n'avait pas desserré les dents, s'arrêta. Il sortit d'un sac accroché au flanc de son mulet quatre hauts piquets. Il les ficha dans le sable et y accrocha une grosse toile. Il s'assit dans le carré d'ombre ainsi créé. Marcus et Artémisia l'y rejoignirent.

La jeune femme était épuisée. Depuis sa fuite de prison, elle ne s'était pas arrêtée une minute. Et dans la barque qui lui avait fait traverser le lac Maréotis, l'obscurité de la nuit, la proximité du danger, la douleur lancinante dans sa tête à la suite de sa chute sur la grève, tout l'avait étourdie, tout avait redoublé ses craintes, son angoisse.

Et maintenant, elle pouvait enfin s'asseoir à côté de son mari. Dans leur fuite frénétique, elle n'avait même pas eu le temps de l'étreindre, de l'embrasser.

Elle se serra contre lui et, penchant doucement la tête, elle la posa sur l'épaule de Marcus. Le jeune homme sentit la douceur de ce poids, l'intensité de cet élan silencieux. Il entoura de ses mains les épaules de sa femme et, baissant la tête, lui effleura les lèvres d'un baiser rapide.

Le guide avait vu cette caresse. Une grimace lui tordit le visage et il eut un mouvement de recul. Marcus et Artémisia, à qui cette mimique n'avait pas échappé, se séparèrent, interdits.

Le soleil était encore haut dans le ciel et la chaleur étouffante quand l'homme, toujours aussi taciturne, donna le signal du départ. Ils avancèrent encore plusieurs heures. La fatigue, le soleil, la lumière qui faisait vibrer l'air, tout assommait Marcus et Artémisia.

La nuit était tombée depuis longtemps lorsque le guide s'arrêta de nouveau. Cette fois-ci, il sortit de ses paquets des couvertures. Puis il alla arracher quelques cactus et quelques ronces qui s'entêtaient à survivre dans cette fournaise et alluma un feu. Il fit bouillir de l'eau, y dilua une espèce de farine et prépara une bouillie chaude. Les trois voyageurs mangèrent en silence.

Marcus et Artémisia se couchèrent bientôt, enroulés dans plusieurs couvertures pour lutter contre le froid qui avait remplacé la canicule du jour dès la nuit tombée. Leur étrange compagnon allait monter la garde pendant la première moitié de la nuit, et Marcus le relaierait ensuite. Artémisia sombra tout de suite dans le sommeil, tandis que l'ex-décurion admirait dans le ciel d'innombrables constellations qui semblaient veiller sur eux. Les étoiles, paisibles et sereines, clignotaient doucement tout là-haut.

Marcus se demanda, avant de dormir, jusqu'où allait les amener leur guide et pourquoi ils s'enfonçaient ainsi dans le désert de Scété.

Le lendemain à l'aube ils repartaient déjà. La journée se déroula comme la veille ; Artémisia se laissait bercer par le pas monotone du mulet. Le silence et l'air renfrogné de l'homme avaient fini par déteindre sur eux et ils n'échangèrent pas trois mots pendant la longue marche harassante.

Quelques instants avant le crépuscule, ils virent à l'horizon des taches plus sombres qui n'étaient ni des dune ni des arbres.

— Nous sommes arrivés, dit laconiquement leur guide.

En s'approchant, ils découvrirent dans le désert plusieurs constructions basses, la plupart petites, sinon minuscules ; l'une d'entre elles, cependant, était fort allongée, avait de solides et hautes murailles et plusieurs fenêtres carrées. En son milieu, une tour trapue s'élevait un peu plus haut et était couronnée de l'ankh[1].

Marcus et Artémisia étaient ébahis : ils voyaient s'agiter dans la pénombre du crépuscule de nombreuses silhouettes autour des bâtisses. Ils reconnurent des hommes, des femmes, des enfants. Au moment où ils descendaient de leur mulet, un homme à l'abondante barbe blanche s'approcha d'eux, souriant, la main tendue :

— Bienvenue chez nous ! Nous vous attendions. Vous devez être fatigués. Venez donc !

Il les précéda vers une des petites maisonnettes, leur ouvrit la porte et les quitta en leur promettant de les revoir le lendemain. Marcus et Artémisia pénétrèrent dans une pièce carrée qu'éclairait une lanterne. Dans un coin, une paillasse fournie et propre servait de lit. Dans l'autre, sur une petite table, les deux époux trouvèrent une miche de gros pain de campagne, du fromage, des olives et une cruche d'eau. Ils mangèrent rapidement et se couchèrent, trop fatigués pour s'étonner de ce qui leur arrivait.

Le lendemain, à l'aube, ils entendaient déjà des voix à l'extérieur. Des gens sortaient des maisonnettes et venaient même de plus loin, derrière les dunes de sable. Le vieillard qui les avait accueillis était à la porte de la grande bâtisse rectangulaire. Il les vit et les invita à s'approcher.

1- Il s'agit du symbole de vie des anciens Égyptiens : une croix ansée, avec l'extrémité supérieure arrondie. Les chrétiens d'Égypte l'ont adoptée pour représenter la croix du Christ.

À l'intérieur de l'édifice, une vaste salle était décorée d'icônes rudimentaires. Des bancs en longeaient les murs. Partout, sur les murs, on voyait des ankhs peints, gravés, sculptés. Au fond, une table mal équarrie servait d'autel. Sur les côtés, des portes s'ouvraient sur de petites pièces. Marcus et sa femme allaient découvrir plus tard qu'on y entreposait de la nourriture et de l'eau; on y trouvait aussi quelques lits, des coffres, des outils.

Les hommes se mirent à droite et les femmes et les enfants à gauche. Autour de l'autel, plusieurs hommes vêtus d'une grossière tunique grise entouraient le vieillard à la barbe blanche. Marcus reconnut parmi eux le guide qui les avait conduits à travers le désert.

Les prières commencèrent. La foule témoignait d'une grande ferveur. Les hommes et les femmes se signaient abondamment, s'inclinaient très bas. Quelquefois, l'action de grâces générale courbait tous les dos, comme une houle soudaine et violente. On lit de nombreux passages de la vie de Jésus, puis on partagea le pain. Ce ne fut qu'au milieu de la matinée que les prières prirent fin. À peine sorti de l'édifice, Marcus constata, à sa grande surprise, que les hommes en tuniques grises n'étaient plus là: ils s'étaient volatilisés sans laisser de traces.

L'homme à la barbe blanche vint les rejoindre. Il avait un visage chiffonné de mille rides et ses yeux semblaient au centre de deux corolles de chair plissée, mais son regard était affable et son sourire bienveillant.

— Vous devez vous demander ce qui vous arrive depuis hier, leur dit-il. Il y a quelques jours, Pierre, notre père d'Alexandrie, m'a fait parvenir un message m'annonçant votre arrivée. Vous êtes ici parmi vos frères en Christ et vous êtes donc en sécurité. Les soldats et les policiers de l'Empereur ne viendront pas vous chercher ici.

— Je vous remercie de bien vouloir nous accueillir… dit Marcus en hésitant.

— Je m'appelle Paul, dit le vieillard avec un grand sourire.

— Merci, Paul, mais… que font tous ces gens ici?

— Eh bien, comme vous le savez, nous sommes ici dans le désert de Scété, au sud d'Alexandrie. Depuis longtemps déjà, j'y vis…

— Depuis longtemps? C'était Artémisia qui l'avait interrompu, l'air incrédule.

— Oui, bien longtemps. Bien avant le début des persécutions. Je suis venu me réfugier ici pour prier.

— Ici?!…

— Oui, dans le désert. Paul souriait d'un air malicieux. Il reprit: Oui, dans le désert, car rien ici ne vient me distraire, rien ne se dresse entre Dieu et moi.

— Et… vous êtes nombreux à vivre ici pour prier?

— Au début, reprit le vieillard, nous étions deux ou trois. Nous étouffions à Alexandrie. Tout ce bruit, toutes ces distractions, cet argent qui s'étale partout, cette impudicité, cette légèreté et ce cynisme, bref, tous ces veaux d'or que les Alexandrins, et parmi eux certains disciples de Notre Seigneur, adorent plus que tout ont fini par nous lever le cœur. Même nos rencontres du jour du Seigneur, même le pain que nous rompions avec nos frères, ne suffisaient plus à nous rassasier.

— Et pourquoi… le désert? Encore une fois, c'était Artémisia qui posait la question, comme si la vie dans cette étendue désolée lui semblait inconcevable.

— Parce que, dans le désert, l'âme s'envole vers Dieu. Parce que, dans le désert, à force de silence, la voix du Seigneur finit par se faire entendre. Enfin, parce que, dans le désert, le Diable a moins de prise sur nous, même s'il ne se gêne guère pour nous tenter.

— Vous étiez donc deux ou trois? dit Marcus.

— Oui. Et nous avons vécu seuls et solitaires, dans les grottes qui nous entourent.

— Mais… vous n'êtes plus deux ou trois!

— De nombreux frères sont venus se joindre à nous au fil des ans. Il n'était plus possible de vivre seuls, isolés dans nos cavernes. Nous avons donc construit cette église, où nous nous réunissons pour prier.

— Et ces maisonnettes?

— Certains de nos frères, en vieillissant, ne pouvaient plus vivre en solitaires. Nous devions, dans un esprit fraternel, nous occuper d'eux. Nous avons construit quelques cabanes toutes simples où ils peuvent se réfugier pour prier et méditer, et où nous pouvons prendre soin d'eux quand ils tombent malades.

— Ainsi donc, vos frères, dit Artémisia, ce sont ces hommes en tuniques grises qui vous entouraient ce matin?

— Vous avez raison, il s'agit bien d'eux. Ils m'ont choisi pour présider leurs prières. Ils me demandent conseil, ils viennent me voir quand la tentation est grande ou que la fatigue va les submerger. Je les encourage à se tourner toujours vers Christ, surtout quand ils n'entendent plus Sa voix et que la solitude, le silence et la désolation qui les entourent glacent leur âme et sapent leur volonté.

— Ainsi donc, dit la jeune femme, notre guide est un de… vos frères?

— Oui.

— Il n'a pas dit grand-chose.

— Oui, dit Paul en souriant, quelquefois nous désapprenons même à parler.

— Pourtant, dit Marcus, tous ces gens qui se sont réunis ce matin, ce ne sont pas tous des anachorètes, des solitaires. Il y a parmi eux des femmes, des enfants…

— Oh, ceux-là, ce sont des fidèles qui fuient Alexandrie, comme vous. Ils viennent aussi avec leurs enfants. Quelques jours après le début de la persécution, notre père Pierre d'Alexandrie nous a demandé si nous pouvions accueillir une famille chrétienne qui était en danger immédiat d'arrestation. Même si quelques frères hésitaient ainsi à rompre leur solitude, nous avons accepté. Puis d'autres familles sont venues. Certaines sont là depuis un an. Chaque semaine apporte son nouveau lot de réfugiés, car la rage de l'Empereur n'a plus de limites.

— Et nous sommes ici en sécurité ? demanda Marcus.

— Absolument. Même si le préfet et ses services se doutent de notre existence, ils n'enverront jamais de troupes pour nous molester. Ils savent bien que nous nous évanouirions dans ces vastes solitudes dès que le premier légionnaire sortirait d'Alexandrie. Nous ne sommes pas loin du désert de Nitrie[2], et nous avons là-bas de nombreux frères qui nous accueilleraient volontiers. Et maintenant, je dois vous quitter, car l'on m'attend. Mais nous nous retrouverons régulièrement pour les prières. N'hésitez pas non plus à venir me voir si vous manquez de quoi que ce soit.

Marcus et Artémisia, intimidés, le remercièrent sans oser poser d'autres questions. Ils ne tardèrent cependant pas à être entourés par des hommes et des femmes qui les abordèrent, pleins de curiosité.

Il ne fallut pas longtemps à Artémisia pour se lier avec les Alexandrins qui l'entouraient, d'autant plus qu'ils la pressaient de questions : quelles étaient les dernières nouvelles de la ville ? La persécution continuait-elle avec la même férocité ? Pourquoi avait-elle dû fuir avec son mari ?

Quand ils surent qu'elle avait été arrêtée et emprisonnée, puis libérée par Marcus et ses amis, leurs questions redoublèrent. Artémisia crut remarquer dans leurs yeux de l'incrédulité et de l'admiration. Elle en éprouva de la vanité : ainsi, son aventure était vraiment exceptionnelle !

La journée s'écoula très vite. Avant le coucher du soleil, toute la communauté se réunit de nouveau dans l'église rudimentaire pour la prière du soir, puis chacun se retira dans sa maisonnette ou sous sa tente.

Marcus et Artémisia avaient hâte de se retrouver seuls, dans la solitude de leur abri, pour parler, échanger leurs impressions. La jeune femme raconta comment les réfugiés, et surtout les femmes parmi eux, lui posaient tout le

2- L'actuel Wadi Natroun, où subsistent encore de nombreux monastères.

temps des questions sur Marcus, sur son esprit de décision qui l'avait poussé à défier le préfet pour libérer sa femme, sur son courage. Marcus se rengorgeait. Il crut cependant convenable de rappeler, d'un air modeste :

— Je n'étais pourtant pas seul.

— Oui, répondit Artémisia avec vivacité. Il faudra que tu m'expliques comment tu as pu entraîner tes amis dans cette aventure…

— Cela n'a pas été bien difficile. Dès que nous avons su ton arrestation, Flavius et moi avons pensé à te sortir de là…

— Pourtant, Flavius n'était pas là…

— Nous ne pouvions tous être là, l'autre soir, et Flavius a accepté de rester en retrait.

— Les autres risquaient beaucoup…

— Ils n'ont pas hésité une minute. Nos amis nous sont très attachés. Et particulièrement Apollonius.

En disant ces mots, Marcus se tourna vers sa femme. Artémisia recula dans l'ombre.

— Ah oui ? dit-elle en tâchant de prendre un ton détaché.

— Oui, dit Marcus. Il a tout pris en main. Il a tout organisé. C'est un homme plein de ressources, un bon ami. Et il semble t'aimer beaucoup.

Artémisia resta silencieuse. Marcus reprit :

— Il paraissait bien ému, au moment des adieux, sur le bord du lac, quand il t'embrassait.

— Je… j'ai été surprise, moi aussi. Artémisia avait rougi dans le noir. Elle resta silencieuse un moment, puis reprit : Je ne savais pas qu'il avait été aussi actif, comme tu viens de me le dire. Qu'il a tout organisé. Il a toujours l'air de s'amuser, de plaisanter, de prendre tout à la légère. C'est difficile de croire qu'il peut être… décidé.

— Oh, pour être décidé, il l'est bel et bien ! Sans lui, tu ne serais peut-être pas ici ce soir.

Marcus se tut. Puis il ajouta, d'un ton léger :

— Il faut croire qu'il nous aime bien, tous les deux. Et toi peut-être autant que moi, ce qui ne m'étonne guère d'ailleurs. Je t'ai dit mille fois, depuis notre rencontre, que les hommes n'ont d'yeux que pour toi.

Artémisia rougit encore plus, s'agita mais ne dit rien. Marcus reprit :

— D'ailleurs, dans l'aventure de ta fuite, tous nos amis, et pas seulement Apollonius, ont été admirables. Tu aurais dû te voir, à la sortie de prison, toute frêle, effrayée, tendue… Tu semblais une poupée minuscule sur les épaules de ce bon Tothès. Pourtant, malgré ta robe déchirée et sale, tes yeux cernés, tu étais belle…

— Et toi, dit Artémisia en ressortant dans le cercle de lumière que dessinait la lanterne, quand je t'ai vu à la porte de cette pièce sinistre, je t'ai trouvé… si courageux…

À ce souvenir, une vague de tendresse poussa la jeune femme vers son mari. Elle s'approcha de lui en souriant.

Cela faisait deux jours que Marcus vivait toutes les minutes avec sa femme ; mais leur épuisement, la tension et la crainte qui ne les avaient pas quittés une minute, les avaient paralysés. Maintenant, ils étaient en sécurité, ils étaient reposés. Quand Marcus vit sa femme qui se blottissait contre lui, un élan le prit, il la saisit dans ses bras et la porta sur leur couche, dans le coin de la pièce qu'éclairait à peine la lanterne.

Maintenant, il l'embrassait. Elle lui répondait, tout d'abord avec abandon, puis avec une vivacité, une allégresse qui enflammèrent le jeune homme. Il se revoyait sur la grève du port, deux soirs plus tôt. Il marchait dans le noir, et les vagues de la mer des Romains croulaient autour de lui. Maintenant, c'était une seule vague qui battait dans ses veines, une houle qui l'envahissait, qui le tendait vers l'avant, qui arquait ses reins. Et la vague montait, de plus en plus haute. Et quand, dans un grondement de tonnerre, elle s'écroula enfin, Marcus s'abattit, haletant, sur les seins palpitants de sa femme.

Le lendemain, Marcus et Artémisia apprirent à mieux connaître leurs voisins. Autour de l'église et des quelques cabanes des vieux anachorètes, tout un petit village s'était créé. Il y avait là des tentes, mais aussi des huttes de bois et même des abris de roseaux, que l'on avait apportés à dos de mulet du lac Maréotis.

Plusieurs dizaines d'Alexandrins vivaient là, dans la peur d'être pris par les autorités romaines. Les anachorètes avaient creusé depuis longtemps un puits en arrière de l'église, et l'eau suffisait à tous, même s'il fallait s'en montrer économe.

Il y avait aussi une espèce de jardin, que les anachorètes avaient abandonné aux citadins. Ceux-ci passaient de longues heures à sarcler et à bêcher et le jardin fournissait régulièrement quelques concombres, quelques radis et des oignons.

Souvent, deux ou trois réfugiés partaient pour le lac Maréotis et en revenaient quelques jours plus tard avec du poisson, du pain et de l'huile.

Les anachorètes étaient invisibles toute la journée, sauf aux heures des prières. Devant l'irruption dans leur vie de ces gens — certains n'avaient pas vu de femmes depuis de longues années —, ils s'étaient repliés plus profondément dans le désert et étaient même retournés dans les grottes où s'étaient réfugiés les premiers solitaires.

Pendant les offices, Artémisia les regardait avec curiosité. Ils étaient tous hâves et barbus. Certains avaient l'air sévère, sinon dur, comme celui qui leur avait servi de guide et qui ne leur avait jamais plus adressé la parole depuis leur arrivée au village du désert. D'autres avaient un visage d'enfant et des yeux transparents à force de regarder l'au-delà, le désert et sa lumière.

Les journées s'organisèrent très vite selon un rythme monotone. Elles étaient ponctuées par les prières du matin et du soir. Plusieurs Alexandrins assistaient aussi à d'autres offices, à midi ou au milieu de la nuit.

Quand ils ne priaient pas, ils travaillaient dans le jardin ou nettoyaient sans cesse l'église, leurs maisonnettes et leurs tentes, et le terrain qui entourait le village. En effet, quand le vent se levait, il poussait sur eux un nuage de sable jaune et au bout de quelques minutes, les constructions et les hommes étaient recouverts d'un voile doré, d'abord arachnéen, puis qui s'épaississait et s'insinuait partout, dans les habits, dans la bouche et le nez, dans les maisons, faisant craquer les sandales et crisser les dents. Il fallait se dépêcher alors de se réfugier à l'intérieur et de se couvrir la bouche d'un voile.

Artémisia s'était liée d'amitié avec quelques femmes. Elle découvrait là de vagues connaissances, ou des parentes d'amis. La conversation roulait sans cesse sur Alexandrie, sur l'horreur de la persécution et sur le sort qui les attendait dans ce coin de désert. Allaient-ils y vivre pour toujours? À cette évocation, le cœur d'Artémisia se serrait et une terreur irraisonnée la saisissait.

Elle échangeait souvent quelques mots avec Paul, que les autres anachorètes appelaient «père». Elle aimait cet homme et sa douceur; il avait réussi à garder, dans cette solitude qu'elle trouvait effrayante, un sens de la mesure, un esprit chaleureux et riant. Elle l'aimait d'autant plus que certains de ses «frères», comme il les appelait, semblaient s'être desséchés au soleil insoutenable du désert et promenaient entre les dunes de sable un visage parcheminé et une mine toujours sombre.

Paul prenait le plus souvent la parole dans leurs cérémonies. Il rappelait toujours la vie de Christ et son amour pour les autres, sa tendresse pour les démunis, les pauvres, les malades. Il parlait de ceux qui avaient raconté la vie du Seigneur, Luc, et Jean, et Matthieu, celui-là même qui avait rapporté cette parole de Jésus: «Si tu veux être parfait, va vendre tout ce que tu possèdes et donne l'argent aux pauvres, alors tu auras des richesses dans les cieux; puis, viens et suis-moi.» Et Paul ajoutait que cet appel avait résonné dans son cœur et dans le cœur de ses frères, qui avaient tout abandonné pour chercher le Seigneur dans le dénuement du désert.

Mais Paul s'enflammait particulièrement quand il parlait de Marc, le quatrième mémorialiste de Jésus. «Marc est notre père à nous, les disciples de Christ sur cette terre d'Égypte!» rappelait-il. Et il racontait la vie de l'évangéliste, et comment il avait un jour, quelque dix ans après la mort de Jésus, mis les pieds à Alexandrie pour prêcher la Bonne Nouvelle, et comment des Égyptiens, des Grecs et des juifs de la grande ville avaient adhéré à la nouvelle foi.

Le père des anachorètes versait de véritables larmes quand il racontait la mort de Marc:

— Les païens ont craint pour leurs idoles. Notre père Marc a dénoncé leur Sérapis et tracé la voie vers Dieu notre Père. Un jour, ils se sont saisi de lui et l'ont traîné dans les rues de la ville, la corde au cou, avant de le mettre à mort. C'était la quatorzième année du règne de l'empereur Néron[3]. Le corps du disciple bien-aimé, le pasteur de l'Égypte, notre père et protecteur, repose en la sainte église des Boucolies, à Alexandrie. Et aujourd'hui, du haut du ciel, il veille sur nous et nous encourage à persévérer dans la foi, à raffermir notre courage dans les épreuves et à résister aux puissances de ce monde.

Artémisia écoutait attentivement et vibrait à ces mots. Son mari et elle communiaient dans la même ferveur.

Quelquefois, Artémisia se posait de nouveau les questions qui l'avaient assaillie à Alexandrie, au moment de sa conversion. Avait-elle adopté le christianisme par amour pour Marcus? En avait-elle été convaincue? Elle hésitait à donner une réponse claire à cette question. Mais ici, dans la solitude et le désœuvrement, elle s'était mise à lire les livres de Matthieu et de Marc et des deux autres. Elle s'attachait de plus en plus au message du Galiléen. Cet homme, qui était un doux, avait aussi un esprit ferme, un esprit de décision. Comme sa compassion pour les faibles était différente de l'indifférence hautaine d'Isis, qui exigeait qu'on la vénère et la serve, sans qu'on soit assuré d'être payé de retour!

Le soir, elle rappelait à Marcus ce que Paul avait dit plus tôt, dans ses commentaires. Son mari souriait, puis bavardait longuement avec elle. Et la jeune femme sentait confusément que son mari était de moins en moins l'unique cause de son attachement à sa nouvelle foi…

La nuit, dans leur maisonnette obscure, les deux jeunes gens se retrouvaient avec la même tendresse, la même fougue. Presque tous les soirs, dans l'écrasant silence du désert, s'élevait la douce plainte d'Artémisia, qui se confondait avec le rauque gémissement de son mari.

Les semaines, puis les mois s'écoulèrent. La routine du début finit par devenir pour Artémisia une litanie monotone des mêmes gestes qu'elle répé-

3- Le 24 avril 68.

tait tout le temps, des mêmes mots, de plus en plus rares, qu'elle échangeait avec ses voisins. La douceur qu'elle avait éprouvée au début, de se retrouver seule avec son mari, de prier avec lui, de l'aimer avec passion, s'émoussait peu à peu, écrasée par le poids de l'éternelle répétition. Un ennui sans fin s'insinuait en elle, qui lui liquéfiait le cerveau, amollissait le corps et émoussait la volonté.

De temps en temps, un événement, imprévu ou différent, venait rompre l'éternel recommencement qu'était devenue sa vie. Un jour, on voyait arriver de nouveaux réfugiés. D'autres fois, plus rarement, une famille ou un petit groupe, assommés par le désert, par le lent, l'infini, l'interminable et lisse déroulement du temps, n'en pouvaient plus et décidaient de retourner dans la grande ville, quitte à s'y cacher pour échapper à la persécution.

⁊

Un jour, Marcus était parti plus loin dans le désert avec trois hommes et Artémisia lavait quelques habits avec les femmes lorsqu'elle entendit un grand bruit. Des gens criaient, d'autres couraient. Elle quitta sa tâche et remarqua qu'on la regardait avec une espèce de crainte. Des gens s'écartaient sur son chemin. Elle s'apprêtait à poser des questions lorsqu'elle vit les trois hommes qui étaient partis avec son mari apparaître au détour d'une dune. Ils soutenaient ou plutôt portaient Marcus, qui était livide, les narines pincées, les yeux fermés.

La jeune femme, épouvantée, se précipita, appelant son mari. Marcus ne semblait pas l'entendre. On le fit entrer dans l'église, on l'étendit sur un banc. Paul, qu'on avait alerté, était déjà là.

C'est alors qu'Artémisia vit la main de son mari, qu'on venait de dégager de la manche. À la hauteur du poignet, elle était enflée et noire. Au sommet de la protubérance, un cercle violet avait l'air d'une minuscule bouche ouverte. Les hommes qui avaient ramené Marcus baissaient la tête et détournaient les yeux.

Artémisia se mit à trembler. Paul s'approcha d'elle. Pour la première fois, elle ne vit pas dans ses yeux l'air de malice et de gaieté auquel elle était habituée. Il avait la mine grave. La jeune femme comprit que quelque chose de terrible s'était produit. Elle se mit à sangloter.

L'anachorète la fit asseoir et lui parla doucement. Au milieu des larmes et des hoquets, elle finit par comprendre : la gourde de son mari était tombée dans le sable ; il s'était penché pour la ramasser. Au moment où sa main s'approchait du sol, un dard avait surgi et, à une vitesse foudroyante, l'avait piqué au poignet. C'était un scorpion noir embusqué dans un tas de sable qui avait bondi sur sa proie.

Artémisia devint livide. Elle avait déjà vu un autre malheureux, un Alexandrin réfugié chez les anachorètes avec sa femme et ses trois enfants, qui avait été piqué au pied par un scorpion noir. Au bout de quelques heures, son pied s'était enflé, était devenu grotesque. Sa peau, d'abord bistre, avait noirci et, au fil des heures, la tache sinistre s'était étendue sur tout le corps. L'homme était mort deux jours plus tard dans d'atroces souffrances. On lui avait dit alors qu'il était résistant, puisqu'on mourait d'habitude de cette piqûre au bout d'un jour ou d'un jour et demi à peine.

Et voilà que son Marcus était là, gisant devant elle, les joues creusées, la peau déjà enflée, déjà noire. Il allait mourir: cette phrase lui martelait les tempes. Elle se jeta sur lui, criant, sanglotant. Paul dut faire venir des femmes pour qu'elles l'arrachent à son mari. Il l'obligea à boire une concoction qu'il avait préparée avec des herbes. Elle se calma peu à peu.

Maintenant, elle était prostrée. Elle ne voulait pas quitter Marcus, qui n'avait pas ouvert les yeux et semblait toujours ne pas l'entendre. La tache noirâtre, sournoise, avait déjà atteint le coude et s'insinuait lentement le long des doigts de la main.

Une voix forte et claire la tira soudain de sa léthargie: c'était Paul. Elle redressa la tête: l'église s'était remplie; les anachorètes étaient tous là, et les gens du village. Le vieil homme prit la parole:

— Mes frères, dit-il, vous savez tous maintenant ce qui est arrivé à notre frère Marcus. Notre cœur est brisé de chagrin. Pour lui, et aussi pour notre sœur Artémisia. Mais nous ne sommes pas là pour pleurer. Nous sommes réunis ici, dans la maison où nous adressons nos prières à Dieu et à son Fils Notre Seigneur, pour faire monter auprès d'eux nos supplications.

Le chef des anachorètes se tut un long moment, comme s'il méditait. Puis il reprit:

— Notre père Marc, ce disciple de Christ qui est venu chez nous, dans notre vieille terre d'Égypte, nous rapporte cette parole du Seigneur: «C'est pourquoi je vous dis, tout ce que vous demanderez en priant, croyez que vous l'avez déjà reçu, et cela vous sera accordé.» Dieu est seul maître de la vie et Notre Seigneur a guéri des lépreux, des paralytiques, des aveugles et des muets. Il peut guérir notre frère ici gisant, ici souffrant. Demandons donc avec confiance à Dieu notre Père d'avoir pitié de notre frère Marcus. Prions-le avec ferveur.

Paul entama alors une longue prière, reprise par les autres anachorètes. Il distribua ensuite les tâches: une veillée constante de prière accompagnerait Marcus, qui resterait dans l'église. Les solitaires se relaieraient à son chevet et les Alexandrins qui le voudraient pourraient aussi se joindre à eux.

Quant à lui, il s'approcha de Marcus, s'assit à côté de lui, mit sa main sur son poignet enflé, ferma les yeux et s'abîma dans une oraison silencieuse. Artémisia, épuisée, s'assit aux pieds de son mari, tantôt fermant les yeux, tantôt les ouvrant pour le serrer convulsivement dans ses bras.

Pendant toute la nuit, les anachorètes vinrent au chevet du jeune homme deux par deux, récitant à mi-voix des prières. Quant à Paul, il ne quitta pas le chevet du blessé pendant une seule minute et sa main, apaisante, était toujours posée sur son poignet. Pour Artémisia, l'obscurité était peuplée de cauchemars épouvantables, dans lesquels elle voyait le corps de son mari, qu'elle aimait tant, enflé comme un tonneau et noirci comme ces vieilles momies qu'on trouvait quelquefois dans le désert.

Au matin, elle était épuisée. Elle n'avait toujours pas bougé. Paul la regarda avec affection et lui dit :

— Ma fille, vous devriez aller manger un peu. Nous resterons ici avec Marcus. Vous reviendrez dans une heure ou deux. Il avait enlevé sa main du bras du jeune homme. Artémisia crut défaillir : la tache n'avait pas dépassé le coude et l'enflure lui sembla moins prononcée.

Quand elle revint deux heures plus tard, Paul était toujours là, toujours priant, la main toujours posée sur Marcus. Vers midi, le jeune homme ouvrit les yeux. Son regard semblait vague, mais quand ses yeux tombèrent sur Artémisia, il esquissa un faible sourire. La jeune femme éclata en sanglots, s'écroula sur lui, riant, pleurant, la gorge nouée, le corps tout entier vibrant d'une violente émotion.

Le soir, Marcus était guéri, la tache s'était résorbée, l'enflure était imperceptible. Les Alexandrins, effrayés, regardaient le jeune homme comme on regarderait un fantôme. Ils se précipitaient sur Paul pour lui embrasser les mains et lui demander de les bénir.

Affaibli par l'épreuve, Marcus resta alité pendant quelques jours. Artémisia ne quittait pas son chevet et, la première émotion passée, les gens du village défilèrent dans leur maisonnette pour saluer celui que certains d'entre eux appelaient « le miraculé ».

Puis la vie reprit son cours habituel et, pour la jeune femme, de nouveau pénible. Elle supportait de moins en moins l'épuisante routine des petits gestes, des petites conversations, des horizons infinis où rien ne reposait les yeux, des chaleurs étouffantes du jour suivies du froid mordant de la nuit, des longues prières et des oraisons qui lui faisaient maintenant un effet hypnotique.

Ce n'était pas qu'elle s'éloignât de sa nouvelle foi. Bien au contraire. Elle aussi était convaincue que Christ, par l'intercession de Paul l'anachorète, avait fait un miracle en guérissant Marcus. Elle priait donc avec ferveur, elle se joignait aux autres dans un grand élan de communion lorsqu'ils se rendaient à l'église, et particulièrement au moment du partage du pain, le dimanche. Mais elle aurait aimé, le reste du temps, se trouver à Alexandrie, avec sa foule, son bruit, ses distractions, son raffinement, au milieu de ses amies et de ses sœurs qui lui manquaient de plus en plus.

De temps en temps, en rêvassant à Alexandrie, une silhouette masculine surgissait devant ses yeux, qui n'était pas celle de Marcus. Elle chassait ces images d'un geste agacé, mais restait vaguement troublée.

Sa seule consolation, pourtant, son seul ancrage dans cette vaste étendue désolée et vibrante de lumière, c'était son amour pour Marcus. Elle en avait mesuré la profondeur quand elle avait envisagé, pendant quelques brèves et terribles heures, ce que serait sa vie sans l'ex-décurion.

Mais là aussi, quelque chose avait commencé à changer. Oh! rien de bien inquiétant! Plutôt, un glissement subtil, qu'elle-même n'avait pas bien cerné au début, mais qui la surprenait maintenant.

Cela avait commencé dès que Marcus s'était levé de sa couche, après sa guérison. Il était devenu plus taciturne, plus renfermé. Il se rendait aussi plus souvent à l'église. Au début, il prolongeait ses méditations après la prière du matin. Puis, il s'était mis à s'y rendre à midi, quand, le plus souvent, seuls les anachorètes se réunissaient pour prier. Enfin, il se levait maintenant régulièrement au milieu de la nuit pour les prières nocturnes.

Artémisia comprenait l'émotion de son mari et l'élan qui le poussait à remercier le ciel. Mais cette ferveur redoublée s'accompagnait d'un repli sur soi. Il était toujours tendre avec sa femme, mais semblait souvent absent. Il parlait de moins en moins et son sourire paraissait maintenant détaché, lointain.

Artémisia s'inquiéta vraiment lorsque son mari commença à s'éloigner d'elle la nuit, dans leur couche. Jusque-là, ces moments où il l'amenait avec patience, avec ferveur, avec audace, dans l'obscurité et le silence de la nuit, jusqu'à ce frémissement de tout son être, jusqu'à cette tension de tout son corps, douloureuse et extatique à la fois, ces moments-là, elle les attendait avec fébrilité, ils la réconciliaient avec le désert, l'isolement, la chaleur, l'austérité et la frugalité de sa vie.

Et voilà que Marcus la délaissait. Il ne l'avait pas fait avec colère, ni brutalité. Simplement, il s'abîmait dans sa prière ou dans sa méditation, puis l'embrassait avec tendresse et lui tournait le dos. Ou alors il se levait, tâtonnant dans le noir, enfilait sa tunique, mettait ses sandales et se dirigeait, silencieux et absorbé, vers l'église. Et Artémisia restait seule dans la nuit, les yeux ouverts, une tension douloureuse au creux des reins.

Pour la jeune femme, les jours s'écoulaient ainsi, tous pareils. Son mari l'aimait, elle le savait, elle le sentait, elle en avait la certitude. Mais il n'était plus tout le temps à ses côtés, présence chaude, attentive, réconfortante. Et le vaste désert lui semblait soudain encore plus désert.

Jusqu'alors, la nuit avait été son repos. Elle sentait qu'autour d'elle, quand la nature s'apaisait, les hommes, recuits de chaleur, assommés par l'inamovible flamme du soleil, reprenaient leur souffle, retrouvaient un univers à leur mesure, l'humble mesure humaine, dans la fraîcheur et l'obscurité. Elle aussi, elle se reposait la nuit, retrempait ses forces dans l'absence de cette radiation de feu qui, le jour, crucifiait les bêtes et les hommes, la nature tout entière.

Mais la nuit était plus que son repos, elle était aussi sa récompense, son refuge dans les bras de son mari. À côté de Marcus, elle retrouvait dans son humble maisonnette l'intimité des corps, la complicité des conversations, la tendresse partagée qui étaient devenues tout son univers, sa société, toute son Alexandrie à elle.

Maintenant que Marcus était distrait, lointain, silencieux, l'isolement d'Artémisia redoublait. À l'effrayante solitude du désert s'en ajoutait une autre, plus subtile, plus violente, qui l'anémiait tous les jours un peu plus.

CHAPITRE NEUF

Un grand cri se fit entendre dans le village. Artémisia, qui tirait de l'eau au puits, leva la tête. Partout, les Alexandrins couraient, l'air affolés. Ils se précipitaient dans leurs maisonnettes ou sous les tentes et en ressortaient les mains pleines d'ustensiles, de cruches, de marmites. Les hommes ployaient sous le poids d'un matelas ou d'un coffre de bois qu'ils portaient sur le dos.

À la stupéfaction de la jeune femme, elle vit aussi surgir les anachorètes venus du désert, qui couraient presque. Elle allait aborder une voisine affolée lorsqu'elle vit apparaître Marcus à ses côtés. Son mari avait l'air grave. Sans dire mot, il lui saisit le bras et l'entraîna vers le grand édifice central.

Les habitants du village s'y pressaient maintenant tous, sans exception. Ils avaient été rejoints par les solitaires, dont certains même qui ne quittaient pratiquement jamais leurs grottes. Quand Paul s'assura que tout le monde était dans le bâtiment, on ferma les portes, qu'on barricada ensuite avec de solides barres de fer.

Marcus expliqua brièvement à sa femme qu'on avait vu à l'aube s'approcher une grosse troupe de bédouins, ces habitants du désert qui traversaient les étendues brûlantes sur le dos de leurs dromadaires pour fondre à l'improviste sur les villages et les piller. Il fallait donc s'enfermer, prendre des précautions.

Quelques hommes montaient le guet derrière les étroites fenêtres, tandis que les femmes priaient avec les moines. On vit enfin apparaître à la lisière du village plusieurs bêtes, montées par des hommes au visage voilé.

— Ils ne sont guère nombreux, dit quelqu'un. Veulent-ils vraiment nous attaquer ?

Un homme quitta le groupe et s'approcha lentement de l'église-citadelle. Là, il s'arrêta et resta immobile, ombre noire se détachant sur l'éclat du ciel. Plusieurs minutes passèrent. L'homme restait impassible. Paul finit par dire :

— Il nous veut sûrement quelque chose. Ouvrons-lui donc la porte.

Quelques hommes protestèrent, mais Paul les rassura : il avait déjà eu affaire aux hommes du désert.

On entrouvrit la porte. L'homme resta immobile.

— C'est une ruse, dit Marcus, il veut nous entraîner dehors.

Enfin, sur les instructions de Paul, un anachorète sortit et invita l'homme à entrer dans l'édifice. Après une brève hésitation, celui-ci tira sur sa longe et Artémisia, fascinée, vit le dromadaire qui oscillait d'arrière en avant, puis plongeait soudain vers le sol pour permettre à l'homme de descendre.

Même dans la pénombre de l'église, le bédouin refusa d'enlever le voile qui lui couvrait le visage. Paul lui parla par l'intermédiaire d'un vieux solitaire qui, à force de vivre dans le désert, avait fini par apprendre le langage de ses habitants.

L'homme se montra bref. L'anachorète se tourna vers Paul :

— Il dit qu'ils ne sont ici qu'un petit groupe et qu'ils ont des intentions pacifiques. Ils sont envoyés par le chef de leur clan : son fils aîné, qui a neuf ans, est malade depuis plusieurs semaines. Il délire la nuit et frissonne le jour, malgré la chaleur. L'enfant va bientôt mourir. Le chef demande si les solitaires peuvent l'aider. Il sait en particulier que notre père Paul connaît la médecine et pourrait guérir l'enfant.

Paul posa quelques questions précises : quels étaient les autres symptômes ? L'enfant mangeait-il ? Sa mâchoire était-elle serrée ? La fièvre qui le brûlait se saisissait-elle de lui à certaines heures particulières ? Le bédouin répondait laconiquement.

Le chef des solitaires resta pensif quelques instants puis pénétra dans une petite pièce. Il en ressortit avec des herbes qu'il pila dans un mortier. Puis il les remit à l'homme en lui recommandant d'en faire une infusion qu'on ferait boire à l'enfant plusieurs fois par jour.

L'homme s'inclina, ne dit mot et grimpa bientôt sur sa bête curieuse. À l'orée du village, les autres qui l'attendaient le suivirent. Au bout de plusieurs minutes, quelques hommes osèrent sortir de l'église. Ils revinrent, rassurants : les bédouins avaient bel et bien quitté le village et avaient disparu à l'horizon.

L'église se vida dans le soulagement général, au milieu du bruissement des conversations. Marcus et Artémisia apprirent que, de nombreuses années auparavant, des bédouins étaient venus une nuit avec un autre enfant malade. Ils avaient surgi dans l'ombre et les anachorètes — qui vivaient seuls alors — avaient cru leur dernière heure venue. Mais les hommes du désert étaient désespérés et cherchaient un médicament. Paul leur avait donné des herbes. Ils n'avaient plus jamais reparu dans les parages.

Artémisia resta rêveuse pendant toute la journée. Ainsi donc, ce désert qui lui semblait abominablement vide abritait des humains qui y vivaient tout le temps. Ils le parcouraient, libres et pauvres. Elle essaya de s'imaginer une jeune femme de son âge qui vivait dans le désert : elle n'avait donc jamais vu Alexandrie, jamais rêvé devant la mer, jamais lorgné du coin de l'œil les militaires à l'allure martiale, jamais été au Théâtre ou au Gymnase, jamais admiré l'animation du port et ri devant les bateleurs des rues, jamais mangé de galette au miel et bu du vin dans les tavernes qui longeaient le front de mer ! Non, décidément, les charmes secrets du désert n'étaient pas faits pour elle ! La solitude n'était guère son élément naturel ; elle aimait trop la vivante trépidation de la ville, le bruit, les couleurs, les odeurs capiteuses, l'ivresse qui vous saisissait à Alexandrie.

Cette réflexion rembrunit Artémisia. Elle commençait à étouffer dans ces vastes étendues. L'espace infini autour d'elle, cet espace de sable, de lumière vibrante et de ciel dévorant l'emprisonnait plus étroitement que les quatre murs d'une cellule.

Puis, quelques semaines après la visite inopinée des hommes du désert, une autre arrivée allait de nouveau rompre l'exaspérante monotonie des jours.

Ce fut encore une fois des cris qui annoncèrent à la jeune femme que quelque chose se passait. Mais c'étaient, cette fois-ci, des cris de joie. Elle sortit en hâte de sa maisonnette et vit arriver, venant du nord, quatre hommes sur des mulets. C'était un des anachorètes qui amenait trois autres réfugiés. Elle reconnut tout de suite au milieu d'eux Pierre, l'évêque d'Alexandrie.

Les gens du village, Paul, les autres anachorètes, tous se pressaient autour de l'évêque. On lui embrassait les mains, on touchait sa robe. Il souriait à droite et à gauche et serra dans ses bras de nombreux réfugiés, dont Marcus. Il était accompagné de deux presbytres que l'ancien officier connaissait bien, Sarguayos et Achillas. Ils étreignirent à leur tour le jeune homme.

Quand la joie se fut calmée, Paul invita la communauté à se rendre à l'église pour des prières d'action de grâces. Puis Pierre s'adressa aux fidèles pour les assurer de son affection.

Ce ne fut que le soir que Marcus apprit les raisons de la fuite au désert de l'évêque. Pierre convoqua une réunion à l'église. Il rassembla autour de lui Paul, les deux presbytres, Marcus et une demi-douzaine d'autres réfugiés.

— Je suis heureux de vous revoir ici, mes enfants, dit l'évêque.

— Et nous sommes heureux de vous accueillir dans notre communauté, Papa Pierre, dit Paul, dont le visage rayonnait.

— Je vois autour de moi bien des visages que je connais, même si je ne vous ai pas vus depuis longtemps. Certains d'entre vous avez quitté Alexandrie depuis de nombreux mois, et même depuis plus d'un an.

Ils se turent tous un moment. Puis Marcus prit la parole :

— Venez-vous, Papa Pierre, nous visiter ?

— Il ne s'agit malheureusement pas seulement d'une visite, répondit l'évêque. J'aurais souhaité pouvoir passer quelques jours au milieu de vous, puis retourner à Alexandrie. Mais ce n'est pas possible.

— Pas possible ?

— Oui, reprit Pierre, je dois rester avec vous, je dois même me cacher au milieu de vous.

— Pourquoi donc ? demanda un des réfugiés.

— Je cours, hélas, un danger pressant et immédiat, même si le Seigneur continue à étendre sa protection sur moi. Nous avons en effet quelques amis en haut lieu. Ils peuvent ainsi nous dire ce qui se trame. Et même si je me déplaçais régulièrement d'une maison à une autre, d'une cachette à une autre, la police du préfet était à mes trousses. Il y a une semaine, j'ai appris qu'ils avaient trouvé ma trace ; j'étais entouré d'espions et mon arrestation était imminente.

— Et vous avez pu vous échapper ?

— Oui, grâce à l'aide de certains frères, qui n'ont pas hésité, la nuit venue, à s'entourer d'amples manteaux, à quitter la dernière demeure où je me trouvais et à entraîner derrière eux les espions. J'ai pu ensuite me glisser dans l'ombre, déguisé en légionnaire romain.

— En légionnaire romain ? C'était Marcus qui s'était exclamé.

— Oui, en légionnaire romain, dit l'évêque avec un sourire. Tu sais bien, mon cher Marcus, que nous avons beaucoup de frères dans l'armée. Comme ils ne peuvent plus pratiquer leur métier, nous disposons d'un assortiment d'armures et d'uniformes militaires.

— Vous avez donc pu quitter la maison où vous étiez réfugié ?

— Oui, et j'étais accompagné de mes fils Sarguayos et Achillas. Comme ils n'ont jamais cessé d'encourager les frères à persévérer dans la foi, les agents du préfet les recherchent très activement. Nous avons su aussi qu'ils étaient sur le point d'être pris. Ils m'ont donc accompagné.

— Et nous nous sommes réfugiés chez un frère pêcheur, dit Achillas avec un sourire malicieux, qui nous a aménagé un réduit derrière un entassement de ses filets. Nous étions donc en sécurité, même si nous avons failli suffoquer à cause de l'odeur qui s'attachait aux filets. Qui sait ? peut-être même étions-nous en sécurité à cause de cette odeur-là, car les agents du préfet et les policiers romains, malgré leur zèle contre les disciples de Jésus, n'en ont pas moins, eux aussi, un odorat qui peut s'offusquer.

— Achillas dit les choses légèrement, dit Pierre, mais nous étions en effet dans une cabane de pêcheur où l'odeur — à cause des filets, des viscères de poissons qu'on avait nettoyés là — était quasi insoutenable. Mais enfin, nous n'y sommes restés que vingt-quatre heures, jusqu'à ce qu'on organise pour nous la traversée du lac Maréotis, puis celle du désert.

Les paroles du presbytre et de l'évêque avaient détendu l'ambiance. Au bout de quelques instants, Paul revint à la charge.

— Si je vous comprends bien, Papa Pierre, la persécution se poursuit donc avec le même acharnement.

— La situation n'a jamais été aussi grave, la rage de l'Empereur aussi violente. Nous avons appris qu'il a donné des ordres impératifs : il veut la mort de tous les chrétiens de son Empire. Il souhaite véritablement nous faire disparaître de la surface de la terre. J'ai appris que nos frères de Rome, d'Asie mineure et de Syrie souffrent aussi de ce délire. Mais c'est ici, en Égypte, que le préfet se montre le plus déterminé. Le Seigneur semble vouloir éprouver particulièrement ses enfants sur cette vieille terre, fidèle et souffrante.

— Fidèle ? C'était le presbytre Sarguayos qui prenait la parole pour la première fois. Marcus remarqua encore une fois son visage sombre, ses yeux brûlants, sa voix rauque, pressée, véhémente, même quand il parlait à voix basse. Fidèle ? reprit-il. Tous les frères ne le sont pas. Ils sont nombreux, certes, à vouloir souffrir pour la foi, et jusqu'au martyre, mais il y en a qui s'éloignent de la croix qui se dresse sur leur chemin.

— Sarguayos, Sarguayos, dit Pierre, nous avons déjà eu cette conversation ! Certes, la torture et la perspective de la mort amènent certains frères à reculer, mais qui sommes-nous pour sonder la conscience des hommes et la miséricorde de Dieu ? D'ailleurs, tu le sais toi-même, la majorité de nos frères et de nos sœurs va au supplice en proclamant le nom de Christ.

— Et, intervint Achillas, quand notre père Pierre dit la majorité, il a bien raison. Il ne se passe plus de jour sans que plusieurs dizaines de chrétiens, et même plus d'une centaine, ne soient suppliciés dans la ville.

Cette déclaration sembla atterrer les réfugiés. Un long silence suivit. Paul l'anachorète finit par demander :

— Et... comment meurent-ils ?

— Oh, reprit Pierre d'un ton soudain très las, nos amis romains ne manquent certes ni d'imagination ni de cruauté. Nos frères de l'armée et de la haute administration, quand ils sont arrêtés, meurent sous la hache du bourreau. Les autres — et il y avait dans sa voix, en disant ce mot, une telle tristesse, une telle dérision aussi, que Marcus en frissonna —, les autres n'ont guère cette chance, surtout si ce sont des presbytres ou des diacres.

— Et ce qui les attend alors, dit Achillas, c'est le gril, ou le bûcher, ou l'écartèlement, ou l'empalement...

Dans le silence qui suivit, on entendit un bref sanglot : un des hommes présents se cachait le visage dans les mains. Les autres respiraient lourdement. Achillas reprit :

— Certains jours, il y a tant d'exécutions que les haches s'émoussent, il faut suspendre les supplices pour les aiguiser. D'autres fois, ce sont les bourreaux même qui s'épuisent ; ils doivent alors se relayer, ou encore interrompre les exécutions pour se reposer. Je n'ai pas besoin de vous dire, ajouta-t-il — et Marcus, qui le connaissait bien, nota le sarcasme dans sa voix —, je n'ai pas besoin de vous dire les gorges chaudes que font les Alexandrins quand ils évoquent cette « pause » de nos tortionnaires.

— Et… les femmes ? demanda quelqu'un.

— Elles ne sont guère mieux loties, dit Pierre. Quand elles sont jeunes et belles, leurs bourreaux les gardent en vie pour en abuser. Et quand elles ne le sont pas, elles subissent les mêmes supplices que leurs pères, leurs maris, leurs enfants.

Plus personne n'osait parler ou poser de questions. Ce fut Pierre qui rompit le silence.

— Et ce n'est pas tout…

— Pas tout ? dit Paul. Que peut-il y avoir encore ?

— Nous savions que la persécution s'était étendue à toute l'Égypte. Mais jusqu'à ces derniers mois les stratèges[1], éloignés d'Alexandrie, plus proches de la population, n'y mettaient pas grand zèle. Le préfet s'en est rendu compte et leur a envoyé des ordres très stricts, auxquels ils désobéiraient à leurs risques et périls.

— Et… obéissent-ils ? demanda un réfugié.

— Je pourrais vous en parler longuement, dit Pierre, qui semblait maintenant épuisé. Mais jugez-en plutôt par vous-mêmes.

Il sortit d'une sacoche un papyrus enroulé :

— Voilà, dit-il, une lettre que j'ai reçue il y a quelques jours. Depuis que je l'ai lue, je n'arrive plus à fermer l'œil. Je me tourne vers le Seigneur et je le prie de libérer ses fidèles de cette abomination de la désolation. Tenez, dit-il en tendant le papyrus à Paul, lisez plutôt, pour que nos frères sachent tous l'excès de souffrances dans lequel nous sommes plongés.

Le vieil anachorète se déplaça légèrement pour se rapprocher d'une des rares lanternes qui éclairaient la pièce. Il déroula le papyrus et se mit à lire, dans le silence tendu des autres.

1- Rappelons qu'il s'agit des gouverneurs des trente provinces égyptiennes, appelées « nomes ». C'étaient essentiellement des fonctionnaires romains.

De Patermouthis, évêque d'Arsinoé,

Et de Severus, évêque d'Oxyrhynchos,

À leur père dans l'Épiscopat,

Pierre, évêque et patriarche d'Alexandrie et Papa d'Égypte,

Que la paix et la grâce de Dieu notre Père, de son Fils notre Seigneur et de l'Esprit soient sur toi.

Nous avons bien reçu ta récente missive. Ton envoyé nous l'a livrée après avoir voyagé avec discrétion et prudence. Comme tu t'adressais à nous deux, nous avons décidé à notre tour de t'écrire en commun.

Nous avons eu le cœur serré en lisant le récit des souffrances infligées à nos frères. Le supplice du presbytre Pacôme et de tous les autres martyrs d'Alexandrie nous a serré le cœur ; nous avons redoublé de prière pour eux et pour les disciples de Jésus que n'a pas encore atteints la hargne impériale.

Hélas, les nouvelles que nous avons à t'annoncer ne sont guère réjouissantes non plus. Notre lettre eût sûrement été plus sereine il y a quelques mois seulement. En effet, au début de la persécution, les stratèges de nos nomes, éloignés du préfet, côtoyant tous les jours leurs administrés et en connaissant beaucoup personnellement, hésitaient à se montrer impitoyables. Ils arrêtaient bien quelques chrétiens, mais les oubliaient dans les prisons ou encore les libéraient discrètement.

Malheureusement, tout ceci a bien changé depuis deux ou trois mois. Des ordres fermes sont venus d'Alexandrie. Les stratèges, craignant pour leurs postes et leurs privilèges, voulant racheter aux yeux du préfet leur mollesse initiale, se montrent maintenant implacables.

Des dizaines de frères et de sœurs sont raflés chaque semaine dans les grandes villes des nomes et même dans les cités et les villages des toparchies[2]. Les prisons sont pleines et débordent ; on a même vu un stratège convertir son palais en prison.

Mais les prisons, hélas, se vident aussi rapidement qu'elles se remplissent. Nos frères subissent le martyre en aussi grand nombre que ceux d'Alexandrie. Et le zèle des bourreaux est chez nous aussi farouche que chez vous.

À Arsinoé, les deux églises de la ville ont été brûlées, puis rasées. Les vases sacrés ont été volés, les livres sacrés détruits ou brûlés. Nos presbytres, ainsi que nous-mêmes, devons nous cacher maintenant.

Nous sommes cependant, malgré l'inconfort d'une fuite perpétuelle et l'angoisse de tous les instants, les moins à plaindre dans l'épreuve. Nos enfants qui sont arrêtés paient aujourd'hui de leur vie leur témoignage de foi.

2- Les cantons de l'Égypte romaine.

Dans le village de Diospolis, vers le haut de la vallée, le fonctionnaire romain a fait appel à une unité d'archers parthes qui étaient stationnés là, et les chrétiens du village sont morts criblés de flèches.

Nous vous avons dit que les églises d'Arsinoé ont été la proie des flammes, mais du moins Arsinoé n'a pas brûlé tout entière. Ce n'est malheureusement pas le cas du petit village de Théadelphia, qu'un triste sort a frappé. Les espions du stratège savaient que toute sa population s'était convertie à la nouvelle foi. Ils n'ont pas hésité un instant et ont mis le feu à tout le village, sans prévenir ses habitants. De nombreux fidèles sont morts brûlés vifs dans leurs maisons.

À Oxyrhynchos, une de nos sœurs, nommée Marcelle, une sainte veuve, dont la charité et l'amour du prochain faisaient l'admiration de la communauté, a été arrêtée il y a trois semaines. Dimanche dernier, ses bourreaux l'ont plongée vive dans une cuve de bitume bouillant.

Il semble bien, d'ailleurs, que les Romains et leurs agents égyptiens et grecs en ont particulièrement contre nos sœurs. Ils ont inventé pour elles des supplices dont on nous dit qu'ils sont pratiqués maintenant dans tous les nomes de la Moyenne-Égypte et de la Thébaïde.

On les amène dans la campagne, on leur enlève tous leurs habits, car on veut les humilier avant de les tuer. Puis on les attache par un pied, on les soulève en l'air à l'aide d'une poulie et on les garde suspendues la tête en bas jusqu'à ce qu'elles meurent.

D'autres encore, des frères et des sœurs, meurent attachés à des branches d'arbres ; les bourreaux en effet amènent par des machines les plus fortes branches en un même endroit ; ils fixent sur chacune d'elles les jambes des martyrs, puis ils lâchent tout de façon à ce que ces branches soient rejetées à leur position naturelle ; ils ont ainsi imaginé d'écarteler d'un seul coup les membres des victimes.

Il n'est guère besoin, cher père Pierre, de nous étendre plus longuement sur les souffrances des disciples de Christ. L'horreur est partout la même et l'évocation constante de ces turpitudes finit par engourdir l'esprit.

Que nous reste-t-il à faire ? Ce que tu dois faire toi-même, nous en sommes certains : encourager nos frères, les soutenir dans l'épreuve, les cacher quand cela est possible ; leur dire de ne jamais renier Christ, mais leur conseiller aussi de ne pas se dresser avec fanfaronnade dans cet ouragan qui souffle sur nous et sur le troupeau dont nous sommes responsables, car Dieu nous demande la fidélité mais non l'ostentation.

Au milieu de toutes ces tristes conjonctures, nous voulons partager avec toi une nouvelle qui réjouira ton cœur, nous en sommes certains. Nous avons régulièrement des nouvelles de notre frère Antoine. Tu sais qu'il a quitté sa retraite du désert de la Thébaïde pour s'enfoncer vers l'est, dans le désert arabe. Il a atteint *les montagnes qui longent le golfe des Arabes³ ; il s'y est installé. Au début, il y a quelques années, il était seul dans sa grotte, à prier, à lutter contre les démons et à intercéder pour nous auprès du Seigneur.*

Des fidèles, des solitaires, l'ont rejoint peu à peu. Au début, notre frère, qui chérissait par-dessus tout sa solitude, refusait d'entrer en contact avec eux. Ils s'installaient donc dans les grottes des montagnes autour de lui et priaient en communion avec lui, même s'ils étaient à quelque distance du lieu où il se retirait.

La persécution de l'Empereur a multiplié les départs dans nos nomes. Certains vont dans le désert de la Thébaïde, mais ils sont nombreux ceux qu'attirent Antoine et sa réputation de sainteté. Plusieurs dizaines de solitaires vivent maintenant autour de lui. Notre frère a fini par accepter de les rencontrer à certaines heures du jour et de prier avec eux — comme, nous dit-on, c'est le cas de certaines communautés de solitaires dans les déserts de Scété et de Nitrie.

Ces ascètes réunis autour d'Antoine — qu'on désigne maintenant de plus en plus chez nous du nom de moines — prient pour que Christ nous tienne fermes dans la foi et dans la fidélité et pour que la persécution n'affaiblisse pas trop son troupeau. Antoine est solide, optimiste et serein comme toujours et affirme que la communauté de Jésus sortira renforcée de l'épreuve.

Nous demeurons en union de prière avec toi, cher père dans l'Épiscopat, et nous te demandons de dire aux fidèles d'Alexandrie toute notre affection.

Fait à Arsinoé et à Oxyrhynchos en ce mois de Phaménoth de la vingt et unième année⁴ du règne de Dioclétien César,

Patermouthis, évêque d'Arsinoé
Severus, évêque d'Oxyrhynchos

Paul l'anachorète s'était tu. Le silence qui suivit la lecture de la lettre des évêques du sud du pays fut long et profond. Les hommes réunis là méditaient sur le sort qui frappait leur communauté. Ils s'interrogeaient dans le fond de leurs cœurs : jusqu'à quand cette souffrance dégradante, cette souffrance innommable allait-elle durer ? Par quel mystère insondable Dieu, le Tout-Puissant, le Seul et l'Unique, permettait-il une telle épreuve ? Leur foi, et surtout la foi des autres membres de la communauté, allaient-elles être assez solides pour résister à tant d'humiliations, tant de douleur, tant d'horreur ?

Ce fut Pierre qui rompit le silence : «Prions, mes frères», dit-il. Et dans le silence et l'obscurité du désert s'éleva une plainte déchirante, un gémissement qui disait toutes les souffrances qui s'étaient abattues sur l'Égypte.

3- La mer Rouge.
4- Mars 305.

❧

Dès le lendemain de son arrivée, Pierre se mêla avec bonhomie aux autres réfugiés du petit village. On lui avait libéré la plus vaste des maisonnettes, mais il insista pour la partager avec les deux presbytres qui l'accompagnaient dans son exil.

Paul dorénavant lui cédait la place dans l'église. L'évêque présidait les prières et la commémoration du dernier repas de Jésus avec ses disciples. Les anachorètes les plus farouches acceptaient maintenant de quitter leurs grottes pour venir prier avec lui. La petite communauté ne cessait de supplier Dieu avec ferveur d'intervenir dans l'épreuve qui la secouait et décimait ses membres partout en Égypte.

Pierre avait gardé une grande affection pour Marcus. Il le retrouva dans le désert avec un vif plaisir. Il raconta au jeune homme et à sa femme comment leur fuite d'Alexandrie et le pied de nez qu'ils avaient fait au préfet avaient réconforté et encouragé les autres chrétiens. Il les rassura sur le sort de la famille d'Artémisia. Damiana, la sœur aînée de la jeune femme, qui s'était révoltée avec tant de violence au moment de l'arrestation de l'ex-prêtresse d'Isis, avait vu dans sa fuite de prison la main de Dieu et sa foi en était ressortie grandie. Elle s'activait au sein de la communauté pour venir en aide aux veuves et aux orphelins dont les maris et les pères avaient été martyrisés.

Marcus admirait et aimait Pierre. Il le suivait partout, même quand l'évêque partait dans le désert pour visiter l'un ou l'autre ascète dans sa caverne. Artémisia s'attendrissait de voir cette virile amitié entre l'évêque et son mari, mais recommença bien vite à se morfondre quand elle constata que Marcus était maintenant doublement absent. Quand il ne priait pas avec la communauté ou n'accompagnait pas l'évêque dans ses pérégrinations, il s'attelait à une tâche manuelle quelconque qui lui évitait de parler : il était toujours plongé dans l'espèce de méditation dans laquelle il se réfugiait depuis sa guérison de la piqûre du scorpion et Artémisia, exaspérée, se demandait ce qu'il pouvait bien ruminer ainsi à longueur de journée.

Elle essaya à quelques reprises de lui en parler. Elle se plaignit doucement, lui dit qu'elle s'ennuyait, qu'ils ne se parlaient plus. Marcus la regarda avec surprise, l'assura qu'il l'aimait, l'invita à s'occuper avec ses voisines, afin de ne pas s'ennuyer. Il était simplement très pris, lui dit-il, avec Pierre et les autres. Mais il n'avait pas le sentiment qu'ils ne se parlaient plus tous les deux. «Tu vois? Nous bavardons bien maintenant», lui dit-il avec une mauvaise foi inconsciente et sereine. Que pouvait-elle lui dire? Elle avait le sentiment d'un dialogue de sourds. Surtout, pouvait-elle lui confier que son silence, sa distraction, n'étaient pas seulement ce qui la blessait? Il y avait autre chose, de plus intense, qui la touchait au plus profond d'elle-même — quelque chose, se dit-elle un jour, qui l'humiliait.

Marcus en effet ne lui faisait presque plus l'amour. Au début, Artémisia en avait souffert; maintenant, elle en était exaspérée. Elle n'osait pourtant pas faire des reproches trop violents à son mari car elle sentait bien que celui-ci l'aimait, encore et toujours, mais qu'il éprouvait le besoin de s'éloigner un peu d'elle, ou plutôt de se retirer en lui-même. Et la jeune femme, furieuse, se répétait: «Si seulement il le voulait, si seulement il acceptait de me parler, s'il acceptait de s'ouvrir à moi, nous pourrions traverser ensemble ce moment difficile.»

Elle faillit un jour aller se plaindre à Pierre puis elle recula à la dernière minute. Qu'allait-elle lui dire? Que Marcus lui tournait le dos dans la nuit? Qu'il l'embrassait distraitement? Qu'il n'avait plus, depuis plusieurs semaines, caressé ses seins, ses cuisses, son ventre?…

Trois mois après l'arrivée de Pierre, on vit arriver un Alexandrin qui gesticulait sur son mulet de fort loin. À peine arrivé, il sauta de sa monture, se précipita sur Pierre, lui prit la main et la baisa, puis se redressa et dit tout à trac: «L'Empereur a démissionné!»

Tout le monde s'était rassemblé pour accueillir l'homme, comme chaque fois qu'un nouvel arrivant surgissait du désert. Le bruit, le brouhaha, empêchèrent Marcus et Artémisia de comprendre ce que disait le nouveau venu. Même Pierre semblait perplexe.

— Que dis-tu, Hesychius?

Marcus se souvint d'avoir vaguement entendu parler de ce Hesychius, dans une des multiples réunions qu'il avait eues avec Pierre et les presbytres à Alexandrie. C'était un chrétien grec qui venait d'être consacré diacre et dont la piété était citée en modèle.

— Papa Pierre, reprit-il presque en bégayant, l'Empereur a démissionné.

— L'Empereur? Dioclétien?

— Oui.

— Et tu dis, Hesychius, qu'il a abandonné le pouvoir? Il est malade?

— Non, Papa Pierre, non, je vous le dis et vous le répète: l'Empereur est bel et bien en vie et même, dit-on, en excellente santé. Mais il a démissionné. Il n'est plus empereur, vous dis-je…

— Mais les empereurs ne démissionnent pas… En tout cas pas depuis les dernières décennies. Bon, veux-tu, Hesychius, nous dire ce que tu sais?

— Voilà, reprit l'Alexandrin. Avant-hier, un navire rapide est arrivé au port; un messager venait annoncer au préfet la démission de l'Empereur.

La nouvelle s'est répandue très vite dans Alexandrie. Les presbytres, les diacres et les chefs de la communauté qui n'ont pas quitté Alexandrie se sont immédiatement réunis. Nous n'en savons guère plus que ce que je vous dis : d'après nos sources au palais du préfet, la lettre annonce clairement la démission de Dioclétien. L'Empereur a décidé qu'il ne voulait plus du pouvoir. Il a signé son acte d'abdication au mois de Pachon de l'an 21 de son règne[5]. Il va se retirer dans son palais de Nicomédie. Il ne veut plus des responsabilités et des soucis qui l'écrasent depuis si longtemps. Il aspire, dit-on, au repos…

Une immense rumeur accueillit cette déclaration, suivie d'un bruissement sonore de conversations et d'exclamations. Pierre haussa la voix pour dominer le bruit :

— Et qui donc le remplace ?

— Je ne sais pas encore, Papa Pierre. Quand nous avons appris la démission de l'Empereur, j'ai tout de suite pensé à vous. Je me suis dit que vous seriez heureux d'être au courant tout de suite. Nos frères allaient continuer leur enquête. Ils m'ont demandé de patienter. Je n'ai pas voulu, je me suis précipité vers le lac Maréotis pour traverser le désert et venir vous annoncer le départ de notre persécuteur.

— Nous aurions pourtant bien aimé savoir qui va lui succéder, dit Pierre avec un soupçon de reproche dans la voix.

— Mais moi aussi, je veux le savoir, dit Hesychius d'un ton triomphant. J'ai donc demandé à un de mes amis d'attendre, de se renseigner, de rassembler le plus d'informations sur les événements et de nous les communiquer aussitôt qu'il pourra.

Les exclamations reprirent de plus belle. L'arrivée du diacre grec semblait avoir fouetté la communauté de réfugiés. L'annonce du départ de Dioclétien l'avait tirée de sa léthargie. Les conversations étaient passionnées : qui allait succéder à l'Empereur ? Quelle allait être la politique du nouvel Auguste à l'égard des chrétiens ? Était-ce la fin du cauchemar ? Le préfet, ce fonctionnaire zélé et hargneux, allait-il garder son poste ? On savait que les préfets d'Égypte étaient les représentants directs, les employés de l'Empereur qui les nommait, puisque la province lui appartenait en propre et ne relevait pas du Sénat de Rome. Le nouveau maître de l'Empire allait-il donc nommer un autre préfet ?

Tard dans la nuit, autour de feux de racines sèches qu'on n'allumait que fort rarement, les conversations se poursuivaient avec véhémence, dans une sorte d'euphorie qui s'insinuait en tous malgré l'incertitude qui entourait

5- Le 1er mai 305.

encore l'avenir. Depuis plus de deux ans, le seul nom de Dioclétien était synonyme de souffrances et de malheurs. Son départ ne pouvait qu'annoncer des lendemains moins sombres.

Artémisia s'était mise à rêver. Son cœur s'était soudain dilaté : était-ce vrai ? Était-ce enfin la sortie de ce cul-de-sac dans lequel elle était enfermée ? Et son imagination prenait son envol : elle revenait à Alexandrie, elle retrouvait la ville, la ville magnifique, ses plaisirs, ses rues vastes, ses édifices grandioses, ses habitants, hommes et femmes, légers, caustiques, gais, vivants, vivants, vivants…

Elle était sûre que son mari, à Alexandrie, allait changer, qu'il redeviendrait l'époux tendre et l'amant brûlant qu'elle avait connu. Elle admirait Paul et ses anachorètes, mais comme on admire un astre lointain, dont on sait qu'il brûle et que sa lumière irradie, mais que son feu est inaccessible. Elle avait hâte de revenir à une vie normale.

À Alexandrie, elle se dépêcherait de revoir ses parents, ses frères et ses sœurs, qui lui manquaient tant. Puis elle ferait le tour de ses amies. Et il faudrait bien aussi qu'elle remercie ces amis de Marcus qui l'avaient sauvée en la tirant de prison, grâce à leur courage, leur détermination, et surtout cet Apollonius qui semblait leur chef : quel sang-froid, quelle intelligence !

Artémisia se rappela l'étreinte du jeune Grec au moment de leur fuite d'Alexandrie, et sa conversation avec Marcus, quand son mari avait souligné qu'elle attirait le regard des hommes. Se pouvait-il qu'Apollonius… Non, il n'y avait là rien de sérieux, d'ailleurs Marcus n'avait pas insisté. Et peut-être qu'elle-même, dans l'obscurité au bord du lac, avait exagéré cette étreinte… Pourtant, en évoquant la mince silhouette et la tête bouclée du Grec, Artémisia se troubla un peu.

L'agitation du petit village dura quarante-huit heures. Au crépuscule du troisième jour, un batelier arriva. Il avait laissé sa barque cachée dans les roseaux du lac Maréotis pour traverser le désert. Il était porteur d'une lettre à Hesychius. Tout le monde s'était réuni autour du diacre. Il lut attentivement le long rouleau. Quand il releva la tête, ses yeux brillaient d'un éclat joyeux.

— Alors ? dit Pierre, qui résumait ainsi l'impatience de tous.

— Alors, mon ami confirme bien ce que je vous disais : l'empereur Caius Valerius Dioclétien a démissionné. Il se retire dans son palais de Nicomédie, sur les rives de la Propontide[6].

— Mais encore ?

— Il abandonne tous les pouvoirs et ne veut plus jouer de rôle dans l'État.

— Allons donc, Hesychius, dis-nous qui lui succède.

6- L'actuelle mer de Marmara, en Turquie.

— Il s'agit de Caius Galerius Valerius Maximanius. C'est le nouvel empereur. Il a été longtemps César du Danube sous Dioclétien, mais maintenant il devient Auguste jovien. Il détient donc l'autorité suprême dans l'Empire.

— A-t-on appris ce qu'il a l'intention de faire en Égypte ?

— Oui, il a nommé son neveu Maximin Daïa César d'Orient et d'Égypte. On ne sait pas encore si le nouveau César va venir s'installer à Alexandrie ou s'il continuera à déléguer son pouvoir à un préfet.

Quelques années plus tard, Marcus allait se souvenir de ce jour et de ce coin du désert de Scété où il avait entendu pour la première fois le nom de Maximin Daïa. Ce souvenir allait être marqué au fer rouge dans son cœur et dans sa sensibilité.

— Donc, nous avons un nouvel empereur et un nouveau César. Cela ne nous avance pas beaucoup, dit un homme dans la foule.

— Mais ce n'est pas tout, dit Hesychius. Mon ami m'annonce bien d'autres choses.

— Vas-tu enfin tout nous dire ? Pierre, cette fois-ci, s'impatientait vraiment.

— Dès que la nouvelle du changement a été connue, le préfet a semblé désemparé. À part l'annonce du départ de Dioclétien et de l'arrivée de Galère au pouvoir, le messager ne lui a pas transmis d'instructions précises. Le préfet a confié à ses intimes qu'il ne savait pas encore quelles étaient les intentions profondes des nouveaux maîtres de l'Empire. Et par mesure de précaution, en attendant de recevoir des instructions précises, il a donné ordre que seules les affaires courantes de la colonie soient expédiées.

— Ce qui veut dire ?… demanda Achillas.

— Ce qui veut dire que, dès le lendemain, les exécutions de nos frères ont cessé.

Une énorme clameur accueillit ces mots.

— Oui, reprit Hesychius avec exultation, les exécutions ont cessé. Cela fait plusieurs jours qu'aucun chrétien n'a été martyrisé. La ville est en état de choc. Tout le monde attend… Pas tous, d'ailleurs, car certains geôliers ont entrouvert les portes des prisons. Ils prennent ainsi des gages sur l'avenir, au cas où les chrétiens retrouveraient leur place dans la cité. Certains frères qui avaient disparu depuis plusieurs semaines, sinon quelques mois, ont soudain reparu chez eux. Le préfet se terre dans son palais.

Plus personne n'écoutait le diacre. Les réfugiés pleuraient, tombaient dans les bras les uns des autres, s'embrassaient. Quand la première émotion fut passée, Pierre prit la parole :

— Il est clair que les nouvelles que nous recevons aujourd'hui signifient un profond changement dans l'Empire et en Égypte. Ma place n'est plus ici. Je dois retourner auprès de mes frères d'Alexandrie pour les guider dans cette nouvelle étape, comme je les ai guidés dans la tourmente.

Puis, se tournant vers Sarguayos et Achillas, il leur dit :

— Nous repartons demain matin à l'aube. Dans trois jours, nous serons à Alexandrie. Pour vous, mes frères, dit-il en se tournant vers la foule, il vous reste à décider si vous souhaitez revenir dans vos foyers. Je vous prierai cependant de ne pas retourner en masse, car cela pourrait sembler une provocation aux autorités ou encore aux sectateurs des faux dieux qui ne verraient pas d'un bon œil l'arrêt de la persécution.

Le soir même, Marcus avait repris un peu de sa vivacité d'antan. Dans leur maisonnette, il parla longuement avec sa femme. Ils décidèrent qu'ils ne resteraient plus chez les solitaires du désert et qu'ils retourneraient prudemment à Alexandrie. Puis, pour la première fois en plusieurs semaines, l'ex-décurion enlaça sa femme, se saisit de sa bouche tandis que ses mains, comme libérées de chaînes invisibles, redécouvraient dans l'exaltation les douces sinuosités, les vallées et les prairies de son corps.

Une semaine plus tard, Paul serrait affectueusement Marcus dans ses bras et bénissait ensuite le jeune couple. Artémisia avait les larmes aux yeux, car elle avait aimé le vieil homme, sa douceur, la transparence de ses yeux, l'enfance de son cœur. Mais dès que le petit village disparut derrière une dune de sable, elle se tourna vers son mari et lui dit : « Alexandrie ! Enfin, Alexandrie ! »

CHAPITRE DIX

Artémisia se sentait pleine d'allégresse. Elle regardait la mer avec avidité, comme si elle craignait de ne plus jamais la revoir. Elle était debout devant l'immensité bleue, la taille cambrée, le visage levé, les narines frémissantes, humant les effluves marins, se grisant de la brise qui soufflait du large, d'abord bercée puis bientôt hypnotisée par l'incessant écroulement des vagues sur la plage.

Debout derrière sa maîtresse, Isidora riait de sa joie presque enfantine. Artémisia semblait insatiable et tendait tout son corps vers la mer; on eût dit qu'elle s'apprêtait à y plonger afin d'étancher une soif ardente.

Elles étaient parties dans l'après-midi, comme tous les jours depuis une semaine, pour une longue promenade. Elles remontaient lentement l'Heptastade, au milieu de la cohue des promeneurs, des marchands ambulants, des acrobates et des montreurs d'ours et de singes. Les bêtes, faméliques, droguées, pelées, tendaient vers les passants de vieilles sébiles et des regards vides.

Arrivées à Pharos, les deux jeunes femmes faisaient lentement le tour de l'île, s'arrêtant devant la tour pour admirer inlassablement son élan gracieux malgré sa base massive, son sommet qui se perdait dans la vibration lumineuse du ciel et les multiples statues de dieux et de déesses qui l'ornaient aux quatre coins.

Artémisia faisait ensuite un détour pour éviter de passer devant le temple d'Isis, puis poursuivait sa promenade dans les jardins, avant de rebrousser chemin, de traverser rapidement le quartier des palais et, se dirigeant vers l'est, d'atteindre Éleusis-sur-Mer.

La jeune femme aimait ce faubourg vivant et vibrant, où elle se promenait sur la grève pour admirer, en fin d'après-midi, les pêcheurs qui revenaient du large, leurs barques lourdement chargées. Les esclaves, les commères, les commerçants et les taverniers se pressaient autour d'eux pour avoir les meilleures prises, les poissons les plus frais, les clovisses, les huîtres et les moules aux coquillages nacrés et les poulpes aux tentacules encore frémissants.

Artémisia se joignait à la foule, heureuse, avide de cet entassement humain, au milieu des clameurs et des gesticulations, dans la puissante et vivifiante odeur de la mer et du poisson. Puis elle s'éloignait de quelques pas, regardait longtemps le large, incapable de se rassasier de l'incessant frémissement des vagues aux mille teintes changeantes.

Artémisia vivait dans cette euphorie depuis qu'elle était revenue à Alexandrie. En franchissant les portes de l'enceinte, deux ou trois semaines plus tôt, Marcus et elle étaient inquiets : et si les sbires du préfet les attendaient ? La démission de l'Empereur avait-elle vraiment changé la situation ? Pouvaient-ils, sans crainte, s'aventurer dans la ville ?

Macaire, prévenu de leur arrivée, les attendait aux portes de la ville. Il y avait près d'un an qu'ils n'avaient pas vu l'ex-bibliothécaire. Ils tombèrent dans les bras les uns des autres. Marcus se souvenait avec émotion de l'asile qu'il avait trouvé chez son ami, quand sa femme avait été arrêtée et emprisonnée et sa maison mise sous surveillance.

Macaire les tranquillisa bien vite. Cela faisait à peine trois semaines que le messager annonçant la démission de Dioclétien était arrivé à Alexandrie et déjà la situation avait changé de fond en comble. Le préfet s'était terré dans son palais, invisible et silencieux. Les prisons s'étaient vidées des chrétiens qui y attendaient le martyre.

Il est vrai que certains Alexandrins dénonçaient avec virulence cette soudaine mansuétude. Nohotep, le prêtre d'Isis, entraînait d'autres prêtres, notamment ceux du temple de Sérapis, dans cette grogne. Ils se trouvèrent bientôt au cœur d'un groupe hétéroclite de mécontents. En effet, des militaires, des policiers et des fonctionnaires du préfet, qui s'étaient enrichis en deux ans en confisquant à leur profit les maisons et les biens des chrétiens arrêtés, voyaient d'un mauvais œil la tournure des événements.

Ils adressèrent une supplique au préfet, dans laquelle ils arguaient que le départ de Dioclétien ne changeait pas fondamentalement les choses : les sectateurs de Christ, en refusant de sacrifier à l'Empereur, étaient traîtres à l'Empire et non seulement à Dioclétien. D'ailleurs, ils refuseraient de sacrifier à Galère, le nouveau maître. Il fallait donc continuer à les poursuivre vigoureusement.

Le préfet refusa de recevoir leur délégation. Ils comprirent que le fonctionnaire romain, n'ayant reçu aucun ordre formel, craignait d'offenser le nouvel Empereur par excès de zèle et se tenait prudemment dans l'expectative.

Les chrétiens sortaient de leurs cachettes. Ils retournaient, tout d'abord prudemment, puis ouvertement, chez eux. Et déjà des contestations éclataient entre certains proscrits et ceux qui avaient profité de leur absence pour occuper leurs maisons — souvent les policiers même dont la surveillance les avait suffisamment inquiétés pour qu'ils quittassent leurs logis.

Marcus et Artémisia revinrent chez eux. Personne n'habitait leur maison, mais elle avait été pillée. Des voisins les informèrent que, quelques jours après l'arrestation d'Artémisia, des malfrats étaient venus la nuit pour la vider de son contenu. Ils étaient masqués et on n'avait donc pas pu les reconnaître, mais un voisin plus éveillé que les autres avait vu luire des glaives et entendu le cliquetis de cottes cachées sous les tuniques qui les déguisaient.

Les deux jeunes gens étaient trop heureux de retourner chez eux pour se lamenter outre mesure sur la perte de leurs quelques biens. Avec l'aide de leurs amis et de chrétiens charitables, ils remplacèrent bien vite leur lit et purent se procurer une table, quelques chaises et quelques coffres.

Ils retrouvèrent avec soulagement et bonheur Isidora et Nikânor. Les deux esclaves n'avaient pas été inquiétés par la police et avaient attendu le retour de leurs maîtres chez Macaire. Isidora recommença à brosser longuement les cheveux de sa maîtresse et à l'accompagner dans ses promenades, tandis que le géant aux cheveux crêpelés suivait son maître comme son ombre.

Quelques jours après leur arrivée, Domitius, le décurion qui avait aidé Marcus à délivrer sa femme de la prison du préfet, réunit chez lui tous leurs amis pour célébrer leur retour. Ce fut une soirée gaie et chaleureuse. Il y avait là Flavius, le centurion chrétien qui n'avait pas quitté Alexandrie, Macaire le bibliothécaire, Iacov le juif et le Grec Apollonius.

Flavius vint avec une jeune femme qu'il leur présenta. Elle s'appelait Thaïs. C'était la fille d'un presbytre du faubourg de Neapolis. Pendant la persécution, Flavius l'avait connue au cours des nuits de prière dans des cachettes. Il en était tombé amoureux et allait l'épouser.

Elle était de l'âge d'Artémisia et, toute égyptienne qu'elle fût, avait de longs cheveux soyeux et des yeux pers. Artémisia l'aima au premier coup d'œil et se promit d'en faire son amie.

Marcus avait également insisté pour qu'on invitât Tothès, le légionnaire égyptien qui avait joué un rôle essentiel dans la fuite d'Artémisia. Le militaire était intimidé et passa la soirée dans un coin de la pièce.

Apollonius était comme d'habitude beau et rayonnant. Quand il pénétra dans la pièce, Artémisia admira encore une fois l'élégance du jeune homme, son sourire narquois, la souplesse un peu féline avec laquelle il se déplaçait. Il étreignit Marcus, qui l'accueillit avec de vives démonstrations, puis, quand il se pencha sur Artémisia pour l'entourer de ses bras et l'embrasser, elle frémit imperceptiblement.

Artémisia avait aussi retrouvé avec émotion et tendresse sa famille. Sa première visite avait été pour Damiana. Elle avait en effet appris la violente réaction de celle-ci à l'annonce de son arrestation. Elle en avait été touchée.

Elle serra longuement sa sœur aînée dans ses bras et s'exclama devant ses petits neveux, qui avaient tellement grandi en quelques mois.

Damiana avait beaucoup prié pendant l'exil de sa sœur au désert. La fuite de prison d'Artémisia lui avait semblé un signe du ciel. Maintenant, sa foi chrétienne était solide et sereine.

Les deux jeunes femmes allèrent visiter leurs parents. Pâapis avait beaucoup vieilli. Il s'était voûté et ses cheveux avaient blanchi. Il parla peu et ne dit pas un mot de la conversion de ses filles ni de la longue absence de sa cadette. Artémisia en eut les larmes aux yeux : elle avait le sentiment que son père était un homme brisé.

Sa mère la serra longuement dans ses bras. Quand elles la quittèrent, Damiana apprit à sa sœur que sa mère posait de plus en plus de questions sur la nouvelle foi que ses filles avaient embrassée. Elle pressentait que sa mère ne tarderait pas à demander le baptême, mais qu'elle hésitait, par fidélité à son mari.

D'ailleurs, même s'il était encore officiellement le grand prêtre d'Isis, Pâapis n'avait plus le cœur à la tâche. Il continuait à présider les cérémonies du culte, mais lâchait la bride à son adjoint Nohotep pour ce qui était de l'administration du temple. Le jeune prêtre était partout, ravivait la ferveur des amants de la Déesse, visitait les prêtres des autres temples, écrivait de longues missives et recevait des délégations de fidèles venus des quatre coins de l'Empire.

Artémisia s'étourdissait à Alexandrie. Elle se demandait maintenant comment elle avait pu vivre si longtemps dans le désert de Scété. Ces quelques mois semblaient se dissoudre dans son souvenir en un long et monotone flamboiement lumineux.

Elle s'était exilée au désert à cause de sa nouvelle foi et elle continuait de prier Christ avec ferveur. Mais elle savait, tout au fond d'elle-même, qu'elle avait supporté les longues nuits froides et les terribles journées brûlantes, cette immobilité du temps et de la nature dans un décor implacable, à cause de son amour pour Marcus.

Et maintenant, ici à Alexandrie, voici que cet amour s'épanouissait de nouveau, somptueux et doux, après les derniers mois passés au désert, quand elle avait cru un moment que la source s'en était tarie. Marcus, en effet, était revenu à sa femme avec jubilation et allégresse.

Il est vrai que, pendant de longues heures dans la journée, il rencontrait de nouveau Pierre et ses amis chrétiens. L'évêque voulait rassembler de nouveau la communauté, dispersée et affaiblie par la persécution, et il comptait pour cela sur une douzaine de presbytres et de fidèles, dont faisait partie Marcus. L'ex-décurion sillonnait ainsi la ville, allant d'une église à l'autre, d'un quartier à l'autre, rencontrant les chefs de la communauté, s'enquérant des besoins et distribuant de l'aide aux familles qui avaient perdu des membres pendant la persécution — surtout quand il s'agissait du père de famille et que la veuve et les orphelins en étaient réduits à mendier.

Mais le soir Marcus retrouvait Artémisia avec bonheur. Il lui parlait longuement de sa journée, décrivait ses rencontres et lui demandait de lui raconter ses longues déambulations dans Alexandrie, souriant avec tendresse quand la jeune femme, s'exaltant, évoquait la mer, le port, les pêcheurs, les belles demeures de marbre et les petites tavernes enfumées et chaleureuses, les toilettes des belles et les lazzis des jeunes hommes.

Puis Marcus l'emportait sur sa couche. La jeune femme frémissait profondément quand il se penchait sur sa bouche. Le rituel qu'elle aimait tant commençait : Marcus l'embrassait longuement, puis effleurait doucement tout son corps de ses lèvres qui voltigeaient d'un mamelon à l'autre jusqu'à la faire gémir, puis reprenait de ses mains et de ses lèvres la douce, la longue, la lente exploration qui lui cambrait les reins et lui brûlait le corps, jusqu'à ce qu'enfin elle s'agrippe à ses épaules, l'attire vers elle, en elle, jusqu'à la montée aiguë du vertige.

Artémisia était maintenant heureuse : le cauchemar de la persécution s'estompait. Au bout de quelques semaines, elle commença cependant à se lasser de ses promenades quotidiennes avec Isidora, de ses visites à Damiana et à ses parents. Elle savait que Marcus l'aimait, mais il était souvent absent. Elle recommença à s'ennuyer.

Un soir, elle demanda à Marcus si elle pouvait inviter leurs amis à un banquet. L'ex-décurion acquiesça, tout en lui demandant de ménager les dépenses, car il avait perdu sa solde de l'armée. Il était vrai que l'évêque lui versait régulièrement une petite somme à même les fonds de la communauté pour le travail qu'il faisait pour l'assister et que la sœur d'Artémisia et sa mère leur donnaient aussi de temps en temps quelques sesterces, mais il fallait pourtant être économe.

Artémisia promit et se mit au travail avec entrain. Elle emprunta quelques lits de table et une belle nappe, acheta du vin de Chio et cuisina avec Isidora pendant toute la matinée du jour de la réception.

Le soir, tous leurs amis étaient là. Les jeunes gens étaient gais et détendus. Flavius leur annonça qu'il allait se marier dans trois semaines avec Thaïs. Des cris de joie accueillirent l'annonce ; Thaïs rougit un peu et Artémisia l'embrassa longuement.

On demanda du vin ; Nikânor, qui faisait le service, vint avec une cruche et des coupes. On but à la santé des amoureux et Apollonius fit une allusion un peu grivoise. Thaïs rougit un peu plus et même le grave Flavius sourit.

On avait dressé la table au milieu de la pièce principale. Les invités se couchèrent sur les lits et Nikânor commença à les servir, des viandes, des poissons et du gibier.

Artémisia était à un bout de la table, avec Thaïs à ses côtés. Tout en bavardant avec la jeune fille, elle ne manquait aucune des saillies de la conversation des hommes. Elle nota aussi que Iacov le juif refusait certaines viandes.

Artémisia avait bien fait les choses ; la nourriture était bonne et abondante et Nikânor, qui obéissait à un imperceptible mouvement de tête de la maîtresse, ne cessait de remplir les coupes. Les hommes riaient de plus en plus fort. Les militaires, anciens ou actifs, racontaient leurs prouesses ; Iacov souriait discrètement et parlait fort peu ; Apollonius était, comme d'habitude, le plus volubile.

Il racontait d'invraisemblables histoires sur les bas-fonds d'Alexandrie et fit quelques allusions à ses courtisanes et à ses hétaïres. Il connaissait aussi tous les rouages du commerce alexandrin et évoquait en connaisseur les vins d'Europe, les esclaves, les ivoires et les plumes d'autruche d'Afrique, les épices des Indes et les soies de Chine qui passaient par le grand port.

Quelquefois, l'un ou l'autre levait sa coupe à la santé des convives. Vers la fin du repas, le bruit des conversations et des rires, le choc des cuillères contre les plats créaient un vacarme presque insupportable. Apollonius se leva de son lit, sa coupe à la main. Ils se turent : « Je lève ma coupe, dit-il, à la santé de notre hôte qui a su faire montre d'une si généreuse hospitalité. » Ce disant, il fixait Artémisia dans les yeux, un sourire moqueur lui retroussant le coin des lèvres et découvrant une denture un peu carnassière. La jeune femme frissonna. Puis elle se souleva légèrement et se tourna vers son mari : Marcus avait-il remarqué ce regard ? Le jeune homme riait, tandis que les autres, qui étaient déjà assez gris, criaient : « À Marcus ! Vive Marcus ! »

Après leur départ, Marcus entraîna immédiatement sa femme au lit ; quand il la pénétra, elle cria tout de suite.

☙

Un jour, Domitius, qui voyait Marcus régulièrement, l'emmena au quartier du port. Ils pénétrèrent dans une taverne où des marins phéniciens, maltais et marseillais et des débardeurs égyptiens faisaient un bruit d'enfer, au milieu des jurons et des rires gras. Les deux jeunes gens buvaient de la bière tout en grignotant des éperlans frits. Ils étaient heureux de se retrouver ensemble, au coude à coude, dans cette ambiance chaleureuse et décontractée qui leur rappelait les bivouacs de jadis. Ils évoquèrent les camps d'entraînement, la campagne contre les Cappadociens, les marches harassantes et les plaisanteries de caserne.

Marcus se tourna vers son ami :

— Mon cher Domitius, depuis mon retour à Alexandrie, j'ai cru remarquer que tu m'observes quelquefois à la dérobée. Il y a, dans ton regard, je ne sais quoi qui m'intrigue…

Domitius éclata de rire.

— Eh bien, Marcus, tu n'as pas perdu ton coup d'œil de militaire ! Ceci dit, c'est bien plutôt toi qui m'intrigues.

— Comment cela ?

— Voilà… Pour tout te dire, je ne te comprends pas.

— Tu ne comprends pas quoi ?

— Tu sais bien que, depuis le début, je me suis étonné de te voir entrer dans la secte des disciples de ce juif, ce Christos. J'avais bien raison, puisque tu as dû quitter l'armée, puis te cacher dans cet endroit épouvantable que tu nous décrivais l'autre jour.

— Mon cher Domitius, tu n'ignores pas que je me suis réfugié au désert parce que l'Empereur nous rejetait et nous persécutait… Et pourtant, nous sommes inoffensifs.

— Inoffensifs ? Allons, allons, Marcus, ne joue pas le naïf avec moi, nous sommes de trop bons amis pour cela.

— Là, vraiment, c'est moi qui ne te comprends plus. Prétendrais-tu que nous représentons un danger pour l'Empereur ou pour l'Empire ? Peux-tu me citer un seul cas de révolte, une seule tentative de rébellion de la part des chrétiens ?

Domitius regardait son ami avec étonnement. Au bout d'un moment de silence, il lui répondit.

— Marcus, tu sais que Dioclétien a divisé le pouvoir dans l'Empire, tout d'abord entre deux Augustes, puis il leur a adjoint deux Césars. Il y a maintenant quatre chefs dans l'Empire, même si Galère est le seul qui porte le titre d'empereur. T'es-tu demandé pourquoi Dioclétien a fait cela ?

— Eh bien… parce que l'Empire est vaste, il est difficile à gouverner…

— Cela est vrai, et Dioclétien a bien compris que, de Rome ou de Nicomédie, il ne pouvait pas s'occuper efficacement de l'Égypte ou de la Numidie[1]. Mais quelque chose de bien plus impératif l'a poussé.

— Quoi donc ?

— Eh bien, c'est la poussée des Barbares. Les Barbares sont partout aux portes de l'Empire, tu ne l'ignores pas. Pour mieux leur résister, il a fallu raccourcir les distances entre les frontières et les centres de commandement.

1- Une partie de l'actuelle Algérie.

Les Barbares peuvent nous envahir d'un moment à l'autre, et Dioclétien a délégué une partie de son pouvoir pour mieux résister aux Goths, aux Alamans, aux Francs, aux Perses.

— Tu as bien raison, Domitius, dit Marcus, l'ombre d'un sourire sur les lèvres, et tu n'es pas le premier qui m'ait expliqué cela. Mais en quoi cela concerne-t-il ma… conversion à la foi chrétienne ?

— C'est que les Barbares ne sont pas seulement aux portes de l'Empire, répondit brutalement Domitius. Ils sont déjà dans l'Empire. Les Barbares de l'intérieur, c'est vous, les chrétiens.

— Tu n'exagères pas un peu, Domitius ? Dis-moi donc ce que nous sommes en train de détruire, nous, les Barbares de l'intérieur, répondit Marcus, un frémissement sarcastique dans la voix.

Domitius sembla soudain fatigué et attristé. Il prit son temps avant de répondre à la question de son ami.

— Vous n'avez pas besoin de détruire les murs et les fortifications, Marcus, comme font les Barbares germaniques quand ils s'emparent d'une ville. Il vous suffit de saper l'âme même de l'Empire.

— Mais nous aimons l'Empire, réagit vivement Marcus. Je suis romain de toutes mes fibres. Nous étions nombreux et fidèles dans l'armée.

— Oui, mais vous refusez maintenant de sacrifier à l'Empereur, sous prétexte que votre Seigneur lui est supérieur. Vous plantez ainsi les graines de la discorde dans l'Empire. Tu sais bien, Marcus, que nous dominons et dirigeons le monde depuis des centaines d'années parce que nous sommes unis, nous obéissons à l'Empereur, et rien, dans nos cœurs et dans nos esprits, n'est supérieur à Rome.

— On peut bien aimer Rome, mais ne pas croire en la divinité de l'Empereur.

— Mais c'est cette croyance, quand elle est partagée par tous, qui nous unit, qui est le mortier qui tient ensemble toutes les parties de l'Empire. Et puis, ce n'est pas tout…

— Qu'avons-nous encore fait ? demanda Marcus en tâchant de mettre une note de légèreté dans sa voix.

— Ce que vous croyez est également une flèche dirigée contre le cœur, l'essence même de Rome.

— Ce que nous croyons ?

— Oui, ce que vous croyez et prêchez, ce que vous pratiquez aussi d'ailleurs. Quand vous dites que l'esclave est l'égal de son maître aux yeux de votre prophète juif, vous sapez les fondements de l'Empire. Quand vous

dites que votre Christos aimait la compagnie des femmes et qu'elles le suivaient partout, vous critiquez indirectement nos mères et nos épouses, qui
doivent rester dans nos foyers pour s'occuper de nos guerriers et élever nos
enfants… Il y a plus grave.

— Plus grave? Décidément, nous avons atteint le fond de la turpitude.

Domitius balaya du revers de la main la tentative de plaisanterie de son
ami.

— Au fond, quand vous dites, comme tu me l'as répété toi-même cent
fois, que votre prophète aimait les pauvres, les doux, les miséreux, les mendiants et les étrangers, vous faites l'éloge d'une société de faibles et de veules,
c'est-à-dire le contraire même de la société romaine.

— Là, s'insurgea Marcus, tu vas trop loin, Domitius. On peut bien
aimer son voisin sans être mièvre, s'avachir dans la mollesse ou être faible
d'esprit et de volonté. On peut prendre soin des faibles, comme tu dis, tout
en étant fort.

— C'est là que tu te trompes, rétorqua vivement Domitius. Rome, depuis
mille ans, a conquis le monde parce qu'elle a éliminé sans pitié les faibles, les
hésitants, les médiocres. Penses-tu que nous aurions pu triompher de Carthage
si nous avions eu pitié des Carthaginois? Il faut arracher et détruire, arracher
sans arrêt et sans pitié les branches mortes, les racines faibles, les fruits mous
de l'arbre romain, pour qu'il continue de croître et de grandir.

— Et pourtant, ces racines faibles et ces fruits mous portent un nom,
ont un visage. C'est peut-être ton père ou le mien, ton ami, ton camarade
de caserne, ton voisin de quartier.

Domitius ignora la répartie de Marcus. Il semblait maintenant réfléchir
à haute voix, comme s'il était tout seul.

— Non, je suis convaincu que Rome et ton prophète juif ne peuvent
coexister. Je sens, je sais que si vous triomphez, vous, les chrétiens, c'en sera
fini de Rome et de l'Empire. Les Barbares auront triomphé…

Marcus se tut. Au bout d'un long silence, Domitius se secoua.

— Allons, mon cher Marcus, nous avons eu une bonne discussion virile,
mais tu sais bien que cela ne portera jamais ombrage à mon amitié pour toi.

Il se tut un instant.

— Tu sais, n'est-ce pas, que je t'aime bien!

∽

Artémisia se rendait maintenant compte qu'elle n'était pas la seule à vouloir vivre avec intensité. Les Alexandrins chrétiens avaient ployé pendant
deux ans sous la chape de terreur, de suspicion et de violence qu'avait fait

régner la persécution déclenchée par Dioclétien. Leurs voisins égyptiens, grecs, juifs ou romains avaient vu le commerce péricliter, les relations de voisinage se déliter. Les espions et les policiers avaient tenu le haut du pavé, et le rituel quasi quotidien des tortures et des exécutions avait fini par blaser même les plus assoiffés de sang.

Maintenant que le régime semblait hésiter et chercher sa voie, tous les Alexandrins, réunis dans la même ardeur, voulaient retrouver l'allégresse un peu gouailleuse, l'espèce d'ivresse légère qui faisait la réputation de leur ville.

La Bibliothèque retrouva ses copistes et ses lecteurs ; au Musée, des rhéteurs et des philosophes recommencèrent à palabrer entre eux ; le Gymnase se remplit d'athlètes et les thermes retentirent de nouveau de rires, de plaisanteries grasses, de confidences chuchotées, tandis que, dans l'épaisse vapeur et la chaleur moite, des silhouettes se frôlaient furtivement.

On vit, le soir venu, apparaître de nouveau au coin des rues des femmes fardées, portant des tuniques souples et les yeux peints au charbon noir, à qui les agents du fisc avaient délivré des permis d'une seule journée les autorisant contre taxe et redevance à « coucher avec qui vous voulez pour la journée en cours ».

Les barques qui traversaient le lac pour se rendre à Canope devenaient chaque soir plus nombreuses. À leur bord, des bourgeois tout excités riaient à haute voix, dans l'attente des plaisirs que la ville voisine leur réservait, tandis que l'eau clapotait contre la coque au rythme des rameurs.

Les temples de toutes les religions faisaient des affaires d'or ; la pusillanimité soudaine du préfet imposait une trêve à la lutte que se livraient les adeptes des différents dieux de la ville, mais pas à leur ardeur. Les prêtres d'Isis et de Sérapis, les adorateurs de Zeus Ammon et de Jupiter Alexandrin, de Thot et de Harpocrate, les initiés de Mithra, les juifs du quartier Delta, tous rivalisaient de ferveur dans les temples et les synagogues.

Les chrétiens n'étaient pas en reste. Ils restaient discrets, car la blessure de la persécution était encore béante et leurs craintes vives, mais ils se réunissaient le jour du Seigneur dans leurs maisons ou dans les églises qu'ils reconstruisaient. Et dans ces réunions, ils pleuraient leurs martyrs et louaient Dieu d'avoir enfin suspendu le glaive sanglant de l'Empereur.

L'été s'avançait. Au milieu des clameurs des marchands, des plaisanteries des hommes et des rebuffades des commères, du bruit incessant des chariots et des cavaliers qui encombraient ses rues, des jurons des piétons qu'éclaboussait le contenu des vases de nuit que l'on vidait des étages supérieurs, la ville superbe, celle que ses habitants disaient être la première du monde, s'étendait devant la vaste mer, repue de plaisirs et de soleil.

❧

Un matin, un jeune garçon vint frapper à la porte de Marcus. Il lui annonça que Pierre le convoquait le soir même à une réunion importante. L'enfant était le fils d'un martyr ; sa mère et lui vivaient des aumônes de l'évêque, et Pierre l'aimait tendrement.

Le soir venu, Marcus retrouva dans une maison amie le groupe habituel des conseillers de l'évêque. Ils se saluèrent avec affection : l'épreuve qu'ils avaient traversée avait créé entre eux des liens indissolubles. Pierre prit la parole.

— Mes enfants, je vous ai réunis ce soir car nous avons des décisions importantes à prendre. Pendant quelque deux ans, nous avons été occupés à survivre, à nous cacher pour tenter d'échapper aux soldats du préfet, ou alors à relever la tête et à témoigner de notre foi au Seigneur, en Christ Jésus, si l'on nous arrêtait. Cependant, cela fait déjà quelques mois que le sang de nos frères et de nos sœurs a cessé de couler, et il est temps de tourner la page du passé et de regarder vers l'avenir.

— Tourner la page du passé ? C'était Sarguayos, le vieux presbytre du Broucheion qui parlait de sa voix basse, caverneuse, intense et, comme chaque fois qu'il se trouvait en sa présence, Marcus frissonnait devant ses yeux brillants, son regard fiévreux. Tourner la page du passé ? Nous ne le pouvons, Papa Pierre, sans régler tout d'abord certaines questions, liquider des séquelles, retrouver notre pureté…

— Des questions ? Des séquelles ? De quoi donc s'agit-il ? demanda Achillas, le presbytre du Megas Limèn.

— Nous le savons tous, reprit Sarguayos. Dieu nous a envoyé une épreuve, la plus terrible, la plus sanglante depuis le martyre de notre père Marc dans notre ville et la persécution déclenchée contre nous, il y a déjà soixante ans, par l'empereur Dèce. Or, certains de nos fidèles ont témoigné avec courage, avec joie, et sont allés au martyre en chantant les louanges de Dieu. D'autres, hélas ! ont reculé devant l'épreuve. Il faut effacer cette tache…

— Effacer cette tache ? Que veux-tu dire, Sarguayos ? demanda Achillas.

— Je n'ai pas besoin de vous mentionner ce que nous savons tous. Il y a eu les apostats, qui ont renié Christ. Mais il y a eu aussi les traditeurs, ceux qui ont livré aux autorités nos vases et nos livres sacrés…

— Sarguayos a raison, l'interrompit Pierre. Il y a eu, ces deux dernières années, certains dont la foi et le courage ont vacillé. Il ne sert à rien de se le cacher, et notre frère nous rappelle que notre Église ne peut grandir si elle n'examine pas ses fautes et ne rachète pas ses faiblesses.

— Il faudrait, poursuivit le presbytre du Broucheion, établir, dans chaque quartier, des listes de pécheurs. On envisagera alors d'excommunier…

— Des listes? Excommunier? s'exclama vivement Achillas. Voulons-nous vraiment punir si terriblement ceux qui n'ont pu résister à la torture? Punir, au moment même où cessent les souffrances que nous infligeaient l'Empereur et ses agents? Punir comment? Exclure de l'Église, quand toute la communauté a subi l'ostracisme de la cité? Voulons-nous vraiment, reprit-il d'une voix forte, quasi désespérée, punir nos frères, ajouter aux malheurs d'hier la division d'aujourd'hui?

Il y eut un long moment de silence. Tous regardaient Pierre, qui avait baissé la tête. L'évêque se redressa enfin. Il avait l'air fatigué.

— Je vous l'ai dit, nous ne pouvons ignorer ce qui s'est passé. Mais nous ne devons pas non plus briser encore plus la communauté, lui infliger d'autres épreuves que celles qu'elle a déjà vécues. D'ailleurs, Notre Seigneur n'a-t-il pas dit que ceux qui sont sans faute lancent la première pierre à ceux qui ont péché?

— Le péché contre les hommes n'est pas de même nature que le péché contre Dieu, reprit sourdement Sarguayos.

— Il y a donc, reprit l'évêque qui ignora la remarque du vieux presbytre, ceux qui ont renié la foi et ceux qui ont livré les objets et les livres du culte… Le degré de la faute n'est cependant pas le même.

— Il y a aussi, ajouta Sarguayos, ceux ont préféré tourner le dos et se cacher.

Marcus se raidit. La tension dans la salle était palpable. Pierre réagit cette fois vivement.

— Notre Seigneur a également dit à ses disciples: « Ne jugez pas les autres, afin que Dieu ne vous juge pas. » Et il leur a dit aussi: « Si, dans une maison ou dans une ville, on refuse de vous accueillir ou de vous écouter, partez de là et secouez la poussière de vos pieds. » Moi aussi, j'ai quitté ma maison pour que les sbires du préfet ne m'arrêtent pas…

Le ton de l'évêque était incisif. Sarguayos se tut. Pierre reprit:

— Nous savons tous ce qui s'est passé. Certains de nos frères se sont montrés habiles, quelquefois trop habiles. Ils ont feint l'épilepsie et n'ont pas comparu devant leurs juges. D'autres se sont contentés d'une promesse écrite de sacrifier devant les idoles.

— D'autres encore ont payé des idolâtres pour sacrifier à leur place, ou ont envoyé leurs esclaves, dit Hesychius. C'était le Grec qui était allé chez les ermites de Scété pour annoncer aux chrétiens réfugiés dans le désert la démission de Dioclétien.

— Tu as raison, Hesychius, reprit l'évêque. Bref, il nous faudra juger chaque cas séparément. Nous ne pouvons condamner en bloc, sans connaître les circonstances particulières de chacun.

— Nous ne pouvons quand même pas envisager leur rejet ou leur exil, dit Flavius, l'ex-centurion, qui faisait partie du cercle étroit de Pierre. Nous venons tous de sortir de ce malheur, où la mort ou l'exil étaient le lot qui nous menaçait tous…

— Qui parle de mort, de rejet ou d'exil? reprit l'évêque d'une voix ferme. Il faudra tout d'abord s'assurer de la sincère contrition des apostats. Dans les cas les plus graves, ils devront confesser leur faute devant la communauté.

— Ce n'est guère suffisant, dit Sarguayos.

— Et c'est bien pourquoi ce ne sera pas tout, reprit Pierre avec l'ombre d'un sourire. Nous allons tarifer les fautes et les pénitences d'après le degré de culpabilité.

— Tarifer? dit Marcus. Tarifer quoi? Comment?

— Voilà ce que je vous propose, dit l'évêque d'une voix décidée. Plusieurs milliers des nôtres sont morts. Cela veut dire plusieurs milliers de maris ou de femmes, de pères ou de mères, de fils ou de filles. Les familles sont disloquées, les veuves et les orphelins sont nombreux et vivent dans la misère. Je demanderai aux apostats qui se repentiront de prendre sous leur protection une des familles de martyrs, d'assurer sa subsistance, de protéger les enfants, de chercher pour les veuves un mari…

Il y eut, chez les huit hommes rassemblés là, un soupir de soulagement. Pour la première fois depuis qu'ils s'étaient réunis, Marcus les vit sourire et se détendre. Macaire le bibliothécaire, qui était toujours du cénacle, fit observer:

— Mais, Papa Pierre, ils ne sont pas tous riches.

— Et c'est bien pourquoi j'ai dit que nous allions tarifer les pénitences. Non seulement en fonction de la gravité de la faute, mais aussi des moyens du fautif. D'ailleurs, qui dit pénitence dit aussi contrainte. Il faut que nos frères qui ont apostasié regrettent leur faiblesse devant le Seigneur et en portent les conséquences dans leur vie. Le partage de leurs richesses, petites ou grandes, leur rappellera, dans leur chair et dans leur vie quotidienne, la gravité de leur péché.

— D'ailleurs, reprit Achillas, même parmi les apostats, tous ne se sont pas montrés aussi malins. Nombreux sont ceux qui se sont laissés tout d'abord arrêter et ont proclamé haut et fort, devant les agents du préfet, leur foi en Christ. Ils ont alors été torturés et nous connaissons la sauvagerie des souffrances qu'on leur a infligées. Certains n'ont pu résister à la douleur, et c'est alors qu'ils ont apostasié. Faut-il pour autant les condamner à l'égal des habiles?

— Tu as bien raison de souligner ces cas, répondit l'évêque. C'est pourquoi j'ai dit qu'il fallait juger chaque cas à l'aune de la gravité de la faute.

— Il n'y a pas eu que les apostats, dit Sarguayos, il y a eu aussi les traditeurs.

— Ces gens qui ont pris peur et ont livré nos vases sacrés et les rouleaux des livres où Matthieu et Marc et Luc et Jean nous ont raconté la vie de Jésus portent une lourde responsabilité, dit Hesychius. N'auraient-ils pas pu les cacher?

— Certains les ont cachés, dit Pierre, mais tu as raison, Hesychius, la responsabilité de ces traditeurs est grande. Il faudra aussi leur demander de faire pénitence et de contribuer à panser les plaies de la communauté.

Le rappel de ce qui avait été pure lâcheté de la part de certains traditeurs rembrunit le groupe. Un silence s'établit. Marcus le rompit:

— Nous nous sommes attardés à discuter des fautes et des faiblesses de certains. Papa Pierre avait bien raison: nous ne pouvons regarder vers l'avenir sans assumer le passé. Mais le passé n'est pas fait que d'ombres. Ces erreurs et ces manquements sont infimes devant le courage de nos martyrs. Et ils ont été légion.

— Tu as bien raison, Marcus, dit Achillas. Rien que dans mon coin de la ville, les disciples de Jésus ont versé leur sang par centaines. Basilide, Carpocrate, Valentin, Shenouté… Autant de diacres qui sont morts pour leur foi, souvent même avec leurs épouses et leurs enfants.

— Dans tous les quartiers, dans tous les faubourgs, la liste de nos martyrs est longue, dit Pierre. Et mes frères les évêques d'Arsinoé, d'Oxyrhynchos et de Coptos[2] m'ont écrit pour me dire que, partout dans la Vallée, nos frères n'ont pas été avares de leur sang. Non, vraiment, l'Église d'Égypte n'a pas vacillé dans son attachement au Seigneur.

— Depuis sa naissance, il y a déjà bien longtemps, nous n'avons jamais été aussi fidèles, dit Hesychius, nous n'avons jamais souffert autant.

— Dans quelle année du Seigneur sommes-nous donc? demanda timidement le huitième membre du groupe, qui n'avait pas encore parlé.

Marcus le connaissait un peu. Il s'appelait Paphnuce. C'était un tout jeune homme qui rougissait beaucoup quand on lui parlait. On aurait dit qu'il sortait à peine de l'enfance. Pierre venait pourtant de le nommer presbytre de Rhakôtis, l'important quartier peuplé surtout d'Égyptiens. Il y succédait à Pacôme, que Marcus avait bien connu et qui avait donné sa vie pendant la persécution.

2- Ville entre Louxor et Denderah, en Haute-Égypte.

Marcus s'était demandé pourquoi l'évêque confiait à un homme si jeune une telle responsabilité. Il s'était renseigné et avait appris que Paphnuce, fils d'une grande famille d'administrateurs, n'avait pas hésité à payer de sa personne pendant les années terribles. Il avait donné asile à plusieurs familles chez lui et servi de courrier à l'évêque, tout en ne se cachant jamais. Il avait affirmé sa foi tranquillement, et c'était miracle que les agents du préfet ne l'aient jamais arrêté. Son dévouement, son énergie avaient convaincu l'évêque de le nommer à la place de Pacôme, malgré son jeune âge.

— Nous sommes en l'an 305 du Seigneur, dit Sarguayos. Et cela fait déjà plus de deux cent cinquante ans que la graine de la foi a été semée à Alexandrie et que la vigne du Seigneur grandit partout dans la vallée du Nil.

— Partout dans l'Empire, reprit timidement Paphnuce, partout donc on célèbre aujourd'hui la trois cent cinquième année depuis la naissance de Notre Seigneur. Nous devons, en Égypte, nous unir de cœur et de sentiment avec nos frères de Rome, de Sicile, de Grèce ou d'Asie pour maintenir et célébrer ce calendrier. Je me demande cependant…

Il se tut, une hésitation dans la voix. Tous se tournèrent vers lui avec curiosité.

— N'aie crainte, Paphnuce, lui dit l'évêque, et confie-nous le fond de ta pensée.

— Vous avez dit, mes frères, reprit le jeune presbytre, que l'épreuve que nous avons vécue est à nulle autre pareille. Et vous avez raison. L'Église d'Égypte est née quand Marc l'évangéliste nous a parlé de Jésus. Je crois cependant qu'elle vient de subir son vrai baptême, au cours des deux dernières années. Un baptême de sang et de larmes, mais qui la fera grandir…

Il se tut de nouveau. Le silence se prolongeait. Tous méditaient les paroles du jeune homme. Marcus finit par prendre la parole. Il avait la voix émue :

— Tu as raison, Paphnuce. Cette persécution, que nous avons vécue dans notre chair comme une blessure béante, est sûrement aussi une aube nouvelle, un commencement pour notre Église. Je ne vois cependant pas pourquoi tu nous as parlé, tantôt, de l'année du Seigneur…

— Tu l'as dit toi-même, répondit immédiatement Paphnuce : cette persécution est pour nous une aube nouvelle… Notre vraie vie de chrétiens d'Égypte commence aujourd'hui. Ces années terribles ont été celles où nous avons accueilli et accepté le Seigneur par notre baptême de sang.

Les sept autres hommes écoutaient, stupéfaits, le jeune presbytre plaider avec passion. Marcus et Pierre avaient compris où il voulait en venir. D'autres hochaient la tête. L'évêque lui demanda :

— Que proposes-tu donc, Paphnuce ?

— Je propose que nous continuions à célébrer, avec nos frères du reste de l'Empire, l'ère du Seigneur, celle qui commence avec l'année de sa venue au monde. Mais je souhaiterais que nous gardions toujours, dans notre mémoire vive, ce moment où nous avons décidé, collectivement, dans le sang et la souffrance, d'accueillir une deuxième fois Christ au milieu de nous. Je propose donc que notre Église compte les années de son existence à partir du début du règne de l'empereur Dioclétien, celui-là même qui a été l'instrument de notre nouvelle naissance.

Les huit hommes discutèrent longuement de la proposition du jeune presbytre. Certains hésitaient à l'accepter. Marcus, qui s'était vite rangé à l'idée, tâcha de les en convaincre. Il sentait aussi qu'elle séduisait l'évêque. Pierre, cependant, ne voulait pas brusquer les choses. La réunion se prolongea tard dans la nuit. Finalement, les huit hommes acceptèrent d'adopter, pour l'Église d'Égypte, un nouveau calendrier, une ère nouvelle, qui commencerait la première année du règne de Dioclétien.

— Nous serions donc en quelle année? demanda Hesychius.

— Nous serions aujourd'hui en l'an 21, puisque l'ex-Empereur est monté sur le trône il y a déjà vingt-et-un ans.

— Et… comment allons-nous nommer cette nouvelle ère? demanda Sarguayos.

La réponse fusa sans hésitation. Pierre et Paphnuce parlèrent en même temps, et leurs voix se confondirent :

— Nous l'appellerons l'Ère des Martyrs.

CHAPITRE ONZE

La côte s'éloignait à l'horizon. Marcus, debout à la poupe du navire, fixait à s'en hypnotiser la vapeur brillante qui peu à peu enveloppait Alexandrie dans un voile de lumière tremblante.

Au moment où le navire sortait du Megas Limèn et dépassait la passe du Corbeau, Marcus, malgré son chagrin, malgré les larmes qui lui brouillaient le regard et qu'il tâchait de retenir, n'avait pu s'empêcher d'avoir un mouvement d'orgueil devant la ville qui s'étendait devant lui et qui était devenue sa ville.

Le soleil jouait sur le marbre des édifices qui bordaient la côte; une ceinture blanche et aveuglante entourait les eaux bleu sombre de la baie. Au centre, la tache verte des jardins de Pharos soulignait le chatoiement de la lumière sur le marbre et l'eau.

Les contours de la ville s'estompaient peu à peu dans l'éblouissement du soleil; la côte, plate et sablonneuse, avait vite fait de se confondre avec l'horizon. Seule la tour de Pharos avait continué longtemps à dresser dans le ciel son jaillissement de marbre, noire césure contre l'horizon. Marcus ne l'avait pas lâchée des yeux, jusqu'à ce qu'elle disparaisse à son tour: tant qu'elle était là, elle le liait à Artémisia, dont il croyait entrevoir encore la silhouette, debout sur le quai, la tête recouverte d'un voile blanc levée vers lui.

Marcus avait déjà navigué sur la mer, lorsque sa légion avait voyagé d'Antioche à Alexandrie. Mais le bateau longeait alors la côte. Cette fois-ci, le navire marchand sur lequel il avait embarqué devait traverser la mer des Romains dans toute sa largeur, et il se souvenait avec un vague malaise des histoires de tempêtes soudaines et de naufrages que l'on racontait dans les tavernes du port.

Pourtant, les premiers jours furent calmes. Marcus, bercé par l'incessant et monotone roulis, s'abritant du soleil ardent à l'ombre des voiles gonflées, rêvait toute la journée. Il s'étonnait de son destin qui l'avait amené d'Antioche à Alexandrie; là, il avait trouvé femme, patrie et amis. Depuis la fin de la persécution, il se sentait heureux, malgré la gêne, la pauvreté même dans laquelle il vivait. Le jour, il rebâtissait la communauté avec Pierre, Achillas et les autres. La nuit, ardent, triomphant, amoureux, il retrouvait Artémisia.

Et voilà qu'il devait quitter la ville ; il affrontait des dangers nouveaux ; surtout, il devait se rendre à Rome, la capitale de l'Empire, la ville tentaculaire, pour une mission dont il ne savait pas combien de temps elle durerait.

Le tout avait commencé quelques semaines plus tôt. Le jeune orphelin qui servait de messager à l'évêque était venu le convoquer chez Pierre. Celui-ci lui avait tendu un épais papyrus. « J'ai reçu cette lettre, lui avait-il dit. Veux-tu la lire ? » Marcus, intrigué, avait déroulé le rouleau et lu lentement, à deux reprises, la missive.

De Marcel, presbytre de Rome,
À Pierre, évêque et patriarche d'Alexandrie,
Mon cher Père dans la foi,
Je suis heureux de vous écrire, afin de vous donner des nouvelles de nos frères de Rome, et de vous demander aussi de m'informer du sort de nos frères d'Égypte. Je voulais vous envoyer cette missive depuis longtemps déjà, mais vous n'ignorez rien des troubles qui ont secoué l'Empire au cours des dernières années et qui ont ralenti le commerce entre nos deux villes. Et quand un navire quittait Ostie pour Alexandrie, on ne trouvait guère à son bord de fidèles du Seigneur, car ils étaient partout persécutés et se cachaient partout. Je n'osais donc vous envoyer de lettres par des étrangers.

Maintenant que le persécuteur ne brandit plus son glaive au-dessus de nos têtes, l'un de mes amis, un commerçant, un frère dans le Christ, quitte Rome dans quelques jours. J'ai pleine confiance en lui et je lui ai donc remis cette missive.

Je me souviens encore avec plaisir et me souviendrai toujours avec émotion de ce premier moment où je vous ai rencontré. C'était plusieurs années avant que l'Empereur ne déchaîne contre nous la furie des adorateurs des dieux païens. Notre père Marcellin, évêque de Rome, m'avait demandé, vous vous en souvenez sûrement, de me rendre dans votre belle métropole afin de voir de mes yeux comment la glorieuse et ancienne Église d'Égypte organisait l'adoration du Seigneur et l'aide aux frères.

Vous m'avez reçu les bras ouverts. J'ai passé plusieurs mois dans votre beau pays. Vous m'avez permis de voyager avec certains des frères partout dans la Vallée ; vous m'avez donné des lettres de recommandation pour les évêques du sud. J'ai pu ainsi rencontrer les ascètes qui, partout dans le désert, se retiraient pour mieux jeûner, mieux prier, mieux se rapprocher de Dieu. Et quand je suis revenu à Rome, j'ai longuement parlé à mon père Marcellin de ces athlètes du désert et de la solitude, qui suivent les traces de Jean le Baptiste.

Nous sommes, en Occident, en admiration devant ce bouillonnement de foi et de piété chez vos fidèles. Et quand j'ai parlé à mes frères de Rome de ma rencontre avec Antoine, les larmes me sont venues aux yeux.

Déjà certains des nôtres pensaient vous imiter et se retirer dans les montagnes au nord et à l'est de Rome, dans des cavernes ou des lieux isolés, pour mieux prier et méditer, quand l'Empereur a déclenché contre nous sa persécution.

Vous savez peut-être déjà que notre père Marcellin est mort en la vingtième année de Dioclétien[1]. Hélas, depuis trois ans déjà, l'Église de Rome est sans pasteur. En effet, la persécution nous a empêchés de choisir un successeur à Marcellin. Nous sommes aujourd'hui des orphelins sans père. Et nous avons dû affronter en orphelins la tourmente de la persécution.

Les chrétiens de Rome ont versé abondamment leur sang. La plèbe de la ville s'est unie aux soldats et aux policiers pour nous pourchasser, nous livrer aux bourreaux. Nous avons dû nous réfugier de nouveau, comme il y a déjà deux cents ans, dans les entrailles même de la terre.

Depuis la démission de l'Empereur, les poursuites ont été suspendues. Hélas! les épreuves n'ont pas cessé pour nous. La communauté est divisée: comment doit-on traiter les apostats, ceux qui ont encensé les statues des idoles et de l'Empereur? Des passions se sont déchaînées et nul pasteur, nul père n'est là pour nous guider.

Je n'ai pas voulu vous cacher nos tribulations, même si je sais que votre Église a versé un tribut beaucoup plus lourd que le nôtre. Nous avons en effet appris à Rome que les fonctionnaires d'Alexandrie se sont montrés déterminés et féroces. Des histoires terribles nous sont parvenues. Nous savons que la torture et la mort ont été le lot d'un nombre considérable de nos frères d'Égypte.

Je souhaite que vous nous disiez comment vous avez réussi à rester fidèles au Seigneur. J'ai besoin de savoir si les frères d'Alexandrie ont tous été solides dans la foi ou si certains ont ployé sous le vent de la terreur. Et dans ce cas, comment les avez-vous traités? Avez-vous puni les plus fautifs? Avez-vous pardonné à tous? Avez-vous réussi à éviter la discorde qui semble nous menacer?

Je vous demande, cher père Pierre, de m'éclairer de votre sagesse. Je dois en effet vous avouer, en toute humilité, que mes frères de Rome, dans leur désarroi, se tournent de plus en plus vers moi. Ils savent que j'étais proche de Marcellin. Depuis le retour du calme, les presbytres souhaitent vivement que l'on choisisse un nouveau pasteur.

1- L'an 304 après J.-C.

Ai-je dit le retour au calme ? Dieu fasse qu'il dure encore longtemps. Je ne sais en effet quelle est aujourd'hui la situation à Alexandrie, mais ici à Rome, on entend de nouveau les grondements de la haine. Je sais que les conseillers de l'empereur Galère le poussent à tirer de nouveau le glaive du fourreau et à reprendre, partout dans l'Empire, les persécutions contre nous. En Occident, Maxence, qui nous hait et qui veut remplacer Galère sur le trône impérial, est déjà le vrai maître de Rome. Je me suis enfin laissé dire que le César d'Orient, Maximin Daïa, est rempli d'une haine puissante contre les disciples de Christ. En avez-vous eu des échos à Alexandrie ?

Je vais attendre votre réponse, dans l'espérance. Je me joins aussi à vous tous en prière. Que le Seigneur protège son troupeau !

Votre fils bien-aimé dans la foi,
Marcel, presbytre de Rome

Marcus était resté songeur pendant de longues minutes, après avoir lu la lettre. Puis Pierre lui avait dit :

— Que penses-tu, Marcus, de la missive de Marcel ?

— Eh bien, Papa Pierre, je crois que l'épreuve a été lourde aussi pour nos frères de Rome. Heureusement…

— Heureusement ? Pierre semblait étonné.

— Je voulais dire, s'empressa de préciser Marcus, heureusement que le presbytre Marcel a pensé à vous écrire. Nous avons nous aussi vécu l'épreuve de la discorde, ou du moins des tensions entre les frères. Nous avons prié et longuement discuté et nous sommes parvenus à rétablir l'harmonie dans la communauté. Les pécheurs se sont repentis et aident de leur mieux les pauvres, les veuves et les orphelins. L'apôtre Paul serait heureux s'il vivait au milieu de nous, lui qui n'a cessé d'exhorter les frères de jadis à s'entraider mutuellement.

— Tu as raison, dit l'évêque en souriant. Notre communauté tente, bien imparfaitement, de guérir les blessures que nous a infligées la persécution et notre exemple peut servir à nos frères de Rome.

— Vous allez donc écrire à Marcel ?

Pierre resta longtemps silencieux. Il fixait intensément Marcus. Celui-ci finit par se sentir mal à l'aise.

— Si vous êtes trop occupé, je pourrais écrire la missive, puisque, vous le savez, je connais le latin.

— Non, non, dit Pierre en se secouant, je connais moi aussi le latin et je pourrais écrire à Marcel. Mais j'y ai réfléchi depuis plusieurs jours. Aucune lettre, aussi détaillée qu'elle soit, ne pourra lui dire les souffrances que nous avons vécues après les persécutions, les débats que nous avons eus, les prières et les efforts qu'il nous a fallus pour pardonner, pour guérir, pour rassembler. Non, aucune lettre ne peut dire cela.

— Alors? demanda Marcus, que le ton de l'évêque intriguait.

— Alors? Je crois qu'il nous faut envoyer un frère à Rome. Un messager qui a vécu nos débats de l'intérieur et qui saura les faire revivre à Marcel et à ses fidèles. D'ailleurs, il pourrait faire bien autre chose aussi.

— Quoi donc?

— Marcel nous écrit en toute humilité. Il dit qu'il veut apprendre de nous. Nous aurions bien des choses aussi à apprendre de nos frères romains. Et pas seulement d'eux… Toutes les communautés de frères, en Italie, en Grande Grèce et ailleurs, devraient se concerter. Surtout que Marcel a raison : moi aussi, j'entends des rumeurs sur le César d'Orient, Maximin Daïa. On dit qu'il brûle de reprendre la persécution et qu'il n'attend qu'un signal de l'empereur Galère.

— Mais Maximin est à Antioche… et Antioche est loin d'Alexandrie.

— On dit aussi qu'il rêve de venir s'installer dans notre ville. Il trouve les Égyptiens bien frondeurs. Il veut les réduire et reprendre la province bien en main.

Marcus se tut un moment. Puis il reprit :

— Vous avez raison, Papa Pierre. Nous avons besoin de resserrer les rangs. Un messager à Rome nous instruirait d'autant de choses qu'il en apprendrait à Marcel. Nous connaîtrions aussi le sort de nos autres frères, partout dans l'Empire.

— Je suis heureux de voir que tu te ranges à mon avis, Marcus. Et qui penses-tu que je devrais envoyer à Rome?

— Eh bien, dit Marcus sans hésiter, soit Achillas, soit Paphnuce. Ils sont tous les deux des presbytres, ils sont actifs et intelligents, ils sont pieux et ils ont participé à nos délibérations.

— Tu as raison en tout, mon cher Marcus, et c'est bien pourquoi je ne peux envoyer ni Achillas, ni Paphnuce. J'ai besoin aujourd'hui de tous les presbytres de la ville. Ils encadrent la communauté, la réconfortent, l'aident à prier. De plus, Paphnuce et Achillas ne connaissent que vaguement le latin, et encore s'agit-il du latin écrit.

— Alors qui? Marcus sentait croître son étonnement, car il percevait dans le ton de l'évêque une gaieté qu'il n'arrivait pas à déchiffrer.

— Eh bien, j'ai pensé à toi, Marcus.

— Moi? Marcus en resta bouche bée.

— Oui, toi, Marcus. Je crois que tu serais un excellent messager. Pour les mêmes raisons d'ailleurs pour lesquelles tu me conseilles de dépêcher à Rome Achillas ou Paphnuce : tu es jeune, tu es intelligent, tu as participé à tous nos débats. Je sais de plus que ta foi est inébranlable.

— Mais, à ce compte, il y a aussi Flavius, et Macaire, et d'autres aussi…

— Oui, Flavius ou Macaire pourraient aussi me représenter à Rome. Mais Macaire, qui a retrouvé son emploi à la Bibliothèque, peut-il impunément la quitter de sitôt ? Et puis, Flavius… pour tout te dire, serait-il aussi convaincant que toi ? Notre frère est un homme tellement réservé et taciturne ! Il y a enfin autre chose.

— Autre chose ?

— Oui. Tu parles fort bien le latin. Et ta famille a obtenu la citoyenneté romaine il y a très longtemps, bien avant que les empereurs ne l'accordent à tous les hommes libres de l'Empire. Autant d'atouts qui manqueraient aux autres. Bref, comme tu vois, mon cher Marcus, tu ferais un candidat idéal.

Marcus se tut. Il était déchiré entre deux sentiments contradictoires. L'offre de l'évêque l'intéressait prodigieusement. Qui, dans tout l'Empire, n'avait jamais rêvé d'aller à Rome, la ville superbe, le cœur du monde ? Et voilà que l'occasion lui en était donnée… Et de plus, il s'y rendrait pour une cause qu'il avait épousée depuis longtemps avec ferveur : aider ses frères dans le Seigneur. Mais il y avait Artémisia… À l'idée de la quitter, tout son être se révulsait soudain.

L'évêque l'observait attentivement. Il lisait dans son âme. Il reprit doucement :

— Je sais que je te demande ainsi un grand sacrifice. Tu quitterais ta femme. Mais ce ne serait que pour trois mois…

L'affaire était entendue. Marcus accepta. Les semaines suivantes furent frénétiques.

Il fallut se préparer. Marcus décida d'emmener avec lui Nikânor. La présence à ses côtés de l'esclave, solide et silencieuse, lui serait d'une grande aide.

Il fallait ensuite trouver un navire en partance pour Rome qui le prendrait à son bord. Il demanda à Apollonius, qui connaissait tout et tous au port, de l'y aider. Quand il apprit que son ami partait pour quelques mois à Rome, une lueur ambiguë brilla un moment dans les yeux du Grec. Ce fut pourtant bref et il retrouva vite sa gaieté et se montra, comme à l'habitude, affable et serviable.

Artémisia était inconsolable. Marcus avait eu beau prendre des précautions pour lui parler de ce voyage, elle s'était révoltée dès les premiers mots. Elle faisait d'amers reproches à son mari : ils étaient enfin heureux à Alexandrie, et voilà qu'il l'abandonnait. Marcus protestait de son amour, l'assurait qu'il ne tarderait pas à revenir, mais la jeune femme le boudait. Pierre intervint. Artémisia se calma, mais restait triste. Elle pleurait souvent et ne sortait plus se promener dans la ville avec Isidora.

Marcus demanda à ses amis d'entourer sa femme pendant son absence. Pierre l'assura que la communauté lui serait une famille proche et chaleureuse. Flavius, qui s'était marié à Thaïs, lui promit que sa nouvelle épouse ne quitterait pas Artémisia.

Les derniers jours avant le départ, la jeune femme, qui s'était repliée sur elle-même, tout d'abord dans sa bouderie puis dans son chagrin, s'accrocha à son mari avec une sorte de fièvre fébrile et désespérée. Marcus devait pourtant la quitter le jour pour les derniers préparatifs. Mais la nuit leurs étreintes avaient un goût âcre et violent et Artémisia, après l'amour, se lovait contre lui étroitement, comme si elle craignait un danger, comme si elle voulait se protéger d'une ombre menaçante qu'elle sentait tourner autour d'elle.

Pouvait-elle confier à son mari qu'elle craignait son absence, et pas seulement parce qu'elle l'aimait et qu'il lui manquerait ? Elle avait bien tenté de lui dire que les temps étaient agités à Alexandrie, que les troubles pouvaient reprendre. Marcus l'avait consolée avec tendresse, puis s'était détourné, absorbé par ses préparatifs. Elle n'avait pas osé lui dire que le tumulte qu'elle craignait s'insinuait déjà dans son cœur. Et puis, Marcus semblait tellement heureux de visiter Rome !

Le jour du départ vint. Nikânor monta sur le navire les bagages de son maître, qui contenaient notamment de nombreux rouleaux des Évangiles, cadeau de l'évêque d'Alexandrie au presbytre de Rome. Marcus, appuyé à la rambarde, tâchait de voir à travers les larmes qui lui brouillaient le regard sa femme qui sanglotait et qu'entouraient sur le quai Flavius, Thaïs, Damiana et Apollonius.

Le navire s'était arrêté deux jours dans un port de Crète, puis avait repris la mer pour Syracuse, la vieille cité de la Grande Grèce. Les deux escales distrairent Marcus : il regardait le prodigieux grouillement des esclaves qui montaient à l'assaut du navire pour décharger une partie de sa cargaison, pour la remplacer ensuite par des marchandises locales.

Pendant de longues heures et jusqu'au coucher du soleil, une interminable théorie d'hommes descendaient ainsi la passerelle, portant sur leurs dos des jarres d'huile et des couffins de blé. Ils remontaient avec des planches de cèdre, des paniers de raisins et de fruits secs, des amphores de vin, des rouleaux de toile tissée, des amoncellements de vannerie. Les jurons éclataient dans le soleil et les coups de fouet des contremaîtres claquaient sur le dos des traînards.

On arriva enfin, au bout de cinq semaines de navigation, en vue de la côte du Latium. Marcus et Nikânor débarquèrent à Ostie, heureux d'échapper au pont exigu du navire et à ses cales nauséabondes. Une foule de cochers se pressait autour d'eux et Marcus découvrit que le latin qu'il avait appris dans son enfance et parlé à l'armée ne ressemblait guère à la langue précipitée et gouailleuse des Romains. Il finit par s'entendre avec un patron de chariot qui acceptait de l'emmener jusqu'à Rome.

Ils partirent le lendemain à l'aube. Il leur fallut cheminer toute la journée dans la campagne latine avant d'arriver en vue de la ville. Heureusement que la Via Ostiensis sur laquelle ils cahotaient était fort bien tenue, comme toutes les routes romaines d'ailleurs.

Ils dormirent dans une sinistre auberge, avant de reprendre le chemin pour entrer enfin à Rome par la Porta Ostiensis, l'une des multiples portes percées dans la muraille d'Aurélien qui encerclait la ville.

Marcus s'attendait à éprouver, devant Rome, le même choc émerveillé qu'il avait eu en arrivant à Alexandrie. Il fut tout d'abord déçu : il entra dans la ville par un faubourg grouillant et sale. Les rues étaient étroites et de hautes maisons de cinq ou six étages créaient partout des défilés resserrés et sombres. Le roulement incessant des chariots tirés par des bœufs y faisait régner un vacarme épouvantable et les Romains, pour se comprendre, gesticulaient abondamment.

Partout des amoncellements d'ordures et de détritus, des flaques nauséabondes où surnageaient des excréments obligeaient les passants à exécuter un ballet ridicule et saccadé pour les éviter. Une odeur pestilentielle prenait à la gorge, et les Romains les plus souples et les plus vifs n'arrivaient pas toujours à éviter les jets de liquide fétide qui jaillissaient sous les roues d'un char particulièrement rapide ou les pattes d'un cheval qu'aiguillonnait un cavalier impatient.

Mille tavernes, mille boutiques obscures ouvraient leurs gueules béantes dans les rues. Les boutiquiers interpellaient les passants à haute voix, tandis que des prostituées aux corps difformes et à la poitrine abondante, dont beaucoup étaient des Éthiopiennes[2], glapissaient en se jetant à la tête des chevaux et en s'agrippant aux jambes des cavaliers.

Ils finirent par sortir du labyrinthe. Le cocher déposa Marcus non loin du Forum. Le jeune homme avait l'impression d'être passé en quelques instants d'une ville à une autre. Il avait le vertige et ne savait où tourner la tête devant la profusion des édifices magnifiques qui l'entouraient. Il était enfin arrivé dans la Ville, celle que l'on chantait partout dans l'Empire.

2- Des Noires.

Il n'avait pourtant pas le temps de flâner ou d'admirer : il devait d'abord rejoindre Marcel. Il ne savait pas où demeurait le presbytre, mais était porteur d'une lettre pour un boutiquier romain, beau-frère d'un fidèle d'Alexandrie et chrétien lui-même. Marcus finit par le trouver, après avoir longtemps erré dans les rues, suivi comme son ombre par Nikânor.

L'homme était au fond d'une échoppe obscure. Il accueillit Marcus tout d'abord avec méfiance, mais quand il lut la lettre de son parent, il se montra jovial et chaleureux.

Il ignorait où demeurait le presbytre Marcel, mais savait qu'il pourrait le rencontrer le jour du Seigneur, dans une «maison du Seigneur». Intrigué, Marcus lui demanda s'il s'agissait d'une église. Non, répondit le boutiquier. Et il expliqua que les chrétiens romains, depuis la persécution, n'osaient plus se réunir dans les églises de la ville par peur des mouchards et des zélotes, et avaient repris l'habitude de prier dans des maisons particulières.

Le boutiquier ne pouvait recevoir Marcus chez lui, sa maison étant trop pauvre, mais il lui indiqua une auberge où l'Alexandrin attendit impatiemment le surlendemain, qui était un jour du Seigneur.

Le boutiquier l'amena par un dédale de ruelles dans une maison discrète. Plusieurs fidèles s'y pressaient, dans le murmure des prières et l'odeur puissante des corps entassés. Nikânor, qui avait suivi son maître, s'était réfugié dans une encoignure et observait le rituel d'un visage impassible. Après le partage du pain, le boutiquier entraîna Marcus vers un homme qu'il lui présenta : «Voici notre presbytre, Marcel.»

Le Romain accueillit Marcus avec curiosité et bienveillance. Quand l'ex-officier lui tendit la lettre de Pierre, le presbytre ne put se tenir de joie.

— J'attendais avec impatience l'arrivée d'un frère d'Alexandrie. Enfin, nos deux grandes cités, les deux colonnes qui soutiennent la foi dans tout l'Empire, pourront se parler de nouveau, pour la première fois depuis le début de la persécution !

Marcus l'observait avec curiosité. Marcel était petit, râblé, la barbe noire, la chevelure noire et abondante, les yeux expressifs, les mains toujours en mouvement. Son visage était d'une mobilité qui trahissait mille états d'âme, mille nuances : tantôt rieur, tantôt grave, tantôt tendre. Marcus, qui commençait à connaître les Romains, se dit que le presbytre était comme ses concitoyens : une lave bouillonnante de mots, d'idées, d'émotions, qui explosait à tout bout de champ dans un déluge de mouvements et de paroles.

Le presbytre se dépêcha de saluer les fidèles qui partirent les uns après les autres. Il invita Marcus à passer la journée avec lui dans cette «maison amie». Il était insatiable et voulait tout savoir sur Alexandrie, sur Pierre, sur la persécution et les martyrs, sur la destruction des édifices et des objets religieux. Et surtout, comme il l'avait écrit à l'évêque de la capitale égyptienne, il voulait apprendre comment les chrétiens de la ville avaient réglé le délicat problème des apostats qui voulaient se repentir et des traditeurs qui avaient livré les rouleaux sacrés aux soldats du préfet.

Marcus parla pendant plusieurs heures. Il aurait voulu, lui aussi, apprendre ce qui s'était passé à Rome, mais Marcel l'interrompait toujours par de nouvelles questions. À la fin de la journée, l'Alexandrin était épuisé. Marcel l'invita à passer la nuit dans cette « maison amie » et lui promit de lui trouver, dès le lendemain, un logement permanent pour son séjour à Rome.

Le matin suivant, un messager du presbytre invita Marcus à l'accompagner avec tous ses bagages. Il le conduisit dans une petite rue du quartier encastré entre l'amphithéâtre Flavien[3] et les forums impériaux. Même si l'on était à deux pas du cœur de la ville, Marcus nota avec surprise qu'elle était calme et feutrée.

Marcel l'attendait dans un logis d'un immeuble de trois étages.

— Tu vivras ici, lui dit-il, chez notre sœur Julia. Puis il l'entraîna dans un coin et, baissant la voix, il ajouta : Son mari était notre frère Martial. Il a donné sa vie pour Christ, il y a deux ans. Depuis lors, notre sœur vit avec son enfant dans la pauvreté. Pour l'aider, nous lui envoyons des frères qui sont de passage à Rome et qu'elle loge dans la chambre qu'elle occupait avec son mari, tandis qu'elle se réfugie avec son enfant dans un petit réduit. Les sesterces que tu allais donner à un aubergiste permettront à Julia de vivre dans la dignité. Quant à ton esclave, il pourra loger dans une cabane, dans un recoin de la cour.

Marcus remercia le presbytre et alla s'installer dans la chambre que lui indiquait la veuve. Celle-ci, les yeux baissés, la tête couverte d'un voile, portait dans ses bras un jeune enfant de deux ou trois ans. Marcus découvrit à sa grande surprise que Julia était fort jeune. En entendant Marcel, il avait cru avoir affaire à une vieille matrone.

Une fois logé, Marcus se sentit plus libre. Il sortait tous les jours pour arpenter les rues de la ville. Il était insatiable et se promenait partout, furetait partout, découvrant tous les jours de nouvelles merveilles. Tout dans Rome maintenant le surprenait et l'enchantait.

Il avait cru qu'aucune ville ne pouvait rivaliser avec Alexandrie et il découvrait une métropole encore plus vaste, encore plus orgueilleuse.

Les Romains, lui sembla-t-il, étaient plus nombreux que les Alexandrins. Surtout, ils étaient différents. À Alexandrie, il côtoyait des Égyptiens, des

---

3- Le Colisée.

Grecs, des juifs. Ici, il découvrait que la capitale de l'Empire abritait des gens venus de tous les coins du monde. À côté des Italiens, petits, nerveux, certains basanés, il croisait dans les rues des Gaulois aux grandes moustaches tombantes, des Germains aux cheveux blonds, des Goths à la pilosité abondante, des Ibères[4] taciturnes et altiers et mille autres peuples qu'il n'avait entrevus jadis que dans les tavernes des ports d'Antioche et d'Alexandrie. Et tout ce monde débattait furieusement ou gravement en un sabir dans lequel Marcus avait de la difficulté à reconnaître le latin.

Il eut vite fait cependant de s'habituer à cette diversité, mais il ne s'habituait pas à la beauté des édifices qu'il voyait partout où il tournait les yeux.

Il arpenta tout d'abord le vieux forum romain, jonché de statues, d'arcs de triomphe et de portiques et bordé d'édifices majestueux. Des ouvriers s'affairaient dans un coin : ils construisaient une énorme basilique, mise en chantier par Maxence, le nouvel Empereur qui disputait le pouvoir dans l'Empire à Galère, le successeur de Dioclétien, et qui s'était emparé du pouvoir à Rome.

Mais Marcus découvrit bien vite que les Romains avaient eux-mêmes abandonné le vieux cœur de leur cité, pour se promener surtout dans les forums des empereurs, où se pressait une foule plus jeune, plus vivante.

Tous les après-midi, il retournait à l'amphithéâtre Flavien dont il faisait inlassablement le tour. Il passait ensuite devant le temple de la Paix puis devant celui de Minerve avant d'arriver au forum de Nerva. Il traversait sans trop s'attarder le forum de César et celui d'Auguste, car il voulait flâner longuement dans le forum de Trajan. Là, il passait de longues heures à admirer dans les boutiques, étagées sur trois ou quatre niveaux, des marchandises venues des quatre coins du monde et qui changeaient de mains à la suite de marchandages serrés et glapissants.

Une fois dépassée la colonne élevée par Trajan pour célébrer sa victoire sur les Dèces, Marcus s'arrêtait souvent à l'une des deux bibliothèques qui la flanquaient, pour parcourir de nombreux livres grecs. Cette halte studieuse lui rappelait Alexandrie et sa Bibliothèque et, pour secouer la mélancolie qui le saisissait, il retournait vite dans les rues grouillantes de la ville.

Tous les soirs, il revenait chez sa logeuse. La jeune femme lui préparait des repas savoureux qu'elle lui servait dans sa chambre. Elle était douce et silencieuse et quand son enfant se montrait un peu turbulent, elle lui chuchotait des mots à l'oreille pour le calmer, « afin de ne pas déranger notre hôte ».

Marcus aimait retourner chez Julia après des journées longues, quelquefois harassantes. Le havre de sa chambre, silencieuse et propre, lui rappelait sa propre maison et sa pensée dérivait mélancoliquement vers Artémisia. Sa femme lui manquait. Il était tendu de tout son être vers elle, il ressuscitait

4- Espagnols.

son image et son corps était soudain traversé d'élans troubles. La présence impalpable et silencieuse de Julia le réconfortait alors, l'apaisait.

Marcus rencontrait aussi régulièrement Marcel. Le presbytre l'amenait partout avec lui pour visiter les multiples maisons du Seigneur qui parsemaient tous les quartiers de la ville. Marcus apprenait à connaître peu à peu les frères de la capitale de l'Empire. Il s'étonnait de les voir si nombreux. Ils étaient partout, dans l'armée comme dans l'administration, dans le grand commerce et chez les petits boutiquiers, chez les Romains comme chez les Barbares.

Le coup d'arrêt que le départ de Dioclétien avait donné à la persécution leur avait permis de relever quelque peu la tête, mais ils étaient désorganisés, craintifs, soucieux. Depuis la mort de l'apôtre Pierre, c'était la première fois que la Ville n'avait pas d'évêque et, malgré l'énergie de Marcel, le troupeau romain restait frileux, tremblant pour l'avenir.

Pour se délasser de ses courses et se distraire de cette peur ambiante qui finissait par déteindre sur lui, Marcus allait quelquefois aux thermes de Dioclétien, dont on venait de finir la construction. Ils étaient somptueux et Marcus oubliait ses angoisses et sa mélancolie dans la vapeur chaude et amollissante de l'une de ses milliers de chambres.

Un jour qu'il revenait chez Julia au crépuscule, Marcus, qui était distrait, bouscula dans le forum de Trajan un homme qui sortait d'une boutique. Celui-ci trébucha et tomba à terre, en jurant abondamment. Marcus se précipita pour le relever. L'homme était furieux et invectivait Marcus. L'Alexandrin se confondit en excuses et finit par inviter sa victime à partager un pichet de vin dans une taverne voisine.

L'homme était vieux et avait les cheveux blancs, les traits rudes de quelqu'un qui a longtemps affronté le soleil et le vent. Ses yeux pourtant étaient doux et mélancoliques. Il accepta l'invitation et Marcus s'attabla avec lui au fond d'une gargote obscure et bruyante.

Marcus apprit que l'homme s'appelait Peirius. Quand celui-ci sut que Marcus était Alexandrin, son visage s'illumina.

— Ah! Alexandrie! Que de fois n'ai-je pas arpenté ses rues…

— Comment cela? demanda Marcus étonné.

— Je suis… ou plutôt j'étais marin. Chaque année, j'accostais au Megas Limèn ou à l'Eunostos au moins une fois, et quelquefois deux ou trois fois. Nous nous réjouissions tous de voir poindre à l'horizon le sommet de la tour de Pharos, brillante de mille éclats dorés le jour, illuminée la nuit. Malgré les bancs de sable et les récifs, nous savions que nous étions en sécurité: la tour semblait veiller sur nous. Ce qui n'était pas le cas dans les autres ports…

— Les autres ports?

— Eh bien, nous ne faisions pas commerce seulement avec Alexandrie. Nous allions à Antioche, à Attaleia[5], à Smyrne, ou encore à Syracuse, Valence ou Carthage. Partout nous débarquions des voyageurs et des marchandises. Nous étions partout chez nous. L'Empire était grand et respecté.

— Mais… il me semble que l'Empire est encore grand…

— En apparence seulement, mon ami, en apparence… Tiens, tu m'as dit que tu as servi dans la légion. Tu es donc un bon citoyen, un vrai Romain. Regarde donc autour de toi. Que vois-tu ?

— Heu ! je vois des Romains… dit Marcus, un peu surpris par la tournure de la conversation.

— Des Romains, ces Noirs ? Des Romains, ces basanés ? Et ces gens qui parlent entre eux une langue gutturale qu'aucune oreille civilisée ne peut comprendre… Un jour, ce sont des Goths, le lendemain des Ostrogoths, et des Gaulois, et des Celtes, et de nombreux autres de la même farine. Non, mon ami, Rome n'est plus la même. Tu ne dis rien ?

— Heu… c'est qu'à Alexandrie aussi nous avons des gens de partout, de l'Arabie, de Syrie, de Cyrénaïque…

— Tu vois ? C'est ce que je te disais. Les Barbares sont partout, ils envahissent l'Empire.

Marcus était ahuri. Voici qu'il entendait, au fond d'une taverne romaine, dans la bouche d'un inconnu, les mêmes mots, le même discours que lui avait tenu Domitius à Alexandrie. Le fier décurion et l'ancien marin partageaient des craintes semblables. L'autre reprenait :

— Et ce n'est pas tout…

— Comment cela ?

— Non seulement ils sont dans l'Empire, mais ils veulent le saper de l'intérieur. Tu as sûrement entendu parler des chrétiens, ajouta Peirius en baissant la voix et en regardant avec méfiance autour de lui.

— Oui, dit laconiquement Marcus.

— On dit qu'à Alexandrie nos soldats se sont montrés particulièrement efficaces quand l'Empereur a décidé de se débarrasser de cette vermine. L'arrogance de ces gens est à nulle autre pareille.

— L'arrogance des chrétiens ? demanda Marcus, que la conversation commençait à amuser.

— Tu dois le savoir, toi qui as été militaire… Ils ne veulent pas sacrifier à l'Empereur, ils ne veulent pas adorer nos dieux, ils méprisent nos croyances.

— Je le sais aussi, dit en écho Marcus.

5- Antalya, en Turquie.

— Tu comprends, ce n'est pas une question de respect de l'Empereur. Du moins, ce n'est pas seulement cela… Ces gens-là sont en train de saper l'Empire, te dis-je.

— Je me suis laissé dire, hasarda Marcus, reprenant de nouveau les arguments qu'il avait avancés à Domitius, qu'ils n'ont jamais pris les armes et n'ont opposé aucune résistance quand on les arrêtait.

— C'est vrai, mais ce qu'ils font est plus grave encore… Nos traditions ? Elles ne comptent pas. Nos dieux ? Ils n'existent pas. Nos oracles ? De la superstition. Jupiter ? Une statue de pierre. Ils font un travail de sape, te dis-je. De plus, ils disent que nous sommes tous frères. Même des esclaves. Te vois-tu devenir le frère de ton esclave ? ajouta le Romain avec un petit ricanement.

Marcus se tut. Il n'avait jamais envisagé la question sous cet angle. Il appréciait Nikânor. Il pouvait compter sur lui. Pourrait-il le traiter comme un frère ?

— Non, vois-tu, reprit l'autre, l'Empire n'est plus qu'un château de sable, miné par les vagues qui s'infiltrent partout. Il ne tardera pas à s'effondrer.

— Allons, allons, dit Marcus, la situation ne peut être aussi dramatique.

— Tu ne saisis pas ? Tout ce que nous avons construit depuis mille ans était fondé sur l'obéissance aux dieux et à l'Empereur. Et ces disciples de Christos viennent nous dire tout bonnement qu'il ne faut plus obéir à nos dieux et que leurs propres dogmes sont les seuls vrais. Et pourtant, tu le sais bien, toi qui viens d'Alexandrie, quand nous sommes allés chez vous, nous avons aimé et adoré votre Isis, votre Sérapis. En Syrie et en Grande Grèce, nous vénérons Artémis et Mithra…

Peirius se tut. Marcus était profondément troublé. Il n'avait jamais envisagé la progression du christianisme du point de vue des Romains, surtout les plus anciens, les plus respectueux de leur passé. Or, voilà que, coup sur coup, à quelques mois d'intervalles, dans deux villes différentes, deux hommes aussi dissemblables que Domitius et ce Peirius lui tenaient le même langage. Comment pouvait-il les convaincre qu'à ses yeux, le message de Christ devait mener, surtout et avant tout, à une régénération des âmes, plutôt qu'à l'effondrement de l'ordre établi ?

La mélancolie de l'homme, son amertume, surprenaient Marcus plus que tout. Ses paroles révélaient une blessure profonde. Après un moment de silence, le Romain finit par relever la tête.

— Tu ne dis rien ? Tu ne t'inquiètes pas pour l'Empire ?

— J'espère, Peirius, que les choses n'iront pas aussi loin que tu le crains…

— Et moi, je suis convaincu du contraire. Par Hercule ! cette race de chrétiens est un supplice pour moi…

Après cette explosion, le Romain se tut encore. Puis il reprit en hésitant :

— Je ne sais pas trop… J'ai l'impression que… Connais-tu par hasard ces chrétiens ?

— J'en connais quelques-uns, dit prudemment Marcus.

— Eh bien, mon cher, que tu les connaisses ou pas, ton vin est bon et ta compagnie plaisante, dit le vieil homme. Buvons donc un dernier coup, car je dois partir.

Avant de se séparer, Peirius demanda à Marcus s'ils se reverraient. L'Alexandrin était circonspect. Le Romain finit par expliquer :

— Je n'ai plus navigué sur un bateau depuis plusieurs années. Trop vieux. Trop faible. Je vis chez mon fils. Ma bru ne m'aime guère et veut me voir le moins souvent chez elle. Je passe mes journées dans la rue, et ta conversation est agréable… Tu me trouveras toujours à traîner dans les forums.

Quand Marcus retourna au logis, il était troublé et fatigué. Comme toujours, Julia était là, attentive et discrète. Marcus éprouva soudain le besoin de parler de sa rencontre. Il lui raconta en quelques mots sa conversation avec Peirius et l'amère diatribe du vieil homme contre les chrétiens, sa peur pour l'Empire, son chagrin devant l'affaiblissement des anciennes traditions. Elle l'écoutait attentivement, hochant la tête, le fixant avec sympathie.

Marcus la regardait pour la première fois. Il remarqua ses grands yeux noirs, son visage régulier. Son corps, voilé dans une ample tunique, lui parut mince et frêle. Il fut surtout frappé par ses lèvres : elles étaient très légèrement retroussées sur tout leur pourtour, comme si elles étaient cernées par une minuscule éminence qui les soulignait tout en les protégeant.

Marcus frissonna : cet ourlet de chair ambrée lui sembla une invite. Il se secoua, mangea et alla se coucher. Dans l'obscurité de son lit, il se força à penser à Artémisia.

Cette nuit-là, il fit un rêve : il se promenait à Alexandrie, quelques pas derrière Artémisia. Il admirait pour la centième fois le corps svelte et souple de sa femme. En marchant, elle tanguait doucement comme ces voiliers sur le Nil qu'un coup de vent fait pencher un peu, puis qui se redressent avec lenteur, avec langueur. La jeune femme se retourna : à la place d'Artémisia, c'était Julia, c'étaient les yeux de Julia qui le fixaient en souriant.

Le lendemain, Marcus revit Peirius. Le vieil homme traînait en effet dans les forums et ce fut lui qui aborda l'ex-militaire. Il semblait éprouver pour lui une grande sympathie, et l'Alexandrin lui offrit volontiers du vin.

L'ancien marin ne revint plus sur la question des chrétiens dans l'Empire. Il semblait avoir compris que Marcus ne voulait pas s'étendre sur le sujet. Par contre, il était intarissable sur ses voyages, ses aventures, ses expériences.

Il racontait ses visites dans les ports et dans les pays étrangers, évoquait des mœurs curieuses, devenait songeur quand il se rappelait les femmes qu'il avait connues. Marcus se plaisait beaucoup en sa compagnie.

Cependant, le jeune homme passait le plus gros de ses journées avec Marcel, les autres presbytres et les fidèles de l'Église de Rome. Il sentait partout monter la crainte, la nervosité. On disait que l'empereur Galère avait décidé de reprendre la persécution contre les chrétiens. Il n'attendait que le moment propice pour poursuivre la tâche commencée par Dioclétien. Il se promettait, murmurait-on dans les milieux chrétiens, de la mener cette fois-ci à bien et de tuer ou de soumettre tous les disciples de Christos dans l'Empire.

Marcus, au début, était tenté de sourire devant ce qu'il prenait pour de la pusillanimité, des peurs excessives. Mais il ne tarda pas à constater un changement dans les rues de Rome. Des personnages louches, qui se cachaient dans les encoignures des portes, semblaient maintenant surveiller les maisons du Seigneur. Il crut, à une ou deux reprises, être suivi en sortant d'une réunion de prière et fit chaque fois des détours pour semer ses poursuivants.

D'autres chrétiens s'étaient fait harceler dans les rues par des voyous qui les insultaient. Maintenant, certains refusaient de sortir de chez eux. La plèbe de Rome semblait avoir deviné les intentions de ses maîtres et prenait quelques longueurs d'avance sur eux.

Marcus était de plus en plus soucieux. Si les choses commençaient à se gâter à Rome, qu'en était-il à Alexandrie? Sa femme était-elle en sûreté? Et l'évêque Pierre et tous ses amis? Pourrait-il rester longtemps dans la Ville?

Ces soucis le rongeaient. Le soir, chez sa logeuse, il retrouvait un havre de paix, de sérénité. Il ne savait trop à quoi l'attribuer, mais la présence de Julia, toute discrète qu'elle fût, presque éthérée, le pacifiait. Il lui parlait maintenant plus souvent. Il sentait autour de lui un enveloppement invisible et dense, comme une chaleur qui lui faisait du bien.

À deux ou trois reprises, levant soudain les yeux, il avait vu les yeux de la jeune femme fixés sur lui. Julia s'était détournée, mais Marcus l'avait regardée longuement. Il découvrait chaque fois en elle de nouveaux détails. Son voile lui glissait sur les épaules et il admirait une chevelure noire et brillante. Son teint, à la lueur des chandelles, était mat. Était-elle Romaine? Italienne? Venait-elle de l'Orient? Il n'osait ni le lui demander ni demander à Marcel. Et toujours, il revenait à ses lèvres, délicatement mais fermement ourlées, et cette ligne nette qui délimitait l'ambre doré de leur chair de l'ivoire mat, doux et duveteux des joues. Et Marcus était envahi du désir d'aller explorer et franchir cette minuscule barricade, si facile en apparence à vaincre mais toutefois inaccessible.

Marcus vivait maintenant dans un trouble profond. Sa femme, son pays lui manquaient. Marcel et les autres chrétiens semblaient de plus en plus soucieux, et ses rencontres avec Peirius, ponctuées d'anecdotes savoureuses, n'étaient que de brefs intermèdes au cours de longues journées inquiètes.

C'est seulement le soir, quand il revenait chez Julia, qu'il se détendait. Mais cette paix même, ce port où il abordait, ce refuge de douceur le tourmentaient plus que tout.

Un jour, Marcel lui dit :

— La situation s'est beaucoup détériorée. Nous savons maintenant que toutes nos maisons du Seigneur sont surveillées. Il suffirait d'un ordre venu d'en haut et tous nos fidèles seraient pris dans un même coup de filet.

— On ne peut tout de même pas s'empêcher de se réunir, de prier.

— Qui a parlé de ne pas prier, mon cher Marcus ?

— Mais enfin… vous avez évoqué vous-même la surveillance dont nous faisons l'objet.

— C'est bien vrai, mais je ne voulais sûrement pas dire que nous n'allions plus louer le Seigneur et partager le pain et le vin.

— Alors ?

— Alors, nous n'allons plus fréquenter les maisons du Seigneur pendant quelque temps, jusqu'à ce que nous ayons une meilleure idée des intentions de l'empereur Galère, et surtout de Maxence, qui a usurpé son pouvoir ici à Rome.

— Et où allons-nous nous réunir ?

— Eh bien, dans les cimetières…

— Les cimetières ?

— Oui, les cimetières qui ont accueilli les reliques de tous nos saints, de tous nos martyrs.

— Et… où se trouvent ces cimetières ?

— Tout autour de la ville, à l'orée des campagnes. Ils sont creusés dans le sol, ce qui nous permettra de nous y réunir tout en nous cachant.

— Et ces cimetières creusés, portent-ils un nom ?

— Oui. Nous les appelons les catacombes.

CHAPITRE DOUZE

Artémisia sentait son cœur battre à se rompre.

Le crépuscule avait été long, doux et mauve. Maintenant, la nuit tombait. Le silence n'était rompu que par le bruissement de l'eau contre la coque de la barque. Les deux rameurs ponctuaient d'un léger ahan le choc léger et cadencé des avirons dans l'eau.

Pourtant, ce n'était ni le silence ni la nuit qui oppressaient Artémisia. Elle était assise à la pointe de la barque, le voile relevé sur la tête. Sur les rives du canal défilaient les splendides villas des riches Alexandrins. Dans les murs qui les ceinturaient étaient fichées des torches résineuses. Leurs flammes brillantes se reflétaient dans l'eau du canal et formaient ainsi, sur chaque bord, une double flèche lumineuse qui trouait le noir de la nuit jusqu'à l'horizon.

Artémisia ne voulait pas se retourner. Elle fixait obstinément l'avant et pourtant elle sentait, dans son dos, le regard insistant d'Apollonius. Elle lui était reconnaissante de son silence, de sa discrétion. Elle était heureuse qu'il la laissât tranquille, pendant quelques instants encore...

C'est vrai qu'il n'avait jamais été importun. Mais sa présence enveloppante l'avait enfermée, elle, Artémisia, dans les mailles d'un filet dont elle n'arrivait plus à sortir. Dont elle ne voulait pas sortir ?

Depuis le premier jour où Marcus lui avait présenté son ami, elle avait remarqué son regard. L'intensité, la force de son regard. Et aussi l'ironie qui pétillait tout le temps dans ses yeux. L'ironie et la gaieté, cette inaltérable gaieté qui en faisait toujours le centre de leur groupe, celui qui amusait et faisait rire des gens aussi graves, aussi divers que Flavius ou Iacov.

Elle savait qu'Apollonius la dévisageait souvent. Il s'en cachait d'ailleurs fort peu. Cela l'avait dérangée beaucoup, au début. À un moment donné, elle avait même pensé s'en ouvrir à son mari. Elle avait hésité, parce qu'elle savait que Marcus était l'ami d'Apollonius. «Allons, se dit-elle, je me fais peut-être des idées. Ai-je le droit de semer le trouble entre eux ?»

Puis, la persécution de Dioclétien avait commencé. Les craintes, les inquiétudes pour elle, son mari et les autres chrétiens avaient estompé ce malaise indéfinissable qu'elle ressentait chaque fois qu'Apollonius paraissait devant elle.

Un jour, elle avait été arrêtée par les Romains. Ce fut, pendant de trop longues journées, l'enfer dans la prison des douanes, au milieu des querelles stridentes des prisonnières entassées les unes sur les autres, dans l'odeur de la sueur et les miasmes des excréments.

Une nuit, les portes de la prison s'étaient ouvertes devant elle. Elle s'était alors félicitée, pendant la course folle sur la plage, de ne pas avoir amené son mari à rompre avec Apollonius, car elle avait tout de suite compris qu'il avait été, sinon l'âme, du moins la cheville ouvrière de son évasion.

Au moment de monter dans la barque qui allait les mener en exil dans le désert, Apollonius s'était penché sur elle, l'avait serrée dans ses bras et l'avait embrassée. Cette étreinte, brève mais forte dans l'obscurité de la nuit, l'avait bouleversée. Son corps s'était tendu. Puis elle avait tout oublié pendant la traversée dangereuse du lac.

Dans le désert, le visage d'Apollonius était devenu flou. Elle était proche de son mari, elle le côtoyait tout le temps, elle en était amoureuse et son corps ne se rassasiait jamais de leurs étreintes, la nuit, dans leur cabane du désert.

Puis Marcus s'était peu à peu détaché d'elle. Après le «miracle» qu'il avait imputé à l'ermite Paul, il s'était abîmé dans le silence et la méditation. Il avait même cessé de lui faire l'amour et ne lui parlait que par monosyllabes. Elle s'était ennuyée alors, dans ce vide flamboyant entre le sable et le ciel. Elle avait repensé à Alexandrie, et le visage souriant, gouailleur, d'Apollonius, s'était quelquefois imposé à elle. Elle le chassait d'un haussement d'épaules agacé.

Quand la persécution s'était arrêtée, elle avait retrouvé le Marcus tendre et attentif qu'elle aimait. Les nuages noirs de la mort et de la souffrance s'étaient dissipés. D'autant plus que son mari avait évoqué l'étreinte d'Apollonius, la nuit, dans le désert, sur un ton léger, presque en badinant. Elle avait compris qu'il ne s'en était pas vraiment inquiété. Devait-elle, elle, l'alarmer? Lui dire que ce n'était pas seulement ce baiser qui la troublait, mais les regards de son ami?

Après leur retour à Alexandrie, Apollonius leur avait rendu visite. Le groupe s'était reformé; elle l'avait vu régulièrement, chez eux quand elle avait organisé un banquet ou quand il venait passer une longue soirée à bavarder avec Marcus, ou encore chez Flavius, chez Macaire ou dans les promenades publiques où il semblait savoir toujours où la trouver.

Elle ne savait plus comment échapper à son regard. Le voulait-elle vraiment ? Elle aussi, d'un battement de cils, elle s'était mise à le regarder. Ce n'était pas seulement sa gaieté qui tranchait sur la réserve sérieuse des autres. Il y avait quelque chose en lui… Pouvait-elle avouer à son mari ce qui l'inquiétait maintenant, la remplissait même de panique ? Qu'Apollonius, au lieu de l'agacer, la troublait de plus en plus ? À la dernière minute, elle avait hésité, reculé, par amour-propre, par pudeur, pour ne pas déranger son mari, tellement préoccupé par le sort de sa communauté.

Maintenant, chaque fois qu'elle voyait Apollonius, elle se crispait. Elle s'efforçait d'être naturelle, mais elle sentait l'air s'épaissir autour d'elle.

Un jour qu'elle traversait le quartier des palais, elle vit le Grec qui sortait du Gymnase. Il faisait chaud et le jeune homme n'était habillé que d'une tunique légère et courte. Il lui tournait le dos et ne l'avait pas vue. Elle admira ses cheveux bouclés, ses épaules larges, son dos cambré qu'interrompait la saillie soudaine et musclée de la croupe, les cuisses longues. Elle frissonna et se dépêcha de tourner les talons et de s'éloigner.

Allons, décidément, se dit-elle, il faudra que ce petit manège cesse. Il lui faudrait peut-être en parler à Marcus, après tout. Comment pourrait-elle l'aborder ? Que pourrait-elle lui dire ? Qu'il devait se séparer de son ami ?

Elle en était là, à tergiverser, à hésiter, quand Marcus lui annonça qu'il partait à Rome.

Elle fut saisie. Elle éclata en sanglots. Dans la violence de son chagrin, dans l'âpreté de sa réaction, elle ne savait plus elle-même distinguer entre la douleur qu'elle éprouvait à l'idée de voir s'éloigner l'homme qu'elle aimait et la crainte obscure, irraisonnée, que ce départ ne la livrât à un danger qui rôdait autour d'elle, et que seul Marcus pouvait conjurer.

Elle tenta de dissuader son mari. Il fut affectueux, aimant, attentif, mais inébranlable. Il voulut la convaincre que son départ était nécessaire, qu'il ne s'absenterait que peu de temps, qu'il avait des obligations à l'égard de la communauté et de ses frères chrétiens. Elle comprenait tout, saisissait aussi qu'un voyage à Rome séduisait irrésistiblement Marcus, mais elle continuait à le supplier de ne pas la quitter, de ne pas l'abandonner. À quelques reprises, elle sentit un très léger agacement dans les réponses de son mari. La prenait-il pour une enfant ? Croyait-il qu'elle était capricieuse ? Ne voyait-il donc rien ?

Les autres, les parents et les amis, s'en mêlèrent. Pierre l'assura qu'elle ne serait pas seule. Thaïs, la femme de Flavius, lui promit de la visiter aussi souvent qu'elle le voudrait. Damiana, sa sœur aînée, lui conseilla de ne pas s'opposer aussi obstinément à son mari. Nul ne l'avait comprise, nul ne saisissait son désarroi, nul n'avait vu le nuage qui lui assombrissait l'âme.

Apollonius, lui, restait silencieux.

Les dernières nuits, elle fit l'amour à son mari avec rage et désespoir. Marcus, que cette passion allumait, l'étreignait convulsivement.

Après le départ de Marcus, les choses semblèrent reprendre un cours normal. Elle recommença à sortir se promener avec Isidora. Souvent, l'après-midi, elle recevait la visite de Thaïs, de Damiana ou de sa mère. Le jour du Seigneur, Pierre se montrait attentif et les autres chrétiens venaient la saluer.

Flavius recevait quelquefois le soir chez lui. Thaïs l'invita à ces soirées. Elle y retrouva Apollonius. Il s'enquit de Marcus, lui demanda si elle avait besoin de quoi que ce soit. Il était disposé, lui dit-il, à l'aider de toutes les manières.

Elle savait que ce n'étaient pas là paroles en l'air. Le Grec était serviable et l'avait d'ailleurs souvent prouvé. Il avait aussi des accointances fort utiles, à preuve l'organisation de son évasion.

D'où lui venait ce pouvoir ? Elle savait qu'il était fort riche. Et puis, à quelques bribes de conversations qu'elle avait captées, à quelques allusions qu'elle avait entendues, elle avait compris qu'Apollonius fréquentait des milieux qui ne faisaient pas l'unanimité chez ses amis. Il était aussi introduit partout, chez les riches et dans l'entourage du préfet comme chez les personnages louches du port.

Elle avait aussi saisi qu'il avait un grand succès auprès des femmes. Quand le vin avait coulé à flots, on n'hésitait pas à faire quelques allusions à toutes les beautés qu'il avait conquises.

Elle se souvenait d'une conversation qu'elle avait captée un jour entre Domitius et un camarade, un autre légionnaire qu'elle connaissait fort peu et que le décurion avait entraîné un jour chez Flavius. Les hommes étaient dans un coin, tandis qu'elle bavardait avec Thaïs dans un autre. Le légionnaire, un soldat un peu rustre et carré, s'était tourné vers Apollonius et s'était exclamé :

— Vraiment, Apollonius, tu es un danger public.

— Comment cela ? demanda Domitius, qui sentait venir la badinerie.

— Eh bien, notre ami est trop beau.

— C'est vrai qu'il est beau, mais est-ce dangereux ?

— Dangereux tout autant pour les hommes que pour les femmes.

— Explique-nous donc cela, dit Domitius en souriant.

— Eh bien, les femmes risquent de voir en lui l'amant idéal.

— Et les hommes ?

— Le rival irrésistible et imbattable.

Ils se mirent tous à rire. Apollonius rit lui aussi, leva légèrement les épaules, mais ne répondit pas.

Quand il offrit son aide à Artémisia, elle le remercia, mais dit qu'elle n'avait besoin de rien.

Un jour qu'elle se promenait dans les jardins de Pharos — son mari était parti depuis près d'un mois —, elle vit Apollonius surgir de derrière un bosquet. Il vint la saluer, le sourire rayonnant.

Elle frissonna un peu, puis s'efforça de rester calme et naturelle. Il l'accompagna dans sa promenade, malgré les regards réprobateurs d'Isidora qui suivait sa maîtresse à quelques pas.

Ils s'avancèrent sur le bord de mer. Il lui désigna d'un geste large Alexandrie qui s'étalait derrière eux. Il parla de sa ville, la plus belle de l'univers, disait-il. Il décrivait les palais qui se succédaient, les temples, les villas du bord de l'eau. Il connaissait tout et parlait avec conviction, avec émotion même des magnificences de la capitale.

Artémisia se laissait bercer par cette voix, par cette émotion. L'air était doux, la lumière éclatante, la ville regorgeait de marbres et Apollonius, à côté d'elle, était caressant, enveloppant, respectueux.

Le lendemain, il se retrouva de nouveau sur son chemin, même si elle avait décidé d'aller à Éleusis-sur-Mer et non à Pharos. Cette fois-ci, il la fit rire en engageant des conversations animées et drôles avec les pêcheurs qui ramenaient leurs prises sur le sable. Il échangea des plaisanteries avec une grosse matrone venue acheter du poisson frais et qui, les mains sur les hanches et la poitrine débordante, ne lui cédait pas un pouce de terrain tout en s'exclamant sur sa « beauté qui rendrait jaloux les dieux ». Il rit avec elle et fixa Artémisia de ses yeux brillants.

Pendant une semaine, tous les jours, il la retrouva pendant sa promenade. Isidora poussait des soupirs de plus en plus réprobateurs, quand elle le voyait apparaître devant elles. Elle tenta même, une fois, de parler à sa maîtresse après qu'Apollonius les eut quittées, mais Artémisia lui intima de se taire.

La jeune femme fut malheureuse d'avoir rabroué sa servante, d'autant plus qu'elle sentait, qu'elle savait qu'Isidora avait raison. Il n'était pas convenable de se laisser ainsi aborder par un homme dans la rue, les jardins ou sur la grève, même si cet homme était un ami. Et si on les voyait ?

Que pouvait-elle faire ? Cesser sa promenade quotidienne ? Elle ne se laisserait pas intimider, se dit-elle crânement. Pourtant, elle savait, au fond d'elle-même, qu'il ne s'agissait pas seulement de bravade…

Elle trouvait goût à ces promenades et à la compagnie, souvent drôle, quelquefois sérieuse, d'Apollonius. Il marchait à côté d'elle et elle éprouvait souvent l'envie de s'appuyer à son bras, parce qu'elle le savait fort et qu'elle était heureuse…

Un jour, il lui demanda si elle avait jamais été à Canope. Oui, lui dit-elle, à plusieurs reprises avant sa conversion, quand elle était prêtresse d'Isis et qu'elle visitait avec son père les prêtres du grand temple de Sérapis dans la ville voisine.

Il insista : à part le temple, avait-elle visité la ville ? Savait-elle qu'on y trouvait les meilleures tavernes, la nourriture la mieux apprêtée, les soirées les plus joyeuses ?

Non, elle n'avait jamais été qu'au temple. Elle ne lui dit pas qu'elle connaissait aussi la réputation de Canope. Les bourgeois, les riches commerçants d'Alexandrie y avaient de magnifiques villas où, disait-on, ils organisaient des fêtes somptueuses et débridées. Partout dans l'Empire on célébrait les délices de Canope, on rêvait d'y faire un séjour.

Apollonius proposa à Artémisia de l'accompagner un soir chez un de ses amis qui avait une villa à Canope et qui réunissait souvent chez lui « une compagnie jeune et gaie ». Elle voulait lui dire « non » et s'entendit répondre « oui ».

Elle avait quitté sa maison en ordonnant à Isidora de ne pas la suivre. L'esclave était restée sidérée. Apollonius, qui ne voulait pas qu'elle circulât seule à Alexandrie, l'attendait quelques rues plus loin. Ils traversèrent la ville jusqu'au lac Maréotis.

Une barque attendait. Il était beaucoup plus facile de se rendre à Canope en empruntant le canal du même nom plutôt que par la route côtière. Ils traversèrent le lac jusqu'à l'entrée du canal, puis s'y engagèrent. Le soleil descendait à l'occident dans une débauche de vert tendre, de mauve, de fulgurances violacées.

Artémisia s'était tout de suite mise à l'avant de la barque. Elle découvrait maintenant les abords du canal de Canope. Il était vrai que les villas qui le bordaient étaient magnifiques… Magnifiques et protégées comme des forteresses par de hauts murs.

Elle se laissait engourdir par la beauté du paysage, le calme de la nature, le silence d'Apollonius, la respiration cadencée des rameurs. Elle ne voulait surtout pas réfléchir. Elle ne voulait pas se demander ce qu'elle venait faire dans cette barque, ici à Canope, quand son mari était à Rome.

Ils arrivèrent bientôt aux abords de la ville voisine. La barque s'arrêta près d'une des dernières villas au bord du canal, dans un faubourg à l'entrée de Canope. Les rameurs n'avaient pas eu besoin d'ordres : ils savaient où ils allaient.

Apollonius aida Artémisia à descendre de la barque sans se mouiller. Ils s'engagèrent dans une longue allée bordée de petits palmiers et arrivèrent bientôt à un magnifique porche précédé d'un péristyle de marbre.

Ils pénétrèrent tout de suite dans une grande salle rectangulaire. Artémisia, qui venait de l'obscurité de la nuit, cligna soudain des yeux dans l'éclatante lumière des dizaines de chandelles et de torches qui illuminaient la pièce. Elle entendait en même temps un bourdonnement de voix.

Elle finit par distinguer un groupe nombreux qui se pressait autour d'eux pour les accueillir. Il y avait là huit hommes et six femmes. Les hommes étreignirent Apollonius et les femmes l'embrassèrent. Manifestement, ils se connaissaient tous.

Apollonius la présenta à ses amis. Ils se montrèrent tout de suite chaleureux et enjoués. La soirée venait de commencer, mais les esclaves avaient déjà passé des coupes et circulaient au milieu des invités avec des vases de vin. Certains des hommes — surtout des Égyptiens — buvaient de la bière.

Artémisia et Apollonius étaient les derniers convives attendus. On passa à table : il s'agissait d'un grand carré vide en son milieu. Sur l'un des côtés, une ouverture permettait aux esclaves de circuler pour passer les plats.

Chaque côté était suffisamment grand pour permettre à quatre convives de s'y installer. Artémisia remarqua à sa grande surprise que les hommes et les femmes s'étaient mêlés les uns aux autres, contrairement à la tradition.

Les lits de table étaient couverts d'étoffes damassées. Le repas était délicieux. On servit des oies et des gigots de mouton, des haricots à l'ail et aux olives, des lentilles parfumées à l'oignon, des galettes de sésame à l'arôme de carthame. Le vin coulait à flots et les coupes ne restaient jamais vides.

La conversation était vive et spirituelle. Au début, elle roula sur le récent changement de pouvoir à la tête de l'Empire, sur les luttes qui opposaient déjà l'empereur Galère à son rival Maxence, qui s'était proclamé empereur et avait saisi le pouvoir à Rome. On échangea les dernières nouvelles sur Maximin Daïa, César d'Orient et d'Égypte. La rumeur courait qu'il voulait quitter Corinthe pour venir s'installer à Alexandrie.

Artémisia allait de surprise en surprise : les femmes n'hésitaient pas à participer à la conversation et même à interrompre les hommes. Elles étaient vives, spirituelles et belles. De temps en temps, elles se laissaient aller sur les coussins recouverts de cuir souple et doux.

Bientôt, le vin aidant, on cessa de parler des affaires de l'Empire. Les plaisanteries maintenant fusaient de partout, les rires étaient plus hauts, plus perchés. Les convives mentionnaient mille personnes, évoquaient mille noms qu'elle ne connaissait pas.

Il lui sembla à un moment donné qu'ils parlaient de façon elliptique ; en tout cas, ils riaient souvent sans qu'elle sût pourquoi. Elle comprenait vaguement qu'on évoquait les amours de certains, les liaisons d'autres…

Apollonius était à côté d'elle. Il était attentionné, se penchait quelquefois vers elle pour lui demander si elle avait bien mangé. D'un regard, il appelait les esclaves pour faire remplir à nouveau leurs deux coupes.

Artémisia commençait à se détendre. La salle était chaude et la nourriture excellente. Le vin coulait dans ses veines, amollissait son corps, détendait son esprit. Elle riait elle aussi des mots d'esprit. Apollonius était tellement courtois, tellement prévenant, tellement… présent !

Vers la fin du repas, avant que les esclaves ne desservent pour apporter les fruits et les desserts, elle vit un homme et une femme se lever. Elle les regarda avec plus d'attention. L'homme lui était parfaitement inconnu mais le visage de la femme lui semblait vaguement familier. L'avait-elle déjà rencontrée ? Où donc ? Peut-être au temple d'Isis, avant sa rencontre avec Marcus, ou peut-être encore dans les jardins de Pharos, à l'hippodrome d'Éleusis-sur-Mer ou dans les longues avenues élégantes du quartier des palais…

Artémisia n'eut pas le temps de s'attarder à ces réflexions, car elle était intriguée par leur manège. Ils s'éclipsèrent tous les deux vers le fond de la salle et la jeune femme remarqua alors une série de tentures qui cachaient des pièces. L'homme et la femme écartèrent l'un des rideaux qu'ils tirèrent derrière eux. Nul autre, parmi les convives, n'avait bronché et la conversation se poursuivait comme si de rien n'était.

Artémisia, soudain, se sentit mal à l'aise. Elle se tourna vers Apollonius : « Partons », lui dit-elle. Le Grec la regarda avec surprise. « Partons », répéta-t-elle plus fort. Il se leva tout de suite, l'aida à quitter le lit du banquet. Les autres convives protestaient. Elle entendit une voix qui disait : « Mais le spectacle va bientôt commencer ! » Apollonius sourit à ses amis, posa sur la tête d'Artémisia le voile qu'apportait un esclave et ils se retrouvèrent de nouveau dans la nuit.

La lune s'était levée. Le retour sur le canal de Canope se fit dans le même silence qu'à l'aller. Artémisia était engourdie de cœur et d'esprit. Quand ils arrivèrent au port sur le lac, non loin de l'Eunostos, elle remarqua tout de suite quatre hommes, quatre vigoureux gaillards. La jeune femme comprit qu'ils les escorteraient dans les rues de la ville pour éviter toute mauvaise rencontre. Elle se dit furtivement que ces soirées à Canope semblaient, pour Apollonius, une routine parfaitement organisée.

Dès le lendemain, elle revit le Grec dans ses promenades. Il n'évoqua rien du banquet de la veille. Deux jours plus tard, il profita d'un moment de gaieté pour l'inviter de nouveau à une « soirée entre amis ». Elle accepta.

Ils se rendirent dans la même villa. Il y avait là, comme la première fois, une quinzaine de convives. Elle avait déjà rencontré certains d'entre eux, à part deux couples qui n'étaient pas présents la dernière fois. Ils l'accueillirent tous comme une vieille connaissance. Elle remarqua aussi qu'il y avait, de nouveau, un couple d'hommes. C'étaient d'ailleurs les deux mêmes qu'elle avait déjà vus.

Le repas fut gai et animé; c'était, semblait-il à Artémisia, la caractéristique de ces amis d'Apollonius. Ils semblaient ne rien prendre au sérieux; tout leur était sujet à plaisanteries et leur conversation scintillait de mille traits d'esprit.

Artémisia craignait de voir un couple s'esquiver, mais le repas se termina sans incident et les convives dégustèrent ensemble les desserts, des gâteaux aux dattes et au citron, des plateaux de pêches, de poires et de grenades.

Les esclaves enlevèrent prestement les tables et les convives, après s'être lavé les mains et parfumé le visage, retournèrent sur les lits de table, qui formaient maintenant un grand arc de cercle. On versa de nouveau du vin. Artémisia riait. Apollonius la regardait.

Trois esclaves entrèrent, portant une cithare, une petite harpe et un tambourin. Quand elles commencèrent à jouer, c'est à peine si le brouhaha des conversations et des rires fléchit un peu.

Au bout de quelques minutes, pourtant, le bruit tomba soudain: le rideau d'une des pièces du fond venait de s'écarter et deux danseuses pénétrèrent rapidement au milieu du demi-cercle des convives. Elle apprit plus tard qu'elles faisaient partie du chœur du théâtre de Neapolis et qu'elles venaient à Canope pour gagner quelques deniers de plus.

Les deux femmes étaient maquillées violemment. Elles avaient la poitrine nue. Elles avaient dessiné sur leurs seins une énorme aréole ocre, qui en couvrait tout le galbe. Leur mamelon étiré était peint d'un mauve sombre qui tranchait sur le brun orangé de l'aréole. Même si leurs seins étaient petits, les couleurs, qui se détachaient sur le blanc de la peau, les agrandissaient démesurément. Une violente charge sensuelle se dégageait de ces poitrines vivantes et fardées.

Les deux femmes se mirent à danser. Elles n'avaient pas le talent de certaines des danseuses sacrées d'Isis, mais elles le compensaient largement par la lascivité de leurs mouvements, leurs tournoiements qui faisaient tressauter leurs seins.

Les convives riaient et applaudissaient. Certaines des femmes encourageaient les danseuses, les invitaient à s'approcher des hommes, à les aguicher, tout près de leurs visages.

Artémisia voyait maintenant les hommes se pencher sur leurs parte-
naires, les embrasser, pétrir leurs seins. Les femmes riaient fort. Elle avait
chaud, elle suffoquait. La soirée était tiède, les torches chauffaient la pièce et
elle avait bu beaucoup de vin.

Après quelques contorsions finales, les danseuses se retirèrent. Artémisia
était saisie de vertige. Elle vit, comme dans un nuage, les deux hommes qui
étaient ensemble se lever et se diriger vers les pièces du fond. Un ou deux
couples les suivirent.

Artémisia avait les paumes brûlantes. Une sueur glacée lui couvrait le
front. Elle leva la main pour s'éponger le visage. Apollonius la vit. Il prit
un linge et, délicatement, lui essuya le front, les joues, les paupières. Puis,
souriant, il se pencha sur elle et l'embrassa.

Artémisia bascula dans un trou noir. Elle n'entendait plus rien, ne voyait
plus rien. Elle sentait seulement, sur sa bouche, ces lèvres qui, patientes,
caressaient les siennes. Elle haletait. Elle se laissa aller en arrière. Apollonius
ne l'avait pas quittée et maintenant il l'embrassait avec une lenteur et une
science qui la bouleversaient.

Combien de temps dura ce baiser? Elle ne le sut jamais. Elle ouvrit
soudain les yeux: Apollonius l'avait soulevée, il la portait et se dirigeait vers
une des pièces du fond. Derrière le rideau qu'il tira, elle découvrit que ces
chambres étaient plus vastes qu'elle ne l'imaginait. Le Grec la déposa sur le
grand lit qui en occupait le centre. Il se pencha vers elle. De nouveau, elle
perdit toute conscience du temps.

Cette nuit-là, en retournant à Alexandrie, Apollonius lui dit qu'ils
reviendraient à Canope le lendemain soir. Elle ne dit rien. Il sourit.

Pendant cinq ou six semaines, Artémisia vécut ainsi dans une espèce de
transe. Tous les deux ou trois jours, Apollonius l'invitait à «passer une soirée
entre amis à Canope». Elle ne refusait jamais. Pour elle aussi, ce voyage vers
la ville voisine revêtait les allures d'une routine qu'elle connaissait maintenant fort bien.

Elle restait silencieuse pendant qu'ils étaient dans la barque. Elle parlait
peu pendant les banquets. Elle observait avec curiosité ces hommes et ces
femmes qui l'entouraient. À certaines allusions, à certains noms qui leur
avaient échappé dans la conversation, elle avait compris qu'ils étaient riches
et haut placés. Il y avait là un homme de l'entourage du préfet, une femme
dont le mari — qui ne l'accompagnait pas — était un des grands armateurs
du port. Elle regardait amoureusement un des architectes chargés de rebâtir
la Bibliothèque, un homme aux cheveux plats et à la mine renfrognée. Il y
avait là des Grecs, des Égyptiens et des juifs, et même un Arabe qui avait fait

fortune en envoyant des caravanes traverser les déserts jusqu'en Nabatène[1] et en Arabie heureuse[2].

Artémisia mangeait peu pendant le banquet, mais buvait beaucoup. Le vin l'amollissait, elle se décrispait, elle pouvait même rire des plaisanteries que les «amis» d'Apollonius échangeaient. Surtout, en faisant tomber ses défenses, le vin semblait aussi aiguiser ses sens, il lui permettait de saisir à plein la charge violente que dégageait l'homme étendu à ses côtés sur le lit de table.

La jeune femme ne se demandait pas si elle aimait le Grec. Elle se doutait confusément que la réponse à cette question n'était ni simple, ni évidente, qu'elle pourrait même la tirer de sa léthargie. Mais Apollonius l'habitait. Littéralement. Il l'avait envoûtée. Dans de rares moments de lucidité, elle se demandait vraiment si un sort ne lui avait pas été jeté.

Quand il s'approchait, elle sentait l'air s'épaissir autour d'elle. Si elle ne se contraignait pas, elle aurait même haleté. Elle avait l'impression d'être enserrée dans un perpétuel tourbillonnement de mots, de sourires, d'attentions, de caresses.

Sa seule présence lui faisait supporter certaines choses qu'elle n'aurait jamais tolérées auparavant. Les convives qu'elle rencontrait, qu'elle appelait maintenant par leur nom et qui l'embrassaient amicalement quand elle arrivait avec Apollonius, étaient, il est vrai, aimables, amusants. Quelquefois, cependant, elle se raidissait soudain.

Cela se produisait presque toujours pendant les danses, ou après le départ des danseuses, qui n'étaient là que pour chauffer encore plus l'ambiance, en prélude à ce qui suivait. Elle les regardait avec surprise s'offrir aux regards, impudiques et lointaines, et s'étonnait surtout de voir les femmes les relancer en riant.

Un jour, au beau milieu de la danse, un couple s'était levé et avait disparu derrière un rideau. Quelques minutes plus tard, la musique s'était arrêtée et dans le silence soudain, on entendit la femme qui lançait de petits cris brefs. Un des convives s'était écrié: «Par Sérapis, on dirait quelqu'un qu'on assassine et qui veut bien qu'on l'assassine!» Il y eut un grand éclat de rire. Artémisia se tendit.

Quelques minutes plus tard, elle était à son tour dans une des pièces du fond. Au moment où montait en elle le désir, elle se mit à gémir doucement. Soudain, une douleur lui perça les tempes, une pensée fulgura en elle: «Ils m'entendent peut-être, ils se moquent de moi. Ils voient Apollonius en train de…» Elle avait cessé de soupirer; son amant, surpris par sa soudaine

1- Royaume situé dans l'actuelle Jordanie, dont la capitale était Pétra.
2- Le Yémen.

immobilité, l'avait regardée, puis l'avait embrassée sur les seins. Elle recommença à gémir. Cet homme l'«assassinait», comme avait dit l'autre, et elle acceptait tout de lui, et elle aimait cela.

Artémisia n'arrivait pas à s'habituer à la présence des deux hommes qui s'aimaient. Elle savait que, chez les Grecs d'Alexandrie, c'était chose courante. Mais elle tressaillait chaque fois qu'elle voyait le plus jeune des deux se pencher sur son compagnon et le regarder amoureusement dans les yeux. L'autre redressait le torse, lui caressait les hanches, lui chiffonnait les cheveux, l'embrassait sur la bouche et l'entraînait vers l'une des chambres. Nul ne leur prêtait attention.

Dans ses rares moments de lucidité, Artémisia se demandait: «Pourquoi? Pourquoi?» Elle connaissait parfaitement la réponse à sa question: Apollonius l'affolait.

Elle aimait sa démarche. Elle aimait son rire, sa gaieté, ses plaisanteries. Elle aimait cette assurance tranquille qui faisait qu'il était partout chez lui. Elle aimait la façon dont il la regardait et la certitude qu'il avait eue, dès le premier instant, qu'il la séduirait. Elle aimait son corps et la manière dont il lui faisait l'amour.

Elle aimait sa poitrine dure, son dos vallonné et cette façon féline, moqueuse et souple qu'il avait de se pencher sur elle, de se coucher sur elle, la tête redressée, les yeux ouverts, son corps épousant étroitement le sien. Quelquefois, il semblait jouer et se retenait de la caresser de ses mains ou de ses lèvres : ses muscles seuls, en se contractant imperceptiblement, exploraient son corps, allumaient sur chaque pouce de sa peau des flammèches fulgurantes.

Mais d'autres fois aussi, il cherchait et trouvait, de la paume, du bout des doigts, de la langue ou des lèvres, chaque vallon, chaque plaine, chaque mont de son corps, qu'il explorait longuement, dans lesquels, disait-il, il se reposait de temps en temps, tandis qu'elle, tendue à se briser, attendait la fin de son repos pour qu'il l'amène enfin à une brève accalmie. Il reprenait bientôt ses caresses et la houle recommençait à monter en elle, arquant son dos, projetant sa tête en arrière, devenant une vague déferlante, jusqu'à l'écroulement final.

Il aimait parler entre deux étreintes. Quand il la voyait détendue et qu'elle avait fermé les yeux, il lui disait sur un ton moqueur: «Ton corps a suffisamment été en jachère. Il faut maintenant le labourer!» D'autres fois, il se penchait pour lui murmurer à l'oreille qu'elle était pour lui une amphore à l'étroit goulot d'où coulait un nectar qui étanchait sa soif. Elle s'agrippait alors à ses épaules. Et il reprenait son labeur incessant jusqu'à ce qu'elle retombât épuisée sur le lit, incapable même de gémir. Il s'effondrait enfin sur elle, dans un rauque feulement.

La nuit, dans la barque qui les ramenait à Alexandrie, Artémisia sentait ses larmes couler et elle ne savait si elle pleurait de plaisir, d'épuisement, de colère ou d'écœurement.

⁂

Un jour, vers la fin de la matinée, comme elle finissait de s'habiller, on frappa à la porte. C'était Thaïs. La femme de Flavius était devenue son amie, sa compagne pendant les journées où elle s'ennuyait. Artémisia l'aimait beaucoup, malgré ce qu'elle appelait quelquefois sa «naïveté». Thaïs l'embrassa et lui dit:

— Si tu veux bien, Artémisia, nous pourrions sortir nous promener dans les jardins de l'hippodrome.

Il s'agissait de jardins écartés, où il y avait une foule bien moins nombreuse qu'à Pharos. Les deux femmes se retrouvèrent bientôt à l'ombre des sycomores. Artémisia était intriguée car son amie semblait mal à l'aise. Thaïs finit par lui dire:

— Artémisia, tu vas bien?

— Mais oui, Thaïs, comme tu le vois. Ai-je l'air malade? ajouta Artémisia en souriant.

— Non, non, ce n'est pas ce que j'ai voulu dire. Mais… je m'inquiète pour toi.

— Et pourquoi donc? demanda la jeune femme avec un soupçon de brusquerie, car elle sentait que son amie l'entraînait vers des sujets qu'elle ne voulait pas aborder.

Thaïs se tut un moment. Puis elle finit par dire:

— As-tu des nouvelles de Marcus?

— Marcus? Non. Y a-t-il quelque chose? As-tu de ses nouvelles? Est-il malade? Court-il un danger?

— Non, non, répondit la femme de Flavius en riant. Comme tu y vas, ma chère! Non, je n'ai pas de nouvelles de lui, ni Flavius non plus, et il n'y a aucune raison de s'inquiéter. Je me demandais simplement si tu lui avais écrit.

La question de Thaïs frappa douloureusement Artémisia. Depuis deux mois que Marcus était parti, elle ne lui avait envoyé qu'une ou deux missives, au début. Puis, elle avait cessé. Non seulement ne lui avait-elle plus écrit, elle l'avait écarté de sa pensée. Non, ce n'était pas cela. Elle ne l'avait pas écarté. Simplement, elle était tellement obnubilée par ce qui lui arrivait que son image s'était estompée. Et quand elle lui effleurait l'esprit, elle en était chassée par les mille sensations, par l'ouragan d'émotions que lui faisait vivre son amant.

Et maintenant, la question de Thaïs ne lui permettait plus de faux-fuyants. Que lui arrivait-il? Que faisait-elle? Qu'avait-elle fait à Marcus? D'ailleurs, lui non plus ne lui avait pas écrit depuis son départ.

Elle se rendit compte que Thaïs lui parlait. Elle n'avait rien entendu. Elle dit:

— Excuse-moi, mais j'étais distraite. Tu disais?

— Je m'inquiète pour toi. Surtout depuis ce que m'a dit Isidora.

— Isidora? dit Artémisia avec colère en se tournant à moitié vers la servante qui les suivait à quelques pas.

— Il ne faut pas lui en vouloir, dit précipitamment Thaïs. D'ailleurs, c'est moi qui lui ai parlé... Elle n'a fait que répondre à mes questions.

— Et... que t'a-t-elle dit?

— Rien qui nous ait particulièrement étonnés. Tu t'absentes souvent le soir. Nous l'avions bien constaté, puisque nous ne te voyons plus à nos soirées, chez nous, chez Domitius...

— Je... j'ai envie d'être seule, dit Artémisia.

— Ce n'est pas tout...

— Quoi encore? dit l'Égyptienne avec une brusquerie qu'elle regretta tout de suite. Elle savait bien que Thaïs ne voulait pas lui tendre de piège, mais elle craignait de s'enferrer elle-même.

— Même Papa Pierre s'inquiète. Il ne t'a pas vue aux réunions du jour du Seigneur depuis quelques semaines... Il a même des scrupules.

— Des scrupules?

— Oui. Pour tout te dire, il en vient même à regretter d'avoir tellement insisté pour envoyer Marcus à Rome.

— Mais enfin, qu'a-t-il à s'inquiéter? De quoi vous... alarmez-vous? Elle s'était retenue au dernier instant de dire: de quoi vous mêlez-vous?

— Artémisia, dit Thaïs d'un ton précipité, comme si elle se jetait brusquement à l'eau, Flavius, Pierre et moi, nous sommes malheureux pour toi. On nous a rapporté qu'on t'avait vue dans des lieux publics avec un homme. Tu sors le soir en interdisant à Isidora de te suivre. Tu sais bien que chez nous, les dames de qualité ne sortent pas sans esclave. Bref, nous sommes inquiets, pour Marcus et pour toi.

— Je te remercie, Thaïs, répondit l'Égyptienne d'un ton qu'elle voulait léger, mais il n'y a vraiment pas de quoi s'inquiéter.

Thaïs n'insista pas et les deux amies restèrent silencieuses à l'ombre des grands arbres.

Cette conversation avec la femme de l'ex-centurion troubla beaucoup Artémisia. Elle ne pouvait plus ignorer les autres: on la surveillait, on savait certaines choses. Et même si elle ne doutait ni de l'amitié, ni des intentions de Flavius, de Thaïs ou de Pierre — «Qui d'autre encore, se dit-elle avec colère, est au courant?» —, elle était embarrassée et furieuse tout à la fois de se savoir ainsi percée à jour. Elle accabla Isidora de reproches, l'accusant de l'espionner et la servante éclata en sanglots en affirmant qu'elle ne voulait que le bien de sa maîtresse.

Surtout, Thaïs avait obligé Artémisia à ne plus se voiler la face chaque fois que l'image fugace de Marcus lui traversait l'esprit. Reviendrait-il bientôt? Et quand il reviendrait, qu'allait-elle faire? Surtout, qu'allait-elle lui dire?

Puis, le soir, elle retrouvait Apollonius; il la regardait, il lui souriait, il plaisantait, il buvait du vin dans la même coupe qu'elle et il l'entraînait vers une des chambres du fond. Elle oubliait tout, seulement attentive à la tempête qu'il déchaînait dans son corps et qu'il apaisait ensuite avec un art souverain.

ↅ

Un matin, Thaïs arriva chez Artémisia très tôt, pressée, l'air soucieuse. «Pourvu, se dit celle-ci, qu'elle ne me parle pas encore de… mes soirées. »

— Artémisia, dit Thaïs, Flavius a rencontré Pierre hier après-midi. Il y a des… nouvelles. Je suis venue te voir tout de suite, tu n'étais plus ici.

— Des nouvelles? Quelles nouvelles?

— Un frère est arrivé de Syrie. Il nous a appris que le César d'Orient, Maximin Daïa, s'est finalement décidé: il quitte Antioche dans les prochaines semaines et vient à Alexandrie.

— Mais, si je me souviens bien, cela fait déjà quelques mois qu'on s'en doutait. Est-ce là la nouvelle que tu voulais me dire hier?

— Hélas, non! dit Thaïs avec un tremblement dans la voix. Maximin a également signé un décret qu'il va envoyer incessamment au préfet.

— Un décret? Quel décret?

— Il a décidé de reprendre la persécution contre les chrétiens.

Artémisia ouvrit de grands yeux. Son cœur soudain s'était mis à battre.

— Et… que va faire Pierre?

— Il va réunir les presbytres et les chefs de la communauté, pour aviser. Cependant, il a déjà pris une mesure immédiate.

— Laquelle?

— Il a écrit une lettre à Marcus. Il lui demande de quitter Rome et de revenir immédiatement à Alexandrie.

CHAPITRE TREIZE

Marcus s'avançait dans l'obscurité. Il n'y voyait presque rien et tendait quelquefois la main pour effleurer du bout des doigts le dos de l'homme qui le précédait.

Marcel lui avait demandé de se trouver, tôt le matin, au pied du Pincio, non loin du mausolée d'Auguste. Julia l'avait accompagné, la tête voilée, le visage caché. Un chrétien qu'il connaissait et qui s'appelait Eusèbe les y attendait. Ils franchirent en silence la Porta Flaminia, puis se dirigèrent vers la Via Salaria. Ils marchèrent quelque temps sur la route avant de bifurquer dans les champs.

Des dizaines d'hommes et de femmes s'avançaient dans les sentiers de la campagne; ils se dirigeaient tous vers un point perdu au milieu des prés. Arrivés là, ils disparaissaient soudain. On eut dit qu'un génie les escamotait.

Marcus et Julia finirent par y arriver; des frères attendaient là pour s'assurer que tous ceux qui venaient étaient bien chrétiens. Ils reconnurent Eusèbe — c'était un diacre grec installé à Rome — et leur sourirent avant d'ouvrir une espèce de trappe dans le sol. Ils s'y engouffrèrent tous les trois et commencèrent à descendre les marches d'un escalier raide.

Ils arrivèrent bientôt à l'orée d'un tunnel obscur. D'autres gens les suivaient: il fallait avancer. Leur guide les précédait. Mais dès qu'ils s'y engagèrent, la galerie se rétrécit à une demi-toise[1] environ et le plafond en était si bas qu'ils devaient avancer plus qu'à moitié courbés. L'obscurité n'était percée que de loin en loin par une torche fumeuse qui faisait tousser. L'endroit était lugubre et inquiétant et Julia, instinctivement, toucha l'épaule de Marcus. Sans s'arrêter, il tendit la main en arrière, lui prit la sienne.

Ils marchèrent plusieurs minutes. Les yeux de Marcus s'étaient habitués à la pénombre. Il devinait maintenant dans les parois, à droite et à gauche, de

---

1- Un mètre.

profondes cavités sombres. Plus tard, il sut que c'étaient les tombes des martyrs. On déposait leurs dépouilles dans ces niches et, dans les plus anciennes galeries, celles-ci étaient devenues de véritables ossuaires. On regroupait dans un coin les tibias et les fémurs, et on élevait dans l'autre une petite pyramide des crânes des Romains morts pour leur foi.

Quelquefois, la galerie s'élargissait pour devenir une petite pièce. Des chrétiens y étaient déjà rassemblés. Eusèbe poursuivait son chemin. Au bout de la galerie, un autre escalier avait été creusé. Ils descendirent un second étage et recommencèrent leur marche tâtonnante dans l'obscurité. Marcus commençait à se sentir oppressé. Il pensait à Julia qui devait, elle aussi, être inquiète et il lui serrait les doigts d'une tendre pression.

À un moment donné, Eusèbe bifurqua dans une galerie latérale, plus étroite encore que la première, mais finit par déboucher assez rapidement dans une vaste pièce. Il y avait là des chandelles à l'huile qui éclairaient un grand groupe. Marcus reconnut nombre de chrétiens qu'il avait rencontrés dans les maisons du Seigneur ; au milieu d'eux se trouvait Marcel. Des portes basses étaient percées dans les trois autres parois et donnaient sur de petites pièces. Marcus y devina un entassement de gens.

Le presbytre accueillit l'Alexandrin avec un grand sourire. Puis les prières commencèrent. Marcel articulait lentement et Marcus comprit que les gens dans les pièces voisines suivaient le rituel en même temps qu'eux.

Marcel parla de l'Église de Rome qui avait déjà surmonté la persécution de Dioclétien ; elle saurait, dit-il, proclamer de nouveau sa foi dans les temps difficiles qui s'annonçaient. Il évoqua la nuit que le Seigneur avait passée au jardin des Oliviers, son angoisse et son agonie qui avaient débouché, après le chemin étroit du Golgotha, sur la lumière de Pâques.

Le presbytre parlait dans la lueur blafarde et tremblante des chandelles ; les chants et les prières étaient murmurés, car on ne pouvait, à cause de l'écho, élever la voix dans ces caveaux. Marcus sentait monter l'exaltation de ces hommes et de ces femmes serrés autour de lui. Une violente émotion le bouleversa. Il saisit la main de Julia qui était tout près de lui. Dans l'obscurité, la jeune femme posa sa tête sur son épaule.

Malgré l'exiguïté des lieux, on avait apporté du pain et du vin. Marcel étendit les mains, bénit les offrandes, rompit le pain, et les fidèles le partagèrent entre eux. Puis ils commencèrent à refluer dans les galeries, pour quitter la catacombe. Marcus se dit qu'il était plus que temps : l'air commençait à se raréfier et une odeur puissante de respiration et de corps en sueur les prenait tous à la gorge.

À l'entrée, les mêmes gardiens étaient là et ne laissaient partir les fidèles que par petits groupes, pour qu'ils n'attirent pas l'attention. D'ailleurs, les chrétiens se dispersaient dans toutes les directions, pour se fondre dans la campagne, avant de rejoindre la ville par la Via Flaminia, la Via Salaria ou la Via Nomentana.

Après cette première visite à une catacombe, Marcus resta songeur toute la journée. Il sortit un peu l'après-midi, mais, malgré les plaisanteries de Peirius, qu'il rencontrait maintenant régulièrement, il n'arriva pas à se détendre. Il se sentait le cœur lourd, l'esprit envahi de tristes pressentiments ; il ne pouvait plus se le cacher : les chrétiens allaient affronter d'autres épreuves, d'autres persécutions, d'autres souffrances.

Il revint le soir chez Julia ; elle aussi semblait triste et tendue ; il s'avança vers elle. D'un geste tout simple, tout naturel, elle ouvrit les bras ; il s'y réfugia. Maintenant, il était tout près de ses lèvres et de cet ourlet de chair, discret et net, qui semblait les cerner et qui fascinait le jeune homme. Il voulut savoir s'il pourrait franchir cet obstacle, tendre et chaud et malléable sous ses lèvres. La jeune femme entrouvrit doucement la bouche.

Plus tard, dans le lit, après que la jeune femme se fut assoupie, Marcus resta longtemps les yeux ouverts. Il éprouvait une grande douceur à sentir le flanc chaud de Julia contre le sien. Pour la première fois depuis plusieurs semaines, l'étau qui lui enserrait la tête semblait s'être défait. L'étreinte de la jeune femme avait été tendre et douce. À son tour, il lui avait fait l'amour sans hâte et ses caresses avaient été légères.

Les semaines suivantes, Marcus se sentit de nouveau heureux. Il savait pourtant que la situation des chrétiens — et donc la sienne propre — s'aggravait à Rome. Les nuages qui s'amoncelaient au-dessus de leurs têtes devenaient de jour en jour plus noirs.

Marcel avait expliqué à l'envoyé de l'évêque d'Alexandrie que la lutte de pouvoir qui s'annonçait à la tête de l'Empire, qui avait même commencé, allait envenimer la situation. L'empereur Galère était le successeur de Dioclétien, il régnait sur une grande partie de l'Empire, mais en Italie, son adjoint Maxence, qui avait pris le pouvoir à Rome, prétendait lui aussi à la couronne impériale. Or, pour les chrétiens, les troubles civils avaient toujours été néfastes depuis Néron et les autorités romaines n'avaient que trop tendance à en faire des boucs émissaires.

Peirius, à son tour, racontait tout cela à Marcus. L'ancien marin semblait avoir percé le secret de Marcus. Il n'avait plus attaqué les chrétiens devant lui mais ses longues explications sur le sort qui les attendait inévitablement semblaient à l'Alexandrin un avertissement. Peirius lui suggérait-il de partir, de s'enfuir ?

Malgré ses soucis, Marcus revenait le soir rempli d'allégresse chez sa logeuse. Car le havre qui l'y attendait n'était plus seulement celui des quatre murs, de la chambre intime ou du repas chaud. Il se réfugiait tout de suite dans les bras de la jeune femme.

Ils mangeaient ensemble. Elle le servait avec le sourire. Il voyait dans ses yeux des prairies de tendresse, des champs de fleurs et d'herbe tendre pour s'y reposer.

Un jour, elle lui avait raconté sa vie qui se résumait à peu de choses.

Elle était née à Rome, d'une mère italienne du sud et d'un père ibère, qui avait servi dans les armées impériales avant de venir vivre dans la capitale. Elle s'était mariée à quinze ans et avait eu son seul enfant — âgé aujourd'hui de trois ans — à dix-huit ans.

Elle raconta comment, lorsque l'enfant n'avait encore qu'un an, son mari, Martial, n'était pas revenu un soir. Elle avait attendu toute la nuit dans l'angoisse. Le lendemain, un envoyé de Marcel était venu lui apprendre la nouvelle : Martial avait été arrêté avec d'autres chrétiens au sortir d'une réunion dans une maison amie.

C'était vers la fin de la persécution de Dioclétien, quelques mois avant la démission de l'Empereur. Dix jours après son arrestation, Martial avait été amené dans un champ avec d'autres chrétiens. Un fonctionnaire du Sénat était venu leur demander s'ils acceptaient de faire des offrandes à Jupiter. Ils étaient tous restés silencieux.

Les bourreaux s'étaient avancés ; on avait lié les chrétiens à des poteaux de bois puis on les avait transpercés de flèches. Les agents de l'État étaient ensuite partis et les frères avaient enlevé les dépouilles des martyrs, les avaient enroulées dans des linceuls avant de les descendre dans les catacombes les plus proches.

Julia avait été prévenue de l'exécution. Elle s'était rendue, son enfant dans les bras, là où elle devait avoir lieu. Elle avait vu son mari s'avancer, enchaîné au milieu des gardiens. Il l'avait aperçue et son visage s'était crispé un bref moment avant de reprendre sa sérénité. Elle ne l'avait pas vu mourir car son regard était brouillé par les larmes.

Dès le lendemain, son lait s'était aigri. Elle n'avait plus pu nourrir son enfant et il avait fallu lui trouver une nourrice ; une voisine charitable lui avait donné le sein jusqu'à ce que l'enfant soit sevré.

Depuis ce moment, elle vivait seule, élevant son enfant, reportant sur lui tout l'amour qu'elle ne pouvait plus donner à son mari. Marcel lui envoyait de temps en temps des frères ou des couples de passage à Rome. Les sesterces qu'ils lui versaient lui permettaient de vivre dans une pauvreté discrète. Puis, Marcus était arrivé…

Elle lui demanda timidement de lui raconter sa vie. Il resta évasif. Il lui parla de son enfance en Syrie et à Antioche, de sa carrière militaire, de sa conversion, de son voyage et de son installation à Alexandrie, sans entrer dans les détails.

Marcus vivait dans un état double. Le jour, avec Marcel, avec les autres chrétiens, il partageait leurs craintes, il s'inquiétait de l'avenir, il craignait cette épée de Damoclès suspendue au-dessus de leurs têtes. Les premiers signes de l'ouragan qui menaçait se multipliaient. Non seulement les espions surveillaient-ils les maisons du Seigneur, mais une tourbe de plus en plus hostile entourait les quelques églises de la ville, même si les chrétiens ne s'y réunissaient plus. On apprit ainsi un jour que l'église de Sainte-Marie, dans le quartier du Transtévère, de l'autre côté du Tibre, avait été attaquée et profanée. Ailleurs, des graffiti obscènes fleurissaient sur les murs de la ville : la figure de Christ sur la croix était moquée, insultée.

Mais le soir, Marcus retrouvait chez Julia une oasis où ne parvenaient plus les clameurs de la persécution. La jeune femme s'était attachée à lui. Il semblait à Marcus qu'il la protégeait, tout en se réfugiant chez elle, entre ses bras, dans ses yeux, en elle.

Un jour, elle s'enhardit et lui demanda s'il vivait à Alexandrie avec une autre femme. Il dut reconnaître qu'il était marié. Les yeux de la jeune femme s'embuèrent. Il se leva, la serra dans ses bras. Elle murmura : «Tu me quitteras ! Tu vas me quitter ! » Cette plainte bouleversa Marcus. Il embrassa ses yeux, but ses larmes sur ses joues. Une profonde émotion l'étreignait. Il la porta dans ses bras, la déposa sur le lit, baisa ses lèvres, lui fit l'amour. Il ne sut jamais si les soupirs de la jeune femme étaient dus à la confidence qu'il venait de lui faire ou à la montée du plaisir.

Depuis ce jour, Julia changea imperceptiblement. On aurait dit que le temps qui s'envolait lui donnait de l'audace. Elle savait que les jours de son amant avec elle étaient comptés, soit qu'il quittât l'Italie pour retourner chez lui, soit que la répression que tout le monde prédisait les séparât.

Elle lui demandait maintenant de ne plus tarder le soir. Elle mettait son enfant au lit plus tôt, dès le coucher du soleil. Elle préparait des repas plus recherchés et avait acheté à deux ou trois reprises une cruche de vin. Elle riait volontiers, pour distraire et amuser Marcus, même si son regard restait mélancolique.

La nuit, au lit, elle caressait son amant avec une espèce de ferveur désespérée. Marcus avait perçu ce changement ; il la laissait prendre l'initiative, puis la renversait sous lui, s'enfonçait en elle, se fondait en elle, tâchant par cette étreinte de conjurer le sort, d'éloigner la souffrance qui affleurait dans les caresses et les baisers de son amante.

Le jour du Seigneur, Marcus retournait dans les catacombes. Pendant les prières, il s'abîmait dans une méditation qui le troublait et le tourmentait.

N'était-ce pas l'apôtre Matthieu qui avait rapporté ces mots du Seigneur : « Tout homme qui regarde la femme d'un autre pour la désirer a déjà commis l'adultère dans son cœur » ? Lui, Marcus, n'avait pas seulement regardé Julia, il l'avait aimée... Et même si elle était veuve, même si elle n'était plus la femme d'un autre, il était, lui, le mari d'Artémisia. Sa femme surgissait soudain devant ses yeux, il tressaillait, enfouissait son visage entre ses mains... L'odeur des cierges l'oppressait soudain, il suffoquait.

Mais quand il ressortait des caveaux enterrés sous la campagne romaine, quand il replongeait dans Rome, fiévreuse, bruyante, agitée, vivante, quand il rencontrait des chrétiens qui rasaient les murs et regardaient autour d'eux avec des yeux affolés, comme les biches que traquent les chasseurs, et que l'angoisse recommençait à s'insinuer de nouveau en lui, quand, ensuite, il retournait le soir chez Julia, qu'il la trouvait l'attendant à la porte, le corps frêle dans sa souple tunique, ses grands yeux noirs brillant dans la pénombre, le sourire accueillant, les bras ouverts, il oubliait toutes ses résolutions, l'étreignait, se réfugiait entre ces deux bras qui semblaient, pendant quelques brefs moments, un rempart contre la mort qui rôdait autour de lui, autour d'eux...

෴

Un jour de prière — c'était cinq ou six semaines après la première réunion dans les catacombes —, Marcus revenait en ville avec Julia. Eusèbe les avait quittés à la Porta Flaminia, où les attendait Nikânor. Marcus se faisait en effet accompagner par son esclave, par mesure de précaution. Le géant égyptien aux cheveux crêpelés le suivait à quelques pas de distance, silencieux, les yeux fureteurs.

Une fois la porte franchie, ils s'engagèrent sur la Via Lata, admirèrent le mausolée d'Auguste et longèrent le Champ de Mars. La journée était belle et tiède et Marcus n'avait pas envie de retourner immédiatement chez Julia. Ce retour des catacombes lui donnait l'occasion de se promener avec la jeune femme sans attirer les soupçons.

Ils ralentirent dans la grande voie encombrée de chariots tirés par des bœufs ; les cavaliers, pressés de toutes parts, allaient au pas en cravachant la foule mouvante des piétons, tandis que les chevaux, énervés, hennissaient en levant la tête au ciel.

À un moment donné, ils virent au loin, splendide et majestueux, le mausolée d'Hadrien. Ils contournèrent le Capitole et pénétrèrent dans le Forum.

L'endroit était plein d'une foule bruyante et joyeuse. Les Romains déambulaient entre les arcs de Titus et de Septime Sévère en admirant la Curie où se réunissait le Sénat et les temples qui bordaient la voie centrale. Ils riaient, gesticulaient, échangeaient des lazzis.

Marcus et Julia s'arrêtèrent non loin de la maison des Vestales pour se reposer un peu. Ils s'assirent dans l'escalier d'un temple. Le soleil était doux et chauffait leurs visages. Ils se sentaient tous les deux heureux, détendus.

Marcus fut tiré de sa rêverie. Nikânor était venu le rejoindre et lui tapait légèrement sur l'épaule, geste qu'il n'avait jamais fait. Marcus leva les yeux : l'esclave lui désignait quelque chose, du côté de l'entrée du Forum.

Marcus regarda ; un mouvement de foule attira son attention. Les promeneurs commençaient à refluer. Le jeune homme finit par comprendre pourquoi : une grosse patrouille de gardes venait de pénétrer dans le Forum en passant sous l'arc de Septime Sévère. Les soldats arrêtaient toutes les personnes sur la voie, leur parlaient brièvement avant de les laisser repartir. On vit pourtant un homme qu'ils retenaient, à qui ils liaient les mains avec une corde et qu'ils emmenaient entre deux d'entre eux à l'extérieur.

Marcus tourna ses regards du côté de l'arc de Titus. Une autre patrouille venait de pénétrer par là et interrogeait tous les piétons. Le jeune homme regarda rapidement partout autour de lui : toutes les issues du Forum étaient ainsi bloquées. Partout des gardes arrêtaient des gens, leur posaient une question avant de les laisser repartir. Pas tous, cependant : bientôt, un, puis deux, puis une dizaine de promeneurs furent arrêtés.

Marcus comprit tout en un éclair : ce que Marcel, Julia, les chrétiens de Rome craignaient venait de se produire. Quelqu'un, quelque part, avait donné l'ordre d'arrêter les chrétiens. La persécution reprenait, après trois ans d'accalmie à la suite du départ de Dioclétien.

Les autorités estimaient sans doute qu'un énorme coup de filet au Forum signalerait de façon dramatique le début de la chasse aux sectateurs de Christos. Les soldats, après en avoir bloqué toutes les issues, le ratissaient systématiquement. Ils invitaient les passants à brûler un peu d'encens devant l'une des multiples statues de dieux ou d'empereurs que l'on trouvait partout. Si l'un ou l'autre refusait ou hésitait, il était immédiatement arrêté.

Marcus et Julia étaient dans la nasse. Dans quelques minutes, les soldats parviendraient jusqu'à eux. Marcus sut immédiatement qu'il serait arrêté. Il ne renierait pas sa foi. Il savait aussi que Julia n'hésiterait pas.

Marcus se tournait de tous côtés. Il ne semblait pas y avoir d'échappatoire. Les diverses patrouilles convergeaient lentement, irrésistiblement, vers le centre du Forum, là où ils se trouvaient.

Le jeune homme était désespéré. Il ne craignait ni l'arrestation, ni la mort. Il s'en voulait cependant d'avoir entraîné Julia avec lui au Forum. S'ils étaient retournés directement chez elle, elle aurait été saine et sauve. C'est lui qui avait traîné, qui avait voulu se promener. C'est lui qui avait cédé à la douceur de se sentir tout seul avec la jeune femme, au milieu de cette foule compacte. C'est lui qui l'avait attirée dans ce piège, qui serait responsable de son martyre.

Il se secoua ; ils ne pouvaient demeurer là. Peut-être y avait-il encore un espoir ? Il saisit Julia par le bras, dit à Nikânor : « Suis-nous. » L'esclave comprit : il n'était plus question de rester quelques pas en arrière. Il se colla littéralement à son maître.

Marcus avançait de quelques pas en avant, puis reculait, puis se dirigeait à droite, à gauche, avant de refluer de nouveau. Il ne voyait d'issue nulle part ; au bout de quelques instants, il eut l'impression de tourner en rond, d'être pris dans un tourbillon lent et mortel. Un bref moment, il fut pris de vertige : il se voyait avancer vers le bourreau, encadré par deux soldats, il voyait luire sur le billot une hache effilée, qui s'abattrait bientôt sur son cou…

La foule qui refluait devant les gardes devenait de plus en plus nombreuse, compacte. Les Romains riaient, plaisantaient, criaient, s'interpellaient, puis grondaient chaque fois que les gardes arrêtaient un chrétien. Marcus vit furtivement quelques visages graves, quelques regards traqués. Il comprit qu'il s'agissait de chrétiens. Ils vivaient leurs derniers instants de liberté, peut-être leurs derniers jours…

Julia, Marcus et Nikânor étaient maintenant pressés de tous côtés. La foule tourbillonnait en riant autour d'eux. Soudain, il y eut un brusque reflux. Quelqu'un, là, à deux ou trois pieds devant eux, venait de tomber. Il avait déséquilibré ses voisins, il y eut quelques rires, des cris, des jurons. Marcus trébucha : pour ne pas tomber, il dut se retenir assez pesamment à l'homme qui était devant lui. L'autre lui jeta un regard torve et Marcus dut s'excuser.

Marcus se tourna de tous les côtés : Julia et Nikânor avaient disparu. Le bref instant qu'il lui avait fallu pour se débarrasser de l'homme avait été suffisant : la foule les avait séparés. Il se dressa sur la pointe des pieds : partout il ne voyait que des têtes, des cheveux, des coiffures. Il ne reconnut ni Julia, ni son esclave.

Il commença à jouer des coudes, furieusement. Ses voisins l'invectivaient : il n'en avait cure, il fonçait dans la masse, il profitait de la moindre borne, du moindre escalier pour s'y jucher, dominer la foule, cherchant désespérément du regard pour retrouver ses deux compagnons. Un moment même, il se mit à crier : « Julia ! Julia ! » Dans l'énorme clameur du Forum, sa voix semblait risible. Ses voisins le regardèrent, étonnés.

Plusieurs minutes s'étaient ainsi écoulées. Marcus ne s'était pas rendu compte que les gardes continuaient d'avancer implacablement, pendant qu'il se démenait. Il prit soudain conscience qu'une des patrouilles n'était plus très loin de lui. Dans quelques instants, il serait abordé, questionné, arrêté…

Une immense fatigue le saisit. C'était la fin, pour lui, pour Julia. Une fraction de seconde, il entrevit le visage d'Artémisia. Un spasme le secoua.

Une main lui saisit fermement l'avant-bras. Machinalement, il se secoua pour se débarrasser de l'importun. La pression augmenta. Il leva les yeux : Peirius était là, il l'avait saisi par le bras et le secouait, en lui disant : « Viens ! »

Ahuri, Marcus suivit l'ancien marin qui jouait des mains, des bras et des coudes et se frayait lentement un chemin dans la foule. Ils s'éloignèrent peu à peu de la patrouille la plus proche. Peirius s'était dirigé vers le côté de la voie principale. Il s'engagea bientôt dans un passage entre deux temples, où la foule était déjà moins dense. Au bout, il n'y avait pas d'issue. « Où me mène-t-il, par la Vierge Marie ? » se dit Marcus.

Peirius s'arrêta un bref moment et, se tournant vers l'Alexandrin, lui murmura :

— Tu ne veux pas rencontrer ces soldats, n'est-ce pas ?

Marcus n'hésita pas :

— Non, dit-il nettement.

— Viens donc, dit le Romain.

Il se glissa le long d'un mur en retrait ; Marcus le vit qui tâtonnait sur la pierre. Une poterne basse, presque invisible, s'ouvrit et les deux hommes la franchirent. De l'autre côté, ils débouchèrent dans un passage voûté entre deux constructions. Peirius avançait sans hésitation dans une pénombre que ne traversaient que de vagues lueurs. Après quelques détours, il ressortit par une autre poterne basse. Marcus cligna des yeux : il se retrouvait soudain en plein soleil.

— Nous avons quitté le Forum, dit le vieux marin. Suis-moi.

Marcus ne dit mot. Dans les rues, la foule insouciante continuait à jouir de la tiédeur de l'air. Mais partout des soldats arrêtaient des gens, des patrouilles de trois ou quatre militaires investissaient les carrefours, pénétraient dans les ruelles les plus étroites. Le coup de filet prenait de l'ampleur.

Peirius ne dit rien, mais continua à entraîner Marcus au pied du Palatin. Ils abordèrent bientôt les premières pentes de l'Aventin et pénétrèrent dans un quartier cossu, où de belles villas témoignaient de la richesse des patriciens de la ville. Là, la foule s'était faite plus rare et les soldats avaient disparu. Peirius ralentit. Il se tourna vers Marcus.

— Tu souhaites peut-être retourner chez toi, dit-il, mais tu risques fort de tomber sur d'autres patrouilles. Ils t'arrêteraient presque certainement.

— Je ne dois pas me faire arrêter, dit sombrement l'Alexandrin. Je dois retrouver… la jeune femme qui m'accompagnait.

— Alors, il faudra que tu te caches pendant quelques heures, un jour peut-être, jusqu'à ce que le zèle des soldats s'émousse un peu.

— Me cacher? C'est vite dit. Tous mes amis doivent être en fuite, aux abois ou arrêtés. Je ne saurais où aller pour me cacher.

Le Romain réfléchit quelques instants puis, semblant soudain se décider, il dit:

— J'ai peut-être une cachette pour toi. Il faudra cependant que… tu me fasses confiance.

Ces derniers mots intriguèrent Marcus. Il suivit Peirius qui arriva bientôt à un petit palais sur l'Aventin. Une construction basse, presque invisible, s'accotait à un des murs du palais. Peirius s'en approcha, poussa une porte et pénétra dans une espèce de cour minuscule.

Au fond, une porte s'ouvrait dans le mur latéral du palais. Peirius la poussa et, suivi de Marcus, descendit plusieurs marches. «Il m'emmène dans une cave, se dit l'Alexandrin.» Au bas de l'escalier, Peirius arriva devant une troisième porte. Avant de l'ouvrir, il s'arrêta, se tourna vers Marcus et, le fixant dans la pénombre, lui dit:

— Il est temps que nous parlions franchement. Tu es chrétien, n'est-ce pas?

— Oui, répondit Marcus sans hésiter.

— Je l'avais deviné. Tu es le premier chrétien que je fréquente, reprit le Romain en esquissant un sourire.

— Ils sont pourtant nombreux, à Rome.

— Je ne le sais que trop, et c'est pourquoi j'enrage. Mais enfin, toi, tu es devenu mon ami, et les temps vont être difficiles pour tes coreligionnaires. Les chrétiens vont être de nouveau pourchassés, comme sous Dioclétien.

Marcus ne dit mot.

— Plus tard, tu pourras toujours partir, quitter la ville, ou bien t'y cacher, reprit le Romain. Mais aujourd'hui, tu cours le risque d'être arrêté à chaque coin de rue. C'est pourquoi je te cacherai ici pendant quelques heures, peut-être jusqu'à demain.

— Ici? demanda Marcus.

— Oui, ici. Mais je dois, auparavant, te demander de jurer sur ce que tu as de plus sacré de ne jamais dévoiler ce que tu vas voir ou entendre.

Marcus allait de surprise en surprise.

— Je peux t'assurer, dit-il, sur mon honneur de citoyen romain de ne jamais révéler ce qui va m'arriver ici, mais puis-je te demander les raisons de ce… mystère.

— Nous sommes dans un mithræum, dit Peirius.

Un mithræum! Un temple de Mithra. Marcus savait que, partout dans l'Empire, le dieu perse avait fait des adeptes. Quand il était militaire à Corinthe, il avait appris que de nombreux légionnaires adoraient Mithra. Mais son culte était secret, des histoires terribles circulaient sur les mystères du dieu et sur les sacrifices sanglants que lui rendaient ses fidèles.

— Oui, nous sommes dans la demeure du dieu Mithra, que j'adore et que je sers, reprit gravement Peirius. Nul n'a le droit de pénétrer ici s'il n'a d'abord été initié. Mais c'est aussi la meilleure cachette possible, et j'ai décidé… de t'y cacher; c'est pourquoi je t'ai demandé de t'engager à ne jamais dévoiler nos secrets.

Marcus était ému. Peirius lui donnait ainsi une grande marque d'amitié et de confiance. Il s'engagea de nouveau au secret le plus complet. Le Romain ouvrit enfin la porte et ils descendirent encore une volée de marches.

Ils se trouvaient dans une grande salle rectangulaire, vaguement éclairée par la faible lueur qui venait de la porte ouverte derrière eux, ainsi que par des chandelles allumées à l'extrémité opposée. Peirius connaissait son chemin. Il s'avança d'un pas décidé et, arrivé au bout de la salle, il écarta un rideau qui cachait une ouverture dans le mur de droite.

— Tu vas te cacher derrière ce rideau, dit-il à Marcus. Ce soir, nous avons un office sacré, mais ne crains rien, personne ne te cherchera ici.

— Es-tu sûr, demanda Marcus, que personne ne voudra écarter ce rideau?

— Oui, j'en suis sûr, répondit le Romain en souriant. Puis, semblant soudain se décider, il ajouta: viens voir.

Derrière le rideau, un escalier étroit en colimaçon se perdait dans l'obscurité. Peirius, l'Alexandrin sur les talons, grimpa une longue volée de marches. Ils débouchèrent dans une pièce carrée, au milieu de laquelle se trouvait un grand autel de pierre.

— Trois fois l'an, dit Peirius, nous sacrifions ici un taureau. La bête est amenée par une porte qui donne sur l'arrière, puis le sacrifice, qui commémore la victoire de Mithra sur le taureau, est offert au dieu. Nous participons à sa victoire et nous nous imprégnons de la force du taureau vaincu.

— Vous vous imprégnez de sa force? Comment cela?

— Viens, répéta Peirius, en entraînant Marcus vers l'autel.

C'était une grande pierre plate. Elle était légèrement en pente et une espèce de caniveau l'entourait. Dans un coin de l'autel, une ouverture étroite se trouvait au point le plus bas du caniveau.

— Une fois le taureau égorgé, expliqua gravement le Romain, son sang s'écoule dans le caniveau, puis il passe par cette ouverture qui conduit en bas, dans le mithræum. Nos Pères et nos anciens le reçoivent sur la tête. Ils sont ainsi baptisés dans son sang, purifiés puis imprégnés de sa force.

Marcus ne dit mot. Ce ruissellement du sang du taureau sur la tête des fidèles du dieu avait donné naissance à mille légendes, où l'on évoquait des sacrifices humains, des enfants qu'on égorgeait…

Peirius redescendit l'escalier et, arrivé dans le temple, il se tourna vers Marcus.

— Je dois partir, dit-il, pour me préparer à la liturgie. Tu vas donc rester caché derrière ce rideau, où, je te le répète, nul ne viendra te chercher, puisqu'il n'y a pas aujourd'hui de sacrifice du taureau. Je dois fermer la porte derrière moi, il te faudra donc patienter quelques heures encore dans la maison du dieu. Au moindre bruit, réfugie-toi dans le réduit derrière le rideau.

Peirius parti, Marcus se retrouva seul dans le temple. L'endroit était silencieux et serein. Au bout de quelques instants, les yeux de Marcus s'étaient habitués à la pénombre. Il fit le tour de la salle.

Sur la plus grande partie de sa longueur, des bancs de pierre latéraux étaient adossés aux murs. À intervalle régulier, dans une niche entre deux bancs, il y avait une statue : c'était soit un relief du dieu portant sur ses épaules le taureau, ou un lion menaçant, ou encore un arbre dont les branches étaient coiffées de têtes portant des bonnets phrygiens. Des lampes étaient allumées devant ces statues.

Le plafond de la salle était voûté, en stuc, peint en bleu et constellé d'étoiles. En levant la tête, Marcus avait l'impression de se trouver enterré dans une grotte profonde par l'ouverture de laquelle il pouvait voir le ciel nocturne.

Mais ce qui fascinait le plus l'Alexandrin, c'était l'extrémité du temple, du côté opposé à la porte d'entrée. On devait tout d'abord grimper trois marches, qui menaient à une espèce d'estrade. Au centre se trouvait un grand autel, flanqué de deux autels latéraux. Contre le mur du fond, un rideau cachait quelque chose. Marcus hésita un moment, regarda autour de lui comme pour s'assurer qu'il n'y avait personne, puis écarta légèrement le rideau pour voir ce qu'il dérobait aux regards.

C'était un ensemble statuaire. Au milieu, une grande statue représentait le sacrifice du taureau par le dieu. Mithra était un jeune homme au corps musclé, coiffé d'un bonnet ; sa main gauche était enfoncée dans les naseaux du taureau abattu, qu'il tenait ainsi fermement, tandis que de sa main droite il enfonçait un coutelas dans la gorge de la bête. Le taureau, tout le corps tendu en avant, semblait encore se débattre, après avoir été foudroyé dans son élan par le dieu.

Autour de cette statue centrale, d'autres statues et bas-reliefs racontaient la vie de Mithra, et notamment les différentes étapes de sa naissance miraculeuse et de sa lutte contre le taureau. Enfin, des deux côtés se trouvaient deux statues représentant des hommes à tête de lion.

Marcus admira les statues, les bas-reliefs, le stuc peint, les mosaïques sur le sol. Quand il eut fait le tour du temple, il finit par s'asseoir, puis par s'allonger sur un des bancs latéraux, qui servaient manifestement de lits.

Le jeune homme avait la mort dans l'âme. Une fois sa première émotion passée, il se rappela sa promenade au Forum, son bonheur d'être au tiède soleil en compagnie de Julia, puis l'irruption soudaine des soldats venus arrêter les chrétiens. Il avait été séparé de Julia. Où se trouvait-elle maintenant ? Elle avait sûrement été arrêtée. Elle était déjà en prison. Tout indiquait que les autorités allaient être féroces. La jeune femme allait-elle mourir demain ? La semaine prochaine ?

Pendant ce temps, lui, Marcus, était obligé de se cacher chez les païens. Tout cela était de sa faute ! Il n'avait pas su protéger Julia ! Il l'avait aimée, mais son amour était pécheur. La jeune femme payait-elle le prix de sa faute à lui ?

D'ailleurs, il portait malchance à celles qui l'aimaient. À Alexandrie, ç'avait été Artémisia qu'on avait arrêtée, et pas lui. À Rome, c'était maintenant Julia, tandis que lui, encore une fois, parvenait à s'en tirer. Il les entraînait dans le danger et les livrait à un destin atroce, puis en réchappait grâce à une pirouette de la chance, un pied de nez du destin.

Cependant, à Alexandrie, il avait eu de la chance. Il avait des amis qui l'avaient aidé à délivrer sa femme. Où étaient-ils donc, aujourd'hui qu'il avait encore besoin d'eux ? Où étaient Flavius et Macaire et Pierre ? Où, surtout, était Apollonius, l'ami fidèle, l'ami solide, toujours optimiste, l'homme aux mille ressources, lui qui avait organisé dans les moindres détails l'évasion de sa femme ?

Marcus ruminait ainsi de sombres pensées. Il avait le sentiment d'étouffer dans ce caveau où il était enfermé. Peirius, pourtant, avait raison : tant que les soldats seraient dans les rues de Rome, il ne pouvait quitter cette cachette.

Malheureux, épuisé, Marcus finit par somnoler sur le banc. S'était-il endormi ? Il ne le savait pas. Un petit bruit le tira soudain de sa léthargie. Il bondit de son banc et alla se réfugier derrière le rideau.

La porte d'entrée du temple s'ouvrit. Un homme entra et se mit à allumer des lampes devant les statues dans les niches et des veilleuses tout au long des bancs latéraux. On entendait de l'autre côté de la porte un grand bruit, comme si plusieurs personnes s'apprêtaient à entrer. Marcus entrouvrit légèrement le rideau pour mieux voir.

La porte du fond finit par s'ouvrir en grand. Un cortège pénétra dans le temple. À sa tête se trouvait un vieillard habillé d'un habit oriental. Il portait une grande robe de mage et avait la tête couverte d'un bonnet phrygien. Il était suivi de plusieurs dizaines d'hommes, tous déguisés. Certains portaient des masques de corbeaux, d'autres une tête de lion, d'autres encore étaient revêtus d'un habit perse.

Le vieillard revêtu du bonnet phrygien fut le seul à monter vers l'autel central. Les autres initiés s'assirent sur les bancs adossés aux murs.

Le grand prêtre commença une longue litanie de prières. Marcus fut surpris de l'entendre invoquer le dieu en grec et non pas en latin. Il entremêlait ses supplications de phrases obscures, que Marcus ne comprenait pas. À un moment donné, il se prosterna devant l'autel en s'écriant : *Nabarze! Nama, Nama Sebesio!* Toute l'assistance reprit en chœur, sur un ton de plus en plus suppliant : *Nama, Nama Sebesio!* Marcus n'avait jamais entendu ce langage.

Soudain, le rideau qui cachait la statue du dieu, au fond du temple, s'écarta, tandis que des lumières savamment orientées illuminaient sa face. Mithra, souverain, triomphant, dominait le taureau et regardait ses adorateurs. Tous les initiés étaient maintenant prosternés devant lui, psalmodiant des *Nama Sebesio!* sans fin.

Le calme finit par revenir. Un homme déguisé en corbeau se leva de son banc. À sa taille, à sa démarche, Marcus reconnut Peirius. Son ami se rendit à l'arrière du temple et revint vers l'autel d'un pas solennel, portant un plateau sur lequel se trouvait un chevreau grillé. Il le déposa sur l'autel, d'autres servants apportèrent des vases d'eau et de vin, que le grand prêtre bénit ; puis il se mit à découper l'animal, tandis que résonnaient des clochettes.

Des servants circulèrent ensuite dans l'allée centrale, apportant des morceaux de viande aux fidèles qui s'étaient couchés sur les lits latéraux et devant qui on avait dressé des sortes de trépieds. Puis on fit circuler les cornes de vin et des coupes d'eau. Les fidèles mangèrent religieusement le repas sacré, tandis que le grand prêtre, debout devant l'autel, leur parlait de la grandeur et des bienfaits de Mithra, de son repas sacré avec le Soleil, et les invitait à s'appeler « frères » et à se chérir d'une affection mutuelle.

Ensuite, le grand prêtre annonça qu'un néophyte avait subi les examens sacrés et demandait à être initié. Deux fidèles déguisés en lion se levèrent pour encadrer un jeune homme qui s'avança, tremblant, l'air recueilli. Le grand prêtre lui posa quelques questions puis, se tournant vers l'autel, il prit une espèce de poinçon qu'on avait chauffé dans un brasero. Il l'apposa avec force sur le front du jeune homme en lui disant : « Je te marque du sceau de Mithra. » On entendit la chair grésiller et on sentit une odeur de brûlé. Le jeune homme semblait en transe. Il fut accompagné solennellement vers les bancs latéraux et on le coiffa d'un masque de corbeau.

La cérémonie touchait à sa fin. Le grand prêtre, suivi de tous les fidèles, prit la tête d'une procession qui quitta le temple. On les entendit bavarder un peu dans le vestibule, puis le silence retomba dans la salle qu'éclairaient encore les chandelles et les veilleuses.

Marcus demeurait songeur. Les adorateurs de Mithra lui avaient semblé recueillis, sincères. Il avait été touché de voir le grand prêtre les inviter à s'aimer fraternellement. Dans certains de ses accents, il avait cru reconnaître la voix, le message de Pierre à Alexandrie et de Marcel à Rome. « Si seulement, se dit-il, ils avaient rencontré Christ sur leur chemin ! Si seulement le message de Notre Seigneur leur parvenait ! »

Il en était là de sa rêverie quand il entendit un bruit. Il bondit de nouveau derrière son rideau. Mais, cette fois-ci, c'était Peirius qui revenait.

— Il fait nuit noire, dit le Romain, les soldats ont regagné leurs casernes et tu peux maintenant retourner chez toi sans danger.

Marcus serra le Romain dans ses bras. Il remarqua pour la première fois une espèce de cicatrice sur son front, que cachait d'habitude une mèche de cheveux. C'était l'effigie du dieu Mithra, gravée par le feu dans la chair même de son adorateur.

CHAPITRE QUATORZE

•

Marcus soutenait Macaire qui avait peine à se tenir debout, tandis que, derrière eux, enveloppée dans ses voiles, Artémisia sanglotait sans retenue.

Ils étaient entourés de quelques amis chrétiens qui tâchaient de les isoler de la foule, afin que leur émotion, leurs larmes ne les trahissent pas.

Ils étaient au camp César, une vaste étendue coincée entre le quartier des palais et Éleusis-sur-Mer. À son arrivée en Égypte, plus de trois cents ans plus tôt, Jules César y avait bâti une caserne et en avait fait un camp militaire. Les légionnaires avaient ensuite déménagé à l'extérieur de la ville et le Camp était devenu une belle esplanade devant la mer, qui servait aux Alexandrins de lieu de promenade et de rassemblement.

Le spectacle de la journée avait été annoncé depuis quelques jours déjà : le nouveau préfet, obéissant en cela aux ordres du César d'Orient, Maximin Daïa, qui venait d'arriver à Alexandrie, allait sévir contre la secte méprisable des chrétiens, ces fauteurs de trouble qui menaçaient la paix et la quiétude de l'Empire. Certains des meneurs de ces fanatiques avaient été arrêtés et l'on allait faire d'eux un exemple qui calmerait la colère des dieux de l'Empire, et servirait d'offrande expiatoire à Jupiter, Sérapis et Amon.

La foule était énorme : le spectacle promettait d'être palpitant. Des vendeurs de galettes, d'œufs durs et de poisson séché, des marionnettistes, des montreurs d'ours et des avaleurs de feu circulaient entre les rangs serrés des spectateurs, criant pour dominer le grondement énorme de la foule qui riait et s'impatientait de devoir attendre.

Les premiers suppliciés arrivèrent bientôt, au milieu des cris d'excitation et des huées des Alexandrins. On leur lut l'arrêt du préfet qui les condamnait à mort pour rébellion et apostasie, ils mirent leur tête sur le billot et furent proprement décapités. La foule, bon enfant, se gaussait d'eux et applaudissait quand les têtes roulaient dans le sable rougi. Et si l'un d'eux faiblissait à la dernière minute, résistait aux bourreaux ou se laissait traîner jusqu'au billot, les Alexandrins, furieux de tant de couardise, se moquaient de lui et criaient des obscénités qui faisaient rire.

Le clou du spectacle s'en venait. On avait arrêté, dans une maison du Seigneur, une toute jeune fille ; les soldats avaient voulu la libérer, mais le décurion en charge de l'escouade en avait déféré au préfet. Celui-ci avait dit : « Qu'elle admette donc que son père l'a entraînée dans cette aventure contre le César, puis qu'on la libère. » Mise au courant du marché, la jeune fille l'avait rejeté. Ses geôliers avaient insisté ; elle avait refusé tout compromis, proclamant fièrement sa foi, déclarant qu'elle attendait la mort avec sérénité.

Le préfet, excédé, l'avait traduite devant un tribunal qui l'avait condamnée à avoir la tête tranchée. Elle avait dix-huit ans, et elle s'appelait Catherine.

La jeune fille était la nièce de Macaire. Le bibliothécaire et toute sa famille étaient effondrés ; Macaire, qui avait gardé nombre d'amis dans les officines du pouvoir, avait tenté de la faire libérer. On lui avait répondu que le préfet était exaspéré et craignait surtout de déplaire à Maximin Daïa.

Le jour de l'exécution, Marcus et sa femme avaient accompagné Macaire et sa famille au camp César. Artémisia connaissait un peu Catherine : elle l'avait rencontrée à quelques reprises chez Macaire ; surtout, la jeune femme frémissait à l'idée qu'une jeune fille qui avait quelques années de moins qu'elle pût mourir sous le glaive.

Quatre soldats arrivèrent, encadrant une frêle jeune fille habillée de blanc. La foule explosa : ce n'étaient que des lazzis, des cris, des rires, de grasses plaisanteries. On la brocardait sur sa rencontre prochaine avec son Seigneur. Des excités faisaient des mimiques obscènes. La jeune femme s'avança vers les bourreaux. Le magistrat qui présidait à l'exécution commença à lire les arrêtés du tribunal du préfet.

On eût dit que les Romains voulaient se justifier : le jugement était très long et le magistrat haussait la voix pour dominer le bruit de la foule. Là où il était, Marcus ne pouvait entendre que des bribes : « … comploteurs… la sécurité de l'Empire… le rejet de nos traditions les plus chères… » Le jugement ne visait pas uniquement Catherine, mais reprenait encore une fois les griefs du pouvoir contre tous les sectateurs de Christos.

Macaire, sous le coup de l'émotion, chancelait. Sa sœur, la mère de Catherine, s'était presque évanouie. Marcus, le cœur serré, soutenait son ami. Il regardait avec intensité la jeune fille, frêle, droite et belle devant ses tortionnaires.

Son esprit commença à dériver. Cette silhouette tout de blanc vêtue lui en rappelait une autre. Julia, à Ostie, le jour où il avait pris le navire qui le ramenait en Égypte, était, elle aussi, vêtue de blanc ; elle aussi était belle, elle avait le même corps gracile des femmes encore jeunes. Et, de la même façon qu'aujourd'hui la buée de ses larmes adoucissait les contours de la silhouette de Catherine, ce jour-là, son émotion, son chagrin avaient fait trembler devant lui la silhouette de la Romaine, dans l'éclatante lumière latine.

Après s'être caché dans le mithræum pendant que les légionnaires arrêtaient les chrétiens de Rome, il s'était aventuré dans les rues de la capitale, obscures et vides. Il n'avait nulle place où aller, sauf chez Julia. En approchant de la maison, il tremblait de tout son corps : il craignait le moment où il franchirait la porte, où il entrerait dans un logis vide, où la perte de Julia, l'arrestation de Julia, sa mort assurée et prochaine allaient le frapper, là, en plein visage.

En pénétrant dans la ruelle où elle demeurait, il entrevit une silhouette devant la porte. C'était Nikânor. L'esclave, en le voyant, bondit devant lui, sourit de toutes ses dents et faillit l'étreindre, ne se retenant qu'à la dernière minute.

— Où est la maîtresse ? demanda Marcus.

— La maîtresse ? Mais en haut, répondit Nikânor en plissant les yeux dans une mimique pleine de malice.

Marcus faillit défaillir. Il grimpa les escaliers quatre à quatre. Julia, qui avait entendu du bruit, l'attendait devant sa porte. Marcus riait, pleurait, bégayait. Il serrait la jeune femme à l'étouffer, puis la repoussait loin de lui, la tenant à distance de ses deux mains tendues, scrutant son visage, comme pour s'assurer qu'il la tenait bien en main, qu'elle était bien en chair et en os, qu'il ne s'agissait pas d'un fantôme, puis il s'abattait sur son visage, le couvrant de baisers, mouillant ses joues de ses larmes, incapable de s'arrêter, répétant comme une litanie « Julia ! Julia ! »

Il finit par se calmer. La jeune femme, qui pleurait à chaudes larmes, lui expliqua entre deux hoquets qu'après leur séparation, Nikânor l'avait tendrement saisie par le bras, comme si elle était sa femme, puis s'était hardiment dirigé vers la patrouille. Un légionnaire lui avait demandé devant quels dieux il brûlait d'habitude de l'encens : « Mais devant Sérapis, par la divine Isis ! » avait déclaré l'esclave avec un gros rire. Le soldat avait souri, puis lui avait fait signe de passer avec Julia.

Ils étaient vite revenus à la maison. La jeune femme était effondrée : elle voulait sortir, alerter Marcel et d'autres pour rechercher Marcus. Il avait fallu que l'esclave égyptien lui expliquât que les rues étaient quadrillées par les soldats et qu'il valait mieux attendre.

Marcus ressortit sur le palier et appela Nikânor qui attendait en bas. L'esclave monta. Marcus, sans un mot, l'étreignit et le serra dans ses bras. Nikânor avait les yeux ronds. Marcus lui-même, quelques instants plus tard, s'ébahit de ce geste de familiarité avec l'esclave, qu'il ne regrettait pourtant pas. Il le renvoya après l'avoir remercié.

Julia l'entraîna dans leur chambre. Une fois la première émotion passée, ils prenaient tous les deux l'exacte mesure de ce qui leur arrivait : ils avaient de peu évité le pire. Mais le vide était encore béant devant eux, le danger pressant, la souffrance et la mort rôdaient autour d'eux. Ils avaient l'impression de vivre un instant fugace, mais qui prenait valeur d'éternité. La vie était pour eux, ce soir, un cadeau au goût à la fois amer et doux.

Ils firent l'amour avec la passion de ceux qui savent que les ponts sont coupés derrière eux. Marcus déshabilla Julia avec lenteur. Il embrassa ses lèvres avec lenteur, puis ses seins, puis son ventre. Quand Marcus enfouit sa tête dans ses reins, elle la serra entre ses deux mains avec une espèce d'intensité désespérée. Et quand le jeune homme voulut remonter vers sa bouche, elle glissa dans l'obscurité le long de son flanc afin d'explorer à son tour de ses lèvres la poitrine et les reins de son amant.

Le lendemain, Marcus sortit, précédé de Nikânor qui surveillait la rue devant lui, pour se rendre chez Marcel. Le presbytre était atterré : le coup de filet de la veille avait mené à l'arrestation de dizaines de fidèles ; on disait que la répression allait être féroce. Marcel et les autres presbytres et diacres de la ville se demandaient s'il fallait cesser de se réunir dans les catacombes : les chrétiens torturés pouvaient en révéler l'emplacement exact.

Pendant quelques semaines, Marcus vécut dans un état de grande exaltation. Le jour, il rencontrait Marcel, ou alors se rendait dans les forums pour rejoindre Peirius. Le myste[1] de Mithra le recevait toujours les bras ouverts et Marcus, qui lui devait la vie, passait de longues heures avec lui. Il l'invitait dans les tavernes et les gargotes du forum Boarium[2] pour boire et manger et lui avait même offert une petite bourse que le vieux marin, dénué de tout, avait acceptée avec reconnaissance.

Peirius s'était mis en tête de convertir Marcus au culte de Mithra. L'Alexandrin l'écoutait en souriant raconter comment le dieu, propulsé par une force mystérieuse, était né d'un rocher, tout nu mais coiffé du bonnet phrygien. Le dieu gouvernait l'univers tout entier en tenant d'une main le glaive et de l'autre le zodiaque. Mais son pouvoir avait été menacé par le taureau, et le dieu avait dû se lancer dans un combat épique contre celui-ci, dont il était sorti vainqueur.

1- L'initié aux mystères.
2- Le marché aux bœufs de Rome.

Marcus à son tour parlait de Christ à Peirius. Les deux amis avaient décidé de s'écouter poliment, mais ils restaient inébranlablement ancrés dans leurs convictions.

Le soir, chez Julia, Marcus retrouvait auprès de la jeune femme l'ardeur de leur première nuit, après l'épreuve du Forum. Le spectre de la mort qui rôdait autour des chrétiens de Rome donnait à leurs baisers et à leurs caresses une âcreté capiteuse.

Un jour, un messager vint convoquer le jeune homme chez Marcel. Le presbytre l'accueillit avec sa cordialité habituelle, mais Marcus crut percevoir dans son regard comme une mélancolie. Il tendit un papyrus à l'Alexandrin. «Tiens, dit-il, j'ai reçu cette lettre. Lis-la.» Marcus déplia le rouleau.

De Pierre, évêque d'Alexandrie et Papa d'Égypte,
À son fils dans la foi, Marcel, presbytre de Rome,

Que la Paix et la Grâce de Notre Seigneur Jésus-Christ soient sur toi, bien-aimé Marcel. Un navire quitte le port dans quelques heures. Je m'empresse de t'envoyer cette missive par une personne de confiance.

Mille rumeurs courent sur ce qui se passe à Rome. L'on dit que Maxence, qui règne dans ta ville, vient de décider de sévir contre nos frères dans le Seigneur. Quelques commerçants qui viennent d'arriver chez nous assurent même que des arrestations ont été faites et que les tribunaux ne vont pas tarder à rendre leurs jugements.

Je prie Dieu que ces nouvelles soient fausses. Hélas! je crains fort que ce ne soit là qu'un vœu pieux, puisque, chez nous aussi, la situation est de nouveau critique.

Notre fils bien-aimé Marcus t'aura sans doute raconté les tribulations de notre Église pendant la persécution déclenchée par Dioclétien il y a plus de cinq ans. Il t'aura sans doute dit aussi qu'après le départ de l'Empereur, les Romains ont cessé, ou plutôt ont suspendu leur persécution. Cela fait donc trois ans que nous avons pu rebâtir la communauté, panser les blessures, raffermir les cœurs, renouveler l'espérance.

Pourtant, depuis quelques mois déjà, des rumeurs courent. Maximin Daïa, le César d'Orient, qui réside à Corinthe et qui gouverne cette partie de l'Empire au nom de l'Empereur, hait les chrétiens. Il n'en a jamais fait mystère. Pourquoi a-t-il accepté cette trêve dans la persécution? Pourquoi nous a-t-il laissés tranquilles pendant les trois dernières années? Nul ne le sait exactement.

Peut-être n'était-il pas sûr d'avoir l'appui de l'Empereur. Peut-être aussi craignait-il des intrigues contre lui et voulait-il raffermir son pouvoir avant de s'attaquer à nous. Il a donc consacré toute son énergie à éliminer ses adversaires et à se faire, sinon des amis, du moins des alliés.

Mais maintenant que son autorité est assurée, maintenant que l'empereur Galère est occupé en Occident à lutter contre ceux qui veulent le renverser et monter à sa place sur le trône impérial, Maximin Daïa se sent plus libre. On répète donc partout qu'il planifie minutieusement une campagne massive d'éradication de la foi chrétienne en Orient.

Nul n'ignore non plus que Daïa aime l'Égypte autant qu'il hait les chrétiens. Il veut quitter son palais d'Antioche pour venir s'installer dans notre ville. Un nouveau préfet vient d'arriver chez nous et on dit qu'il n'est là que pour préparer la voie au César. Si Daïa vient chez nous, malheur à nous! La violence contre nos frères n'aura plus de bornes, car les militaires et les fonctionnaires, craignant leur maître qui sera tout proche, voudront lui plaire.

Tu comprends donc, mon cher Marcel, dans quelles angoisses nous vivons. Pour moi, je dois, plus que jamais, être le pasteur de mon troupeau, car les loups sont à la porte de la bergerie.

J'ai aussi besoin que l'on m'aide dans ma tâche. C'est pourquoi je te prie de dire à notre frère Marcus que je lui demande de revenir de toute urgence. Sa présence, sa sagesse, son action sont nécessaires dans les temps troublés que nous vivons. D'autres considérations, dont je lui ferai part en personne, m'amènent aussi à souhaiter son retour.

Je te prie de transmettre mes sentiments paternels à nos frères de Rome. Je demande au Seigneur de les bénir et de les fortifier dans l'épreuve.

Gardons notre foi au Christ et en son Père, notre Dieu Tout-Puissant. Prions fraternellement les uns pour les autres.

Pierre, évêque et patriarche d'Alexandrie et Papa d'Égypte

Marcus resta silencieux. Marcel le regardait d'un air interrogateur. Le jeune homme finit par se secouer:

— Les nouvelles de notre père Pierre sont affligeantes, dit-il.

— Le temps de l'épreuve est revenu, pour eux comme pour nous, dit Marcel.

Marcus ne dit rien. Marcel reprit, après une brève hésitation:

— Tu as vu que Pierre avait un message pour toi.

— Oui.

— Et... que comptes-tu faire?

— Ce que je compte faire? Marcus semblait perdu dans un songe. Il secoua soudain la tête et ajouta: Je vais retourner à Alexandrie.

— Tu vas nous manquer, Marcus, dit le presbytre.

— Oui, dit laconiquement l'Alexandrin. Puis, de nouveau, il sembla émerger d'une rêverie : Connais-tu quelqu'un à Ostie qui pourrait s'enquérir des navires qui partent pour Alexandrie ?

Marcel promit de faire le nécessaire. Marcus le quitta.

L'Alexandrin se mit à errer dans les rues de Rome. Il était tellement absorbé dans ses pensées qu'il ne se rendait même pas compte dans quelle direction il allait.

La lettre de Pierre l'avait secoué. Il savait bien qu'un jour il devrait retourner à Alexandrie, mais il écartait inconsciemment cette pensée.

Marcus aimait Rome. Il admirait l'ampleur, la majesté des édifices de la ville. Il ne cessait de visiter l'amphithéâtre Flavien, d'en faire le tour, de monter à son sommet, au haut de ses quatre gigantesques étages, pour voir s'étendre sous ses pieds le moutonnement infini des arcs de triomphe, des forums et des statues, de voir devant lui le Palatin coiffé de marbre et, au loin, derrière la ligne du Tibre, au-delà de la silhouette ronde du mausolée d'Hadrien, le chevauchement des maisons du Transtévère.

Marcus aimait les Romains. Les chrétiens de la ville l'avaient accueilli comme un frère. Et puis, Peirius, l'adorateur de Mithra, lui avait dévoilé le caractère désinvolte et heureux des habitants de la ville : un peu comme les Alexandrins, ils prenaient tout à la légère, ils riaient de tout, ils étaient toujours gais et goguenards.

Pourtant, ce n'était pas seulement son amour de la ville qui le retenait à Rome. La lettre de Pierre l'acculait à la lucidité. Il ne pouvait plus biaiser avec lui-même : ce qui l'avait empêché jusqu'alors de quitter Rome, ce qui avait repoussé dans son esprit Alexandrie dans un lointain un peu flou, c'était sa relation avec Julia.

L'aimait-il ? Il se le demandait quelquefois. Il la chérissait. Il éprouvait pour elle beaucoup de tendresse. Elle était pour lui une oasis fraîche. Et, pendant les dernières semaines, elle avait allumé ses sens et il brûlait chaque fois que, dans la pénombre, il voyait la tâche ronde et sombre de l'aréole au milieu de son sein nu ou qu'il touchait du bout des doigts sa peau au grain serré.

Mais l'aimait-il ? Il voulait éviter de répondre à cette question. Car il devait tout de suite l'assortir d'une seconde : pouvait-on aimer deux femmes en même temps ? Pouvait-il aimer Julia et Artémisia à la fois ?

Il devait faire face à ces questions. Il ne pouvait plus louvoyer. Il s'absorba dans ses pensées, il sonda son cœur.

Il sut tout de suite qu'à Alexandrie il retrouverait avec bonheur, avec passion aussi, sa femme. Mais Julia ?

Pierre ne lui laissait pas d'échappatoire : il devait retourner en Égypte, car les temps étaient difficiles et Marcus sentait obscurément que, lorsque l'épreuve frapperait, il voudrait être à Alexandrie et que, s'il devait être arrêté, s'il devait mourir, il voudrait être proche d'Artémisia, proche de Pierre, de Flavius et de tous ses amis.

Le lendemain, Marcel lui fit savoir qu'un navire quittait Ostie dans dix jours et que le capitaine avait accepté de l'accueillir à son bord.

Marcus apprit alors son départ à Julia. La jeune femme devint blanche. Elle ne dit rien, tourna les talons, s'enferma dans sa chambre dont elle referma la porte. Marcus, bouleversé, l'entendit sangloter et hoqueter.

Pendant dix jours, Marcus vécut dans un brouillard. Il partageait son temps entre Marcel et ses fidèles, Peirius qui lui faisait faire une dernière fois le tour de la ville, de ses forums, de ses temples, de ses thermes et de ses collines et Julia qui, la première émotion passée, lui présentait un visage souriant et serein ; elle lui caressait doucement le front quand il retournait chez elle, lui préparait ses derniers repas, et, la nuit, lui faisait tendrement l'amour.

Deux jours avant son départ, Marcel réunit plusieurs presbytres et diacres ainsi que des fidèles, pour une dernière soirée de prière avec Marcus. L'Alexandrin avait le cœur serré : il savait qu'il ne reverrait pas ces hommes, qu'il avait appris à aimer, pendant longtemps et, pour certains, à jamais : qui parmi eux serait arrêté ? Qui donnerait l'ultime témoignage, celui du sang ? Qui s'effondrerait pendant l'interrogatoire ou sous la torture ? Qui détournerait son visage de la mort ?

Julia avait insisté pour l'accompagner à Ostie. Pendant tout le trajet, dans une charrette conduite par un Romain taciturne nommé Crassus, elle demeura silencieuse, serrant la main de l'Alexandrin. À un moment donné, elle posa sa tête sur son épaule. Il pencha le visage : des larmes coulaient sur les joues de la jeune femme.

Au port, elle était restée debout, sans bouger, pendant que le navire s'éloignait du quai. Marcus, les yeux embrumés, regardait intensément cette silhouette, frêle et droite, tout de blanc vêtue…

Les cris de la foule augmentaient. Marcus se secoua, sortit de sa rêverie, fixa cette autre silhouette blanche debout devant le magistrat romain qui lisait la condamnation à mort. La foule s'impatientait : cela faisait plusieurs heures qu'elle était au camp César, le soleil chauffait, qu'on en finisse. Il y avait déjà eu quelques morts, mais cette jeune fille avait décidément une attitude bien arrogante et l'on voulait voir si elle crânerait jusqu'à la dernière minute, mais l'on avait soif et faim et ce magistrat pédant empêchait les braves Alexandrins d'aller enfin se reposer et se restaurer…

Le fonctionnaire romain finit sa lecture et remit le rouleau au licteur debout à côté de lui. Il fit un geste et le bourreau entraîna Catherine jusqu'au billot. Elle s'agenouilla toute seule et y mit la tête. La hache brilla un bref instant au soleil et la tête de la jeune fille se détacha de son tronc, comme poussée par un jaillissement brutal de sang écarlate.

La foule s'éparpilla en grommelant. Décidément, ces chrétiens étaient dangereux : la jeune fille n'avait même pas cillé, son visage ne s'était pas crispé, elle n'avait ni pleuré, ni imploré. Certains, qui étaient au premier rang, disaient même qu'elle souriait. Les Alexandrins, assoiffés et frustrés, retournèrent dans leurs maisons et leurs tavernes.

Les chrétiens attendirent que la foule se dispersât, puis ils allèrent recueillir la dépouille de la martyre. Ils enroulèrent la tête et le corps dans deux voiles et les emportèrent. Marcus et Artémisia accompagnèrent Macaire chez lui et y passèrent le reste de la journée, en compagnie de nombreux autres chrétiens. Le bibliothécaire, blafard, ne disait pas un mot.

Le soir, revenus chez eux, Marcus et Artémisia étaient épuisés. La jeune femme, en se souvenant du supplice de Catherine, se remit à pleurer en longs sanglots étranglés. Marcus était bouleversé. Il la prit dans ses bras. Pour la première fois depuis son retour, la jeune femme se laissa étreindre, se réfugia sur la poitrine de son mari.

Marcus était arrivé au port dix jours auparavant. Il était mortellement inquiet. La persécution avait-elle repris à Alexandrie comme à Rome ? N'avait-il pas trop tardé ? Et puis, comment allait-il aborder Artémisia ? Qu'allait-il lui dire ?

Sur le navire, plus les jours passaient, plus il se rapprochait d'Alexandrie et d'Artémisia et plus les remords l'assaillaient. Il s'en voulait de son infidélité. Il ne reprochait rien à Julia, bien au contraire. Il gardait pour la Romaine une tendresse un peu mélancolique. Mais l'image de sa femme se précisait de jour en jour dans son esprit, augmentant son trouble et sa confusion, tandis que la Romaine prenait dans son esprit les contours un peu éthérés d'un songe, doux et souriant, mais dont on finit par se réveiller.

Un jour, debout sur le pont devant l'horizon blanc, il se dit soudain : « J'en parlerai à Pierre. Il me pardonnera. Le Seigneur me pardonnera. » En parlerait-il à Artémisia ? Il éludait la question.

Il avait ainsi ruminé de sombres pensées pendant les longues semaines de la traversée. On était à l'automne et le navire qu'il avait pris était l'un des derniers qui s'aventureraient sur la mer des Romains avant la saison des grands vents. La mer était déjà houleuse, le ciel souvent maussade et cette nature hostile oppressait Marcus, qui y voyait de sombres présages pour l'avenir.

Il se consolait parfois en se disant qu'à Alexandrie il avait des amis. Il éprouvait beaucoup de douceur en pensant à Flavius, à Macaire, à Apollonius, à Iacov. Il pouvait compter sur eux.

Il espérait les trouver au port, avec Artémisia. Un jour, une vague rayure verticale parut à l'horizon : c'était la pointe de la tour de Pharos ; le lendemain, le navire entrait au port. Accoudé au bastingage, Marcus scrutait avidement la foule qui attendait plus bas, sur le quai. Il ne fut pas déçu : c'était bien Flavius qu'il voyait là, avec, à ses côtés, Macaire et le presbytre Achillas.

Marcus descendit la passerelle en courant ; il serra fraternellement ses amis dans ses bras. Il espérait toujours voir surgir Artémisia dans la foule. Par pudeur, il n'osa pourtant en parler. Cette absence l'attrista. Il était, de plus, surpris : Apollonius, le gai Apollonius, n'avait pas jugé utile de se déplacer.

Il demanda à la ronde :

— Et Iacov ? Et Apollonius ? Comment vont-ils ? Ils ne sont pas là ?

— Ils vont fort bien, dit Flavius. Pour Iacov, tu oublies, mon cher Marcus, que c'est aujourd'hui le sabbat et que notre ami reste toujours chez lui ce jour-là…

— Et… Apollonius ? demanda Marcus, un peu surpris de voir Flavius s'arrêter dans ses explications.

— Apollonius est… occupé, répondit brièvement l'autre.

Le presbytre Achillas saisit Marcus par le bras.

— Nous sommes très heureux de ton retour, Marcus. Pierre plus que quiconque. Il veut te voir le plus rapidement possible. Il m'a demandé de t'emmener chez lui…

— Comment ? Là, tout de suite ?

— Oui, maintenant, reprit Achillas. Avant ton retour chez toi…

Cette invitation, s'ajoutant à l'absence d'Artémisia, dont personne ne lui parlait, troubla Marcus. Il savait que Pierre l'aimait et l'estimait. Mais le ton d'Achillas était inquiétant. Cela ressemblait beaucoup à une convocation devant l'évêque.

Marcus se demanda brièvement si Pierre était déjà au courant de son aventure avec Julia. Il écarta cette pensée, qui lui sembla ridicule : personne n'avait pu arriver de Rome avant lui. Il y avait autre chose, d'autant plus que dans sa lettre à Marcel, l'évêque d'Alexandrie avait écrit qu'il voulait lui faire part d'autres considérations en personne…

Que lui voulait donc Pierre ?…

☙

— J'ai envoyé ma missive à Marcel il y a près de deux mois, dit Pierre. Marcus ne devrait plus tarder. Je suis sûr qu'il aura entendu mon message et qu'il aura quitté Rome aussitôt que possible. Il ne devrait plus tarder, répéta-t-il.

Les hommes assis autour de lui hochèrent la tête. Il y avait là Sarguayos, le presbytre du Brouchéion, Achillas, le presbytre de Megas Limèn et Paphnuce, le presbytre de Rhakôtis. Au début, Pierre voulait que cette discussion ne réunît que les principaux presbytres de sa ville. À la dernière minute, il décida aussi de convoquer Flavius. Il connaissait les liens d'amitié qui liaient l'ancien centurion à l'ancien décurion. Flavius pourrait être utile…

Il se tut un bref moment. Les autres restaient silencieux.

— Vous savez pourquoi nous sommes réunis, reprit Pierre. Nous devons prendre une décision avant le retour de Marcus. Les rumeurs, sinon les ragots, vont bon train dans la communauté.

— Il est vrai, dit Sarguayos de sa voix basse et caverneuse, que le scandale est grand.

— Beaucoup de nos fidèles sont troublés et blessés, ajouta Achillas.

— C'est bien pourquoi j'ai pensé qu'il valait mieux en parler à cœur ouvert, entre nous, dit Pierre. Nous avons déjà évoqué la situation à demi-mot, en tête-à-tête ou dans des cénacles étroits. Il est temps de ramener la sérénité parmi nos fidèles qui sont au courant de… ce qui s'est passé et surtout d'éviter à Marcus de l'apprendre par hasard. Il en souffrirait encore plus.

— La situation me semble claire, dit Sarguayos. Artémisia a commis l'adultère. Elle est cause de scandale. Il faut tout de suite séparer l'ivraie du bon grain. Il faut arracher la mauvaise herbe et la jeter au feu.

— Ho, ho! dit Pierre en riant, n'allons pas si vite en besogne. Dis-nous, Achillas, ce que tu sais, ce que tu as vu et ce qu'on t'a dit.

— Les gens ont commencé à remarquer ses absences de plus en plus fréquentes à nos réunions, dit Achillas. Puis, on l'a vue dans les jardins publics et dans les promenades avec cet homme, ce Grec.

— D'autres enfin, précisa Paphnuce, l'ont vue dans des barques, le soir, sur le canal de Canope, avec Apollonius.

Ils se turent de nouveau. La mention de Canope était suffisante. La réputation de la ville voisine était bien connue. Nul besoin de précisions…

— Je ne suis guère surpris, dit Sarguayos.

— Comment cela? demanda Achillas.

— Il a suffi que son mari tourne le dos pour qu'elle s'adonne à la fornication. C'est dans… leur nature.

— Dans leur nature ? C'était Paphnuce, le jeune presbytre de Rhakôtis, qui s'exclamait.

— Oui, dans leur nature, reprit sombrement le vieux presbytre. N'avons-nous pas vu, dès la création de l'univers, qu'elles n'hésitaient pas, dans le jardin d'Éden, à…

— Nous ne sommes pas là pour remonter à la création, l'interrompit Pierre, mais bien pour prendre des décisions pour le plus grand bien de la communauté et d'un de nos amis.

— D'ailleurs, poursuivit avec force Sarguayos que l'interruption ne semblait pas pouvoir arrêter, ne les voit-on pas s'inonder de parfums ? Ne les voit-on pas se couvrir de pierreries ? Ne se peinturlurent-elles pas le visage ?

— Mon cher Sarguayos, tu ne voudrais quand même pas les voir paraître devant nous crasseuses ou mal attifées ? dit d'un ton léger Paphnuce.

— Il y a pire…

— Pire ? Pire que de se peinturlurer le visage ? reprit Paphnuce, une imperceptible raillerie dans la voix.

— N'ont-elles pas inventé une pièce de vêtement rigide pour se soulever les seins, les projeter en avant ? Ne se serrent-elles pas la taille à s'étouffer pour cambrer leurs hanches, faire saillir leurs croupes ?

— Sarguayos ! Sarguayos ! s'exclama Pierre.

Mais le vieux presbytre était lancé.

— Leurs hanches et leurs cuisses sont-elles plates, elles épaississent leurs vêtements avec des pièces rapportées, pour arrondir leurs silhouettes. Que veulent-elles ainsi, sinon aguicher les hommes, les tenter et les entraîner dans le péché ?

— Pourtant, nos frères aiment bien aussi admirer ces silhouettes ainsi arrondies, dit encore en souriant Paphnuce, qui voulait détendre l'atmosphère.

— Leur arsenal de séduction ne s'arrête pas là, tonna encore Sarguayos. Elles utilisent des produits épilatoires pour adoucir leur peau et métamorphoser leur aspect même ; leurs voiles sont de lin fin afin qu'on puisse deviner leurs cheveux. Sous prétexte de boue dans les rues, elles soulèvent leurs tuniques pour qu'on entrevoie leurs chevilles. Elles seront toujours cause de chute, et le péché…

— Ça suffit, Sarguayos ! l'interrompit Pierre. Nous ne sommes pas réunis pour parler des habits de nos mères, de nos épouses et de nos filles. Revenons à Marcus…

Le vieux presbytre fumait encore. Mais il se retint. Pierre reprit :

— La conduite d'Artémisia a été imprudente. Elle a scandalisé les chrétiens, au moment même où l'épreuve pointe de nouveau à l'horizon. Marcus revient, et nous avons besoin de lui. Que proposez-vous ?

— C'est un cas flagrant d'adultère qui a causé un grand scandale, dit Sarguayos. Que dit notre père Marc, qui rapporte les paroles du Seigneur dans son Évangile ? Il nous enseigne que si l'un de nos membres est cause de péché, il vaut mieux l'arracher que de détruire le corps tout entier. Il nous faut donc éloigner Artémisia de la communauté, la séparer de Marcus…

— Mais notre père Marc dit aussi autre chose, s'exclama vivement Paphnuce. Les pharisiens demandaient à Jésus si leur loi permettait à un homme de renvoyer sa femme. Et vous vous souvenez parfaitement de ce que Notre Seigneur leur a répondu : « L'homme quittera son père et sa mère pour s'attacher à sa femme et les deux deviendront un seul être. Ainsi, ils ne sont plus deux, mais un seul. Que l'homme ne sépare donc pas ce que Dieu a uni. »

— Oui, rétorqua le presbytre du Brouchéion, mais Notre Seigneur a aussi condamné en termes vifs l'adultère.

Pierre se tourna vers Achillas :

— Qu'en penses-tu, Achillas ?

— Sarguayos a raison, dit pensivement Achillas, le scandale est grand. Nous ne pouvons pas l'ignorer. Nous ne pouvons pas faire comme les autruches de nos déserts et enfouir nos têtes dans le sable. Par ailleurs, Jésus ne dit-il pas, dans l'Évangile de Jean, à propos justement d'une femme adultère : « Que celui d'entre vous qui n'a jamais péché lui jette la première pierre » ? Je suis, quant à moi, pécheur, et je ne lui jetterai pas la première pierre.

Il se tut. Personne ne souffla mot.

— Fort bien, dit Pierre. Vous avez tous raison. Il y a eu un scandale qui ne doit pas être ignoré. J'informerai Marcus dès son retour. Je parlerai aussi à notre sœur Artémisia. Le Seigneur ne veut pas la mort du pécheur et il nous dit de quitter le troupeau docile pour courir ramener au bercail la brebis perdue.

— Peut-être pourrez-vous convaincre Marcus de pardonner et Artémisia de se repentir, dit Achillas, mais qu'allons-nous faire pour la communauté ?

— Nous tiendrons une grande réunion de prière, dit Pierre. Marcus et Artémisia y seront invités. Nos frères les verront et comprendront qu'ils ont de nouveau, tous les deux, réintégré le bercail et que l'Église leur a de nouveau ouvert les bras.

Les paroles de Pierre semblaient les avoir tous ralliés. Même Sarguayos baissait la tête et ne disait mot. Soudain, dans le silence, Flavius, qui était resté silencieux dans un coin, comme à son habitude, prit la parole.

— Pour ma part, je vais aller voir Apollonius. Je vais m'assurer qu'on ne le revoie plus. Artémisia pourra dorénavant sortir à nouveau sans le trouver sur son chemin.

— Et moi, dit Pierre, j'irai parler demain à Artémisia.

La réunion était terminée. Ils se séparèrent tous les cinq dans la nuit.

❧

Trois jours après cette réunion, une nouvelle se répandit dans la ville à la vitesse de l'éclair : on venait de voir, au large, une flotte importante. Elle s'engagea bientôt dans les passes du port. On reconnut trois galères, plusieurs trirèmes et quelques navires de commerce. Les Alexandrins se rassemblèrent au port et sur la voie de Canope : qui pouvait bien être à la tête d'une flotte aussi imposante ?

C'était Maximin Daïa, le César d'Orient, qui gouvernait les provinces de Syrie et d'Égypte au nom de l'Empereur. Il avait quitté Antioche deux semaines auparavant ; allait-il s'installer pour de bon à Alexandrie ? Nul ! ne le savait, mais à voir l'équipage imposant qui le suivait, les Alexandrins se dirent qu'il serait leur hôte pendant longtemps.

Daïa débarqua de la plus grande des galères. Les autres navires transportaient sa garde prétorienne, plusieurs centaines de légionnaires, ainsi que des armes, des meubles, des vivres.

Une parade mena le César en grande pompe du port au palais du préfet, où il allait s'installer. Sa garde l'encadrait, des Syriens, des Grecs, des Ciliciens[3], des Illyriens[4], des guerriers au visage farouche et à la discipline de fer. Ils défilaient dans un ordre parfait.

La foule acclamait Daïa à cheval. Le César répondait par des gestes de la main. Pour les Alexandrins, tout était prétexte à réjouissance, ce spectacle inattendu avait vidé tous les quartiers et la foule se pressait dans les grandes voies du centre de la ville.

Trois jours après l'arrivée de Daïa, les ordres partirent de son palais, clairs, impérieux. Toute la puissance de l'Empire, toutes les énergies de ses serviteurs devaient converger vers un seul but : combattre une fois pour toute la tourbe chrétienne, procéder à l'éradication finale et définitive de ce chancre qui rongeait l'État.

L'édit du César était rédigé de telle façon que les fonctionnaires comprirent que leurs carrières dépendaient de leur zèle à obéir à Daïa. Le préfet, les généraux de l'armée, les chefs de la garde prétorienne, les responsables des chancelleries impériales, les stratèges des nomes, les gouverneurs des trois grandes provinces du pays, tous se mirent au travail avec énergie, avec

---

3- La Cilicie était au sud de l'actuelle Turquie.

4- L'Illyrie (actuellement la Croatie, la Serbie, la Bosnie et l'Albanie) occupait la majeure partie des Balkans.

détermination : le vieil Empire n'allait pas se laisser miner par ces fanatiques sans quelques mortelles ruades. Imaginez donc : ils prêchaient l'égalité du Romain et du Barbare et la compassion à l'égard des esclaves !

Deux jours après l'édit, une grande rafle à Alexandrie prit dans ses filets la jeune Catherine. Le soir même, quelques chrétiens étaient réunis autour de Pierre, cachés dans une maison anonyme. Macaire, qui venait d'apprendre l'arrestation de sa nièce, avait un visage de cendre. Il se tourna vers Pierre :

— La persécution reprend. Trois ans d'accalmie, et nous avions commencé à espérer. Nous avons cru que le répit se prolongerait peut-être.

— Il y a eu bien d'autres persécutions, dit sombrement Achillas. Rien que dans les cent dernières années, il y a eu la persécution de Septime Sévère. Puis celle de Dèce, qui a vu mourir mon grand-père. Puis la persécution de Valère. Puis, il y a cinq ans, la persécution de Dioclétien. Faudra-t-il ajouter à cette liste lugubre la persécution de Maximin Daïa ?

Personne ne dit mot. Macaire leva la tête :

— En quelle année sommes-nous donc ?

— Nous sommes en la vingt-cinquième année de notre nouvelle ère, l'Ère des Martyrs d'Égypte.

— Vingt-cinquième année, reprit Macaire à voix basse, comme s'il se murmurait quelque chose à lui-même. Tant d'années de souffrance. Et cela recommence… Et avant cela, bien d'autres souffrances, sans nombre…

Il se tourna soudain vers Pierre et, levant la voix, il s'écria avec véhémence :

— Combien de temps encore, Papa Pierre ? Combien de temps va durer l'épreuve ? Combien de temps, les souffrances ? Combien de temps, la mort ? Combien de temps encore avant que la miséricorde du Seigneur ne se manifeste ? Combien de temps avant que Dieu n'entende nos prières et nos supplications ? Combien de temps, le silence de Dieu ? Combien de temps ?…

∾

Le surlendemain, le navire amenant Marcus de Rome entrait au Megas Limèn.

Trois jours plus tard, le tribunal qui devait juger Catherine se réunit. Il condamna la jeune fille à mort.

CHAPITRE QUINZE

A rtémisia était furieuse.

De quoi se mêlait-il, ce Pierre ? Sous ses airs bonhommes, il était sûrement fouineur. De quel droit voulait-il intervenir dans ce qui ne le regardait pas ? Elle aurait dû ne pas l'écouter, le renvoyer même…

La jeune femme se calma soudain. La tête enfouie dans les mains, elle revit la scène qui l'avait mise dans une telle colère.

Elle n'avait pas aimé ce que Pierre lui avait dit. Une soudaine bouffée de colère et de rage l'avait saisie quand il avait commencé à parler et elle avait dû se retenir pour ne pas le rabrouer. Et pourtant… Maintenant qu'il était parti, elle se retrouvait seule avec elle-même, seule avec son dilemme, seule avec cette angoisse tapie au fond de son cœur et ces questions insidieuses qu'elle écartait jusqu'alors, tout engluée qu'elle était dans les délices de Canope. Maintenant, elle ne pouvait plus feindre, elle ne pouvait plus s'étourdir, oublier, car l'évêque l'avait brutalement réveillée.

Et pourtant, il y a seulement quelques heures, elle était insouciante. Elle s'était habillée, avait choisi sa tunique la plus souple, son voile le plus arachnéen. Elle était devant son miroir, en train de se maquiller, rêvant paresseusement à la soirée qui s'annonçait, qu'elle allait passer à Canope, au milieu des rires et des plaisirs.

Isidora, son esclave, était venue en courant, l'air ahuri, lui annoncer qu'un messager de Pierre annonçait la visite imminente de l'évêque. Elle avait à peine eu le temps de se couvrir d'un voile plus modeste que l'évêque était au seuil de sa maison.

Il les avait déjà visités à quelques reprises, quand Marcus était là et que les réunions des chrétiens se tenaient parfois chez eux. Mais il n'était plus venu depuis le départ de Marcus, quelque quatre ou cinq mois plus tôt. Cette démarche insolite l'inquiétait. Que lui voulait-il donc ?

Dès les premiers mots de l'évêque, on eût dit que la foudre était tombée sur elle. Pierre lui annonçait le retour prochain, peut-être imminent, de Marcus.

Artémisia fut prise de panique. Marcus allait revenir. Qu'allait-elle lui dire? Et Apollonius? Son cœur se mit à cogner très fort dans sa poitrine.

Elle n'eut pas le temps de s'attarder à réfléchir. Pierre continuait à parler. Que lui voulait-il donc? Elle entendit soudain: «Canope». Elle se redressa dans son siège.

L'évêque mentionnait des gens qui l'avaient vue. Il évoquait des promenades dans le port, à Éleusis, à Pharos, à l'hippodrome. Il parlait de barques sur le canal de Canope, d'un ami de Marcus qui semblait toujours à ses côtés.

Le sang reflua au visage d'Artémisia. L'évêque disait des mots qui résonnaient dans sa tête comme des coups de gong: «scandale», «Marcus», «épreuve pour tous». Un brouillard lui envahit la tête, les mots de Pierre semblaient un magma informe de sons, que disait-il donc? Elle crut comprendre qu'il parlait de persécutions à venir, de réconciliation avec Marcus…

L'évêque était parti. Artémisia était seule avec sa colère, son humiliation. Avec ses questions…

Marcus allait revenir. Cette nouvelle, qu'elle aurait dû accueillir avec des larmes de joie, la remplissait plutôt de confusion.

Elle se força à calmer les battements de son cœur. Elle s'arrêta pour la première fois depuis plusieurs mois à ce mot, à cette image: Marcus.

Elle l'avait écarté de sa pensée. Le tourbillon dans lequel Apollonius l'entraînait l'empêchait de s'y fixer. Quand, d'aventure, l'image de son mari lui traversait l'esprit, elle l'éloignait d'elle, elle s'hypnotisait sur ce qui l'attendait dans quelques heures à Canope, elle s'étourdissait en sortant vite dans le vacarme de la ville, Isidora marchant sur ses pas.

Mais l'évêque l'avait acculée dans ses retranchements. Marcus allait être là. Demain, dans une semaine… Une seule idée lui martelait le cerveau: qu'allait-elle lui dire?

Elle s'arrêta soudain, remplie d'étonnement: elle voulait donc lui dire quelque chose? Elle s'apprêtait donc à le rencontrer, le voir, lui parler? Elle prit conscience qu'elle ne s'était jamais dit: je ne vais pas le voir, je ne veux plus le voir.

Artémisia se leva, ferma la porte de sa chambre. Elle éprouvait le besoin de s'interroger au plus profond d'elle-même et ces quatre murs qui l'isolaient de tout l'aidaient, la contraignaient à ce repli sur elle-même.

Elle se dit: Marcus. Elle répéta plusieurs fois le nom de son mari jusqu'à ce que son image envahît son esprit, l'occupât complètement. Elle prit son courage à deux mains et se demanda: est-ce que je l'aime? est-ce que je l'aime encore?

À sa grande stupéfaction, la réponse fusa, sans la moindre hésitation, sans le moindre hiatus. Oui, elle l'aimait. Oui, maintenant qu'elle se le demandait, la réponse s'imposait à elle, évidente, irréfutable : elle n'avait jamais cessé de l'aimer.

Des images affleurèrent à son esprit : ses premières rencontres avec le décurion à Pharos, le mariage, la course folle dans le port, la nuit, après son évasion, la traversée angoissée du lac, l'année douce, lente, lumineuse, passée dans le flamboiement solaire du désert de Scété.

Oui, elle l'avait aimée, oui, elle continuait de l'aimer, oui, elle aimait sa force, et son silence, et son calme, et cette tranquille assurance qu'il répandait autour de lui.

Alors ? Apollonius ? L'aimait-elle ?

Elle aimait sa gaieté. Elle aimait sa gouaille. Elle aimait la bonne humeur, la légèreté qu'il mettait en toutes choses, son air de n'attacher de l'importance à rien, d'avancer dans la vie en riant et en entraînant les autres dans son sillage.

Elle se dit brièvement que cette légèreté tranchait avec la gravité de Marcus. Était-ce parce que la lumière de Marcus était tout intérieur qu'elle avait été attirée par le papillotement factice et brillant d'Apollonius ?

Elle se força à l'honnêteté : oui, Apollonius était peut-être plus amusant, plus drôle que Marcus. Voulait-elle s'amuser seulement ? Cela faisait quatre ans qu'elle était mariée à Marcus. Était-ce le lent, l'insidieux ennui qu'elle avait éprouvé dans le désert, puis de nouveau à Alexandrie quand son mari s'était absenté, qui l'avait jetée dans les bras du Grec ?

Artémisia creusa plus profond en elle-même. Elle ferma les yeux. Elle se dit que, puisqu'elle avait commencé à s'examiner, autant aller au bout du chemin.

Dans la pénombre de sa chambre, toute seule, elle rougit quand elle pensa à ses étreintes avec Apollonius. Oui, elle aimait faire l'amour avec lui.

Il est vrai qu'elle aimait Marcus de toutes les fibres de son être. Il savait l'étreindre, la nuit dans leur lit, et quand, après l'amour, elle se blottissait contre lui, son corps était détendu, rassasié.

Apollonius, lui, l'entraînait dans un vertige. Il l'avait subjuguée. Ce n'était pas seulement qu'il lui donnait du plaisir… C'était aussi tout ce qu'il lui disait avant, tout ces mots qu'il lui murmurait à l'oreille, et cette façon carnassière qu'il avait de se pencher sur ses seins, sur son ventre, et cette façon qu'il avait de se redresser sur ses deux bras au moment où il la pénétrait afin de la regarder, les yeux grands ouverts, d'épier sur son visage les moindres frémissements du désir, le gonflement des lèvres, le pincement des narines, la contraction des joues au moment où montait le plaisir, où commençait le long halètement… Elle osa enfin se le dire : oui, il l'avait affolée.

Puis elle se souvint des orgies de Canope, de ces danseuses aux trois quarts nues que les hommes effleuraient de leurs doigts, de ces hommes qui s'embrassaient et de ces femmes qui gémissaient tout près. Pour la première fois, elle s'arrêta à ce spectacle, elle se demanda si elle voulait continuer à faire partie de ce monde où des étrangers se rencontraient, s'accouplaient, disparaissaient ensuite dans la nuit… Artémisia eut soudain un haut-le-corps.

Qu'avait dit Pierre ? Qu'il fallait revenir à Marcus ? Les larmes jaillirent soudain des yeux de la jeune femme, brûlantes, pressées. Oui, elle voulait revenir à Marcus… Comment allait-elle lui expliquer ? L'évêque avait aussi parlé de pardon…

L'évêque… Pierre avait pris une place importante dans sa vie et dans celle de son mari. Non, ce n'était pas l'évêque… Ou plutôt si, c'était l'évêque, mais à cause de sa nouvelle foi… Sa nouvelle foi ? Elle l'avait aussi écartée de son esprit pendant son aventure avec Apollonius. Elle se souvenait d'avoir entendu Pierre et les autres répéter souvent un message de Jésus : il fallait pouvoir aimer les autres jusqu'à donner sa vie pour eux. Et elle, elle n'avait pas su aimer le plus proche des autres, son mari.

Artémisia s'essuya les yeux, se leva. Elle se vit alors dans une de ses tuniques souples qui mettaient en valeur sa silhouette. Elle se rappela qu'une heure plus tôt elle se préparait à aller rencontrer Apollonius. Elle n'irait donc pas.

À cette idée qu'elle ne verrait pas le beau Grec, qu'il ne la presserait pas contre sa poitrine, qu'elle ne sentirait plus sur sa peau ses lèvres tendres et insistantes, elle eut un mouvement de panique. Elle se remit à pleurer. Non, elle ne pourrait pas… Ses caresses lui étaient nécessaires, elle s'en nourrissait, elle en avait besoin !

Artémisia resta ainsi prostrée pendant longtemps, pleurant dans la pénombre. Quand elle finit par se calmer, elle se rendit compte qu'une violente douleur lui enserrait le front. « Je suis trop fatiguée, se dit-elle, je ne pourrais pas aller voir Apollonius. »

Et soudain, ce mal de tête atroce l'emplit d'une grande jubilation, d'une joie déferlante.

∽

Après qu'ils eurent quitté le port, Achillas entraîna Marcus chez Pierre, tandis que Nikânor emportait les bagages à la maison et allait prévenir Artémisia de l'arrivée du maître.

Pendant le trajet, Marcus interrogea Achillas : pourquoi l'évêque était-il si pressé de le voir ? N'aurait-il pu aller à la maison, se rafraîchir et se reposer après le voyage ? Le presbytre ne répondait qu'indirectement. Marcus se demanda ce que cachait cet embarras. Il était maintenant vraiment inquiet.

L'évêque l'accueillit avec effusion et le serra dans ses bras. Achillas prit congé d'eux. Marcus se demanda encore pourquoi Pierre voulait le voir en tête-à-tête. S'il s'agissait pour lui de faire rapport sur son voyage et sa mission à Rome, n'eut-il pas été logique qu'Achillas, les autres presbytres et les membres influents de la communauté fussent là ?

La rencontre de l'évêque et de l'ex-décurion dura deux heures. Quand ils en ressortirent, Pierre avait le visage grave et Marcus un teint de cendre.

L'évêque avait commencé par s'enquérir brièvement de la santé de Marcus, de son séjour à Rome et de ceux qu'il y avait rencontrés. Au moment où le jeune homme commença à s'étendre sur Marcel et sur le diacre Eusèbe, à décrire les catacombes et les réunions de prière qu'on y tenait, Pierre l'interrompit. Il avait, dit-il, quelque chose d'important à communiquer à Marcus.

Pierre parla longtemps. Il commença par évoquer la persécution qui avait créé tellement de tension au sein de la communauté et chez chaque chrétien. Quand elle s'était arrêtée, dit-il, c'était comme si un ressort longtemps comprimé s'était soudain détendu.

Marcus était vaguement surpris. Où veut-il en venir ? se demanda-t-il.

Pierre poursuivait : l'épreuve peut, dit-il, frapper même tout près de nous, chez nous.

— L'épreuve, Marcus, t'atteint maintenant directement, ajouta-t-il.

— Artémisia ? s'écria le jeune homme.

— Oui, ta femme, dit Pierre.

— Qu'a-t-elle ? Est-elle malade ? A-t-elle été arrêtée ?

— Non, non, dit l'évêque, mais il va falloir que tu pardonnes…

À ces mots, Marcus resta silencieux, abasourdi. Pardonner ? Pardonner quoi ?

L'évêque lui raconta alors, en mots simples, sans entrer dans les détails. Il parla de la solitude d'Artémisia, après le départ de Marcus à Rome. Cette solitude, cet ennui, avaient favorisé les desseins de certains. Ils l'avaient entraînée dans leurs filets.

— Un de tes proches, ajouta Pierre, un de tes meilleurs amis, t'a trahi. Apollonius a entraîné ta femme dans une aventure sans issue.

Marcus était silencieux. Il semblait foudroyé. Il avait tout compris.

L'évêque continuait à parler. La trahison, disait-il, est, un jour ou l'autre, notre lot à tous. Nul n'y échappe. Le Seigneur lui-même n'y a pas échappé. Un de ses meilleurs amis, un des Douze, l'a livré aux juifs pour trente deniers.

Il faut, disait Pierre, entendre ce que le Seigneur lui-même nous a dit. Si ton frère a mal agi envers toi, il ne faut pas seulement lui pardonner une fois. Il faut lui pardonner soixante-dix fois sept fois.

Toi, ajoutait Pierre, toi Marcus, qui est un disciple du Seigneur, tu vas pardonner. Tu vas pardonner à ta femme. Tu vas te réconcilier avec elle. Quant à Apollonius, ce faux ami, il va disparaître. Tu ne le rencontreras plus sur ton chemin. Ta femme ne le trouve plus d'ailleurs sur le sien depuis quelque temps. Tes vrais amis, Flavius par exemple, s'en sont occupé.

Marcus n'arrivait pas à émerger de sa léthargie. Les mots de l'évêque lui parvenaient maintenant comme assourdis. Un seul retentissait dans sa tête avec une violence qui lui martelait les tempes. Trahi. Trahison. Apollonius l'avait trahi. Avec sa femme. Une fureur aveugle le secoua un bref moment, qui lui amena dans la bouche un goût âcre de sang. Ah! Si seulement ce misérable était ici!

Il avait été trahi. Artémisia surgit soudain devant ses yeux. Elle l'avait trahi! Il entrevit, en une fulgurance, deux corps nus emmêlés, celui de sa femme et un autre qui n'était pas le sien. Un nuage pourpre passa devant ses yeux, il eut presque un hoquet.

Trahi! Il avait été trahi…

Soudain, il sursauta. Pendant qu'elle le trahissait ici, à Alexandrie, lui, à Rome, aimait Julia…

Il avait aimé Julia. Avait-elle aimé Apollonius?

Elle l'avait trahi. Lui aussi l'avait trahie. Lui aussi avait écarté de son esprit l'image de sa femme pendant qu'il serrait la Romaine dans ses bras.

Soudain, Marcus mit son visage dans ses mains. Pierre se leva, s'approcha de lui, lui mit la main sur l'épaule. Ce simple geste bouleversa le jeune homme: on eût dit que quelque chose en lui se brisait, il se mit à pleurer silencieusement.

Quand il se calma, il se tourna vers l'évêque:

— Moi aussi, lui dit-il, je voudrais te parler. Et il raconta en quelques mots l'aventure qu'il avait eue à Rome avec Julia.

L'évêque resta silencieux quelques instants, puis dit:

— Nous avons tous besoin de miséricorde et de pardon. Et ce pardon, Dieu seul est capable de nous l'accorder. Nous allons maintenant nous rendre chez toi pour rencontrer Artémisia. Elle sait que tu es revenu, elle t'attend.

Quelques minutes plus tard, Marcus se trouvait devant sa femme. Ils étaient gauches tous les deux. L'évêque prit la parole : il dit à Artémisia que Marcus avait tout autant besoin de pardon qu'elle-même. La jeune femme les regarda, étonnée. Oui, insista Pierre, votre séparation vous a menés tous les deux au vertige. Tous les deux ? demanda Artémisia de plus en plus surprise. Oui, répondit brièvement Pierre, tous les deux, vous avez oublié votre amour, vous vous êtes détournés l'un de l'autre, vous vous êtes laissé entraîner sur des chemins sans issue. La jeune femme rougit violemment et regarda son mari avec intensité. Mais l'évêque reprenait : il faut pardonner, et le pardon sera d'autant plus facile que vous en avez besoin tous les deux.

Pendant la semaine qui suivit, Artémisia et Marcus restèrent le plus souvent silencieux. Quand le silence devenait pesant, ils traitaient de questions anodines. Marcus se força à lui parler un peu de Rome, de ses monuments et de ses foules. Artémisia l'écoutait d'un air emprunté. Une gêne palpable séparait les deux époux. La nuit, chacun dormait de son côté.

Quand le tribunal prononça la peine de mort contre Catherine, la nièce de leur ami Macaire, ils se précipitèrent chez lui. Ils l'entourèrent, ainsi que sa famille, de leur amitié, de leur tendresse.

Le jour de l'exécution, ils se rendirent tous au camp César. La famille de Catherine était effondrée. Le spectacle de tant de courage chez la jeune Alexandrine qui avait préféré mourir plutôt que de renier sa foi, allié à tant de douleur chez sa famille et ses amis, terrassa Artémisia. Elle passa l'après-midi à pleurer, en compagnie de Macaire et de sa famille.

Le soir, de retour chez elle, elle était défaite, épuisée, elle hoquetait de façon incontrôlable. Marcus osa lui ouvrir les bras. Elle s'y réfugia. Ils restèrent longtemps ainsi, immobiles, pendant que les pleurs de la jeune femme peu à peu s'apaisaient. Pour la première fois depuis qu'ils avaient appris leur infidélité mutuelle, ils osaient un contact physique, ils ne se détournaient pas l'un de l'autre.

Marcus et Artémisia savaient qu'il leur restait un long chemin à parcourir avant de cicatriser leurs blessures. Ils vivaient des émotions violentes et troubles, où se mêlaient la jalousie, le remords, le chagrin, l'étonnement, quelquefois même, à leur grand désarroi, le regret de la fête physique qu'ils avaient vécue pendant les mois précédents. Ils avaient tous les deux peine à démêler ce qui les avait amenés l'une dans le lit du Grec, et l'autre dans celui de la Romaine.

Mais ce soir-là, un spectre les recouvrait de son ombre immense. La mort triomphait et, devant sa victoire sanglante, devant l'éclat mortel d'une hache qui avait éteint le sourire sur le visage d'une jeune fille de dix-huit ans, ils éprouvaient le besoin impérieux, viscéral, de se retrouver, de se réfugier l'un en l'autre. La mort rendait dérisoires les plaisirs du cœur et du corps qu'ils avaient goûté auprès de Julia et d'Apollonius, elle rôdait tout près d'eux, elle les rapprochait. Le reste n'avait pas l'importance qu'ils lui avaient d'abord donnée. Ou du moins, le reste pouvait attendre.

Dans les semaines qui suivirent, Marcus et Artémisia recommencèrent à se parler. Avec précaution, tout d'abord. Ils évoquèrent leur rencontre, les rendez-vous dans les jardins, la stratégie pour circonvenir Pâapis. Ces conversations, anodines et légères, leur rappelaient les années heureuses, les années d'avant Canope et Rome. Puis, un jour, Marcus osa redire à sa femme qu'il l'aimait. Elle se jeta dans ses bras, lui dit qu'elle l'aimait aussi. Elle ajouta, d'une voix inaudible, qu'elle regrettait ce qui s'était passé. Ce fut Marcus qui, le premier, demanda pardon. Les deux jeunes gens sentaient que le nuage qui recouvrait leur amour commençait enfin à s'effilocher. Il restait une autre ombre, celle de la mort, toujours sournoise, toujours menaçante.

❧

De Nohotep, Grand Prêtre de la divine Isis, notre Joie salvatrice, Mère du dieu, la Toute-puissante, la Très Grande Reine, la Sainte de gracieuse forme, la Conductrice des muses, la Guerrière, l'Amour des dieux,

À ses frères,
Isarous, prêtre de la divine Isis en son sanctuaire de Philæ,
Khomnos, prêtre du divin Amon en son sanctuaire de Thèbes,
Kolopè, prêtre du divin Ptah-Apis en son sanctuaire de Memphis,

Mes frères,

Je vous écris en ce dixième jour du mois de Choiak afin de vous mettre au courant des événements qui se précipitent dans notre pays et qui peuvent enfin nous donner l'occasion de rétablir la gloire de nos dieux et la grandeur de l'Égypte.

Vous vous demandez peut-être, mes frères, comment je suis devenu Grand Prêtre de la divine Isis. Vous vous souvenez sûrement que j'avais partagé avec vous mes craintes et mes dilemmes, quand je n'étais encore que l'un des serviteurs de la Déesse en son temple de Pharos, et que j'aidais avec dévotion le Grand Prêtre Pâapis à accomplir son sacerdoce auprès de la Mère de Harpocrate[1], l'Unique, l'Inimitable.

1- Isis.

Hélas ! Pâapis a été accablé de mille maux et de mille épreuves. Je vous avais déjà parlé de ses filles qui s'étaient jointes à la secte honnie des adorateurs de Christos. Or, le Grand Prêtre n'a pas eu le courage de s'opposer à cette incursion des traîtres dans sa propre famille. Il n'a pas eu la fermeté d'âme de ramener ses filles — dont l'une, hélas ! était même prêtresse de la Déesse — dans le chemin de la fidélité à la foi de ses ancêtres.

Cet exemple a démoralisé tous les fidèles de la Déesse. J'ai décidé d'y remédier. J'ai rassemblé les énergies et raffermi les cœurs, afin que la dévotion à Isis prenne encore plus d'éclat en son temple principal à Alexandrie.

Entre-temps, la santé de Pâapis a commencé à décliner. Il semblait rongé par le chagrin et l'irrésolution. Finalement, les fidèles m'ont demandé de le remplacer. Il n'a offert aucune résistance et s'est renfermé dans la solitude de sa maison. Le préfet, qui avait admiré ma fermeté et mon esprit résolu, s'est réjoui de mon élévation au sacerdoce suprême de la Déesse.

Je suis donc, mes frères, de cœur et d'âme avec vous dans le service des dieux. Or, nous pouvons aujourd'hui prétendre, pour la première fois depuis longtemps, à la victoire de la vérité sur les ténèbres et de nos dieux sur leurs ennemis. Laissez-moi vous expliquer pourquoi.

Vous savez peut-être déjà que Maximin Daïa, le César d'Orient, est à Alexandrie depuis plusieurs mois. Il est animé d'une haine farouche contre les chrétiens, d'une haine aussi brûlante que celle que leur porte l'empereur Galère, le maître de tout l'Empire.

Des rumeurs courent sur l'Empereur. On dit qu'il est un adepte du culte de Mithra. On chuchote qu'il voudrait voir triompher partout dans l'Empire le dieu vainqueur du taureau, mais que les adorateurs de Christos se dressent sur son chemin. Il sait qu'il pourra amener les amants d'Athéna ou d'Artémis, les fervents de Jupiter ou d'Hermès à vénérer aussi Mithra, mais que les chrétiens ne plieront jamais. On croit donc que sa rage contre cette engeance maudite vient de sa dévotion à Mithra.

Quant à Daïa, on ne sait trop pourquoi il poursuit cette secte d'une haine si viscérale. J'ai interrogé mes adjoints : on ne croit pas qu'il soit attiré par Mithra. Mais alors, pourquoi ? C'est un mystère que nous n'éluciderons peut-être pas, mais qui sert entre-temps fort bien notre cause.

En effet, nous avons déjà vu les fruits de son esprit de décision. Depuis son arrivée à Alexandrie, les chrétiens vivent dans la terreur. Il a ordonné au préfet, aux gouverneurs des trois grandes provinces et aux stratèges des trente nomes d'Égypte de se montrer déterminé dans la lutte contre les ennemis de l'Empire. Il a donné des ordres stricts. Nulle compassion, nulle mansuétude, nul atermoiement ne seront plus tolérés. Déjà, des dizaines d'exécution ont eu lieu, déjà le sang a coulé.

Je suis convaincu que nous avons un rôle à jouer dans cette campagne de purification. Nous ne nous laisserons pas faire. L'encens que nous brûlons depuis toujours devant nos autels n'aura pas été vain. Une fois l'épreuve franchie, nos temples retrouveront leur gloire d'antan et nos dieux nous contempleront avec satisfaction. Mais, pour cela, il faut aider le César dans son œuvre.

Je vous adjure donc, mes frères, de ne pas hésiter à prêter main-forte aux agents du pouvoir. Frappez, accusez, dénoncez! Le temps n'est plus aux tergiversations.

Demandez à vos fidèles d'espionner leurs voisins et leurs amis. Ceux qui auront eu la faiblesse de succomber à l'appel des chrétiens devront être rapportés aux agents du pouvoir. Nous savons en effet que les plaies les plus virulentes doivent être cautérisées par le feu le plus ardent.

Je me propose, pour ma part, de ne pas hésiter. J'ai décidé de donner l'exemple, ici à Alexandrie. C'est notre chance, peut-être notre ultime chance, afin que les dieux de la vieille Égypte continuent de nous illuminer, afin qu'Amon, Apis, Râ, Isis, Osiris et Horus continuent de nous inonder de leurs bienfaits.

Je vous écrirai régulièrement, mes frères, afin de vous tenir au courant des progrès de notre tâche de purification. De votre côté, n'hésitez pas à m'informer de ce qui se passe dans vos provinces. En effet, j'ai l'oreille du préfet et, par lui, celle de Maximin Daïa. Si leurs stratèges et leurs gouverneurs tergiversent ou faiblissent dans cette entreprise sacrée, je n'hésiterai pas à le leur faire savoir et ils y mettront bon ordre.

Fait à Alexandrie, en ce mois de Choiak de la quatrième année du règne de Galère Auguste[2].

Le prophète d'Isis la bien-aimée,
Nohotep

⁕

Artémisia et sa sœur Damiana entouraient leur mère de tendresse et ne la quittaient plus.

Depuis les funérailles de Pâapis, les trois femmes se retrouvaient tous les jours chez l'une ou chez l'autre. Elles bavardaient longuement, ne se laissant interrompre que par les pépiements heureux des enfants de Damiana. Leur grand-mère les prenait dans ses bras et retrouvait, pendant quelques instants, le sourire.

2- Décembre 308.

Artémisia et Damiana évoquaient avec leur mère leur enfance heureuse. Elles s'attardaient à des souvenirs qui les faisaient rire ou qui embuaient leurs yeux, des jeux d'enfance, des promenades sur la plage quand les vagues venaient mouiller le bas de leurs tuniques et qu'elles soulevaient leurs jupes, heureuses de sentir la fraîcheur de l'eau sur leurs chevilles.

Jamais pourtant Artémisia n'évoqua son entrée au temple, son amour pour Isis, sa dévotion à la Déesse dont elle était devenue la prêtresse. Depuis sa conversion à la foi chrétienne, elle avait jeté un voile sur cette période de sa vie. Et pourtant, elle se rappelait maintenant avec mélancolie ces années où le grand prêtre la regardait avec fierté s'avancer dans les processions du réveil de la Déesse, et où elle admirait son père qui conversait tous les jours en tête-à-tête avec la Mère du dieu. Elle avait tellement aimé alors son père!

Elle avait continué à l'aimer, mais sa nouvelle foi avait créé entre eux un fossé qui s'était creusé chaque jour un peu plus. Ils n'avaient jamais véritablement rompu, mais son père s'était enfermé dans le mutisme et dans la solitude.

Un an plus tôt, son père avait quitté son sacerdoce auprès d'Isis. Que s'était-il passé? Avait-il été chassé du temple? L'avait-on eu à l'usure? Avait-il renoncé lui-même, las, vieilli, triste de voir ses filles abandonner sa foi qui avait été sa vie? Artémisia ne l'avait jamais su avec précision.

Pourtant, elle s'était doutée qu'une manœuvre quelconque avait dû venir à bout des dernières forces de Pâapis quand elle apprit que Nohotep lui avait succédé. Nohotep! Elle se souvenait avec effroi de la détermination féroce qu'il mettait au service de la Déesse. Elle n'oublierait jamais non plus son regard perçant, qui la scrutait au plus profond d'elle-même, dans les semaines et les mois qui avaient suivi la visite du jeune prêtre à son père pour demander sa main. L'éclat de ses yeux fixes, brûlants, la remplissait de malaise. L'amour qu'il disait lui porter la glaçait. Heureusement, Marcus était entré dans sa vie!

Artémisia avait quelquefois des remords. Sa conversion n'avait-elle pas précipité la vieillesse de son père, sa déchéance? N'avait-elle pas brisé en lui un ressort? N'avait-elle pas causé son élimination par Nohotep? Et pourtant, elle ne pouvait pas regretter sa nouvelle foi, qui était devenue pour elle le cœur même de sa vie.

Son père s'était éteint deux mois plus tôt. Les dernières semaines, elle avait accouru à son chevet. Il l'avait regardée avec une tendresse qui l'avait bouleversée. Ils n'avaient pas beaucoup parlé, mais elle l'avait embrassé tendrement. Au moment de sa mort, Pâapis semblait pacifié.

Nohotep décida de faire d'imposantes funérailles au grand prêtre, après l'embaumement du corps. Artémisia et Damiana se voilèrent de la tête aux pieds et se rendirent au temple. On eût dit que Nohotep avait deviné leur présence car son regard insistant scrutait la foule, s'arrêtait sur toutes les femmes. Artémisia crut même qu'il la fixait longuement. Elle se secoua : engoncée dans ses multiples voiles, nul ne pouvait la reconnaître.

Pendant la cérémonie, Artémisia pleura en silence. Elle pleurait sur son père, elle pleurait peut-être aussi sur son enfance. Mais les rites et les invocations à Isis la laissèrent de marbre : comment avait-elle pu se laisser séduire, un temps, par cette déesse capricieuse, qui voulait qu'on la réveille tous les matins, qu'on l'habille, qu'on la nourrisse, qu'on la couvre d'or et de bijoux ? Comment avait-elle pu croire que la Déesse n'était satisfaite que quand ses fidèles déposaient à ses pieds des jarres de vin, des paniers de fruits, des bourses pleines, qui représentaient souvent toute leur fortune ? Comment avait-elle pu croire en ce culte plein de magie ?

Quelques mois après la mort de Pâapis, la mère d'Artémisia demanda le baptême. Ses filles n'en furent guère surprises, même si elles accueillirent la nouvelle avec émotion : elles avaient senti que leur mère était séduite par la religion de Christ. Elle l'avait manifesté très discrètement par quelques gestes ou quelques allusions mais elle était restée inébranlablement fidèle à la foi de ses ancêtres par attachement à son mari. Tant que Pâapis avait été vivant, elle avait participé au rituel et aux dévotions à Isis. Maintenant, elle était libre.

Ce fut Pierre qui la baptisa. Tout le monde mesurait la portée de l'événement : la femme du grand prêtre d'Isis tournait le dos à la Déesse pour se joindre à tous ceux que la personne et le message de Christ avaient séduits.

Ceux qui assistaient au baptême savaient aussi que la femme de Pâapis montrait alors d'autant plus de courage et de conviction que la situation des chrétiens n'avait cessé d'empirer.

Cela faisait déjà près de deux ans que Maximin Daïa était venu s'installer à Alexandrie et sa haine personnelle, brûlante, vivante à l'égard des chrétiens se révélait encore plus efficace et plus terrible que les calculs froids et politiques de Dioclétien, sept ans plus tôt.

Les fonctionnaires craignaient de déplaire au maître. Les stratèges des nomes et les gouverneurs des provinces savaient que des espions surveillaient leurs moindres faits et gestes pour les rapporter au César. Celui-ci n'avait qu'une idée en tête, qu'un ordre qu'il répétait avec acharnement : sus aux chrétiens !

La persécution avait repris depuis déjà deux ans et une espèce de routine s'était installée dans l'horreur. De temps en temps, une grande rafle permettait d'arrêter quelques dizaines de chrétiens. Les plus connus étaient immédiatement exécutés. Les autres, les petits, les obscurs, étaient torturés.

Certains craquaient et reniaient leur foi, d'autres transcendaient la souf-france jusqu'à ce que les tortionnaires, écœurés, les rejettent au fond des cachots.

De nombreux chrétiens croupissaient dans les geôles pendant des semaines, des mois, des années. On les y avait oubliés. D'autres enfin étaient réduits en esclavage et envoyés dans les mines du désert ou dans les fermes d'État.

❧

Marcus était secoué : Pierre, l'énergique, le calme, le serein Pierre était prostré. Il avait enfoui sa tête dans ses mains. Tous attendaient qu'il parle, qu'il rompe le lourd silence.

Marcus regardait attentivement l'évêque. Celui-ci avait changé profon-dément en quelques mois. Ses traits étaient tirés, son teint cendreux, il avait maigri et ses cheveux avaient blanchi.

Achillas avait la mine grave. Flavius, comme d'habitude, était impassible. Paphnuce le presbytre, le diacre Hesychius et Macaire avaient l'air triste.

Pierre finit par lever la tête. Sa voix était basse et il fallut que les autres tendent l'oreille pour l'entendre.

— Vous savez, dit-il, que j'avais dû m'éloigner d'Alexandrie pendant deux semaines. Les agents du préfet avaient découvert la dernière maison où je me cachais. Pour les semer et brouiller mes traces, je suis allé dans la chora[3], dans la ferme d'un frère où je suis resté cloîtré tout le temps. À mon retour, j'ai appris la nouvelle.

Il se tut de nouveau. Tous respectèrent son émotion. Il se tourna vers Hesychius.

— On me dit, Hesychius, que tu étais là et que tu as tout vu. Veux-tu nous raconter ?

Hesychius était ce chrétien grec qui avait annoncé aux réfugiés du désert de Scété la fin de la persécution de Dioclétien. Il était devenu diacre et Pierre l'avait accueilli dans le cercle étroit de ses conseillers.

— Oui, j'étais là, dit sombrement le diacre. Un jour, un garçon est venu en courant me prévenir : on venait d'arrêter notre frère Sarguayos.

— C'était quand ? demanda Pierre.

— Il y a à peine deux semaines, dit le diacre. Les Romains se sont réjouis de son arrestation. Ils savaient par leurs espions que Sarguayos était intraitable quant à sa foi et surtout qu'il était le cœur même de la résistance de ses fidèles du quartier du Broucheion.

3- La campagne égyptienne, plus particulièrement autour d'Alexandrie.

Marcus se rappelait le vieux presbytre. Il avait les cheveux blancs, une longue barbe blanche et ses yeux fiévreux soulignaient ses traits ascétiques. Dans leurs réunions, sa voix basse, profonde et caverneuse le faisait toujours sursauter.

— Qu'est-il arrivé ? demandait Pierre.

— Dès le lendemain de son arrestation, ils l'ont traîné devant le tribunal. Il y a été inflexible. Il a même tenté de convaincre ses juges que le Royaume de Dieu était proche et qu'il valait mieux pour eux qu'ils se repentent afin de pouvoir y entrer.

Marcus n'avait aucune difficulté à imaginer le presbytre égyptien en train de haranguer ses juges grecs ou romains. Sa foi avait toujours été dure comme le marbre, effilée comme l'épée. Marcus n'avait pas toujours aimé ses interventions auprès de Pierre mais il devait reconnaître que le vieillard n'avait jamais vacillé dans ses convictions.

— Il a été condamné à mort, reprenait Hesychius. Dès cette annonce, nos frères du Broucheion et même des autres quartiers de la ville se sont mobilisés. Ils se sont réunis pour prier pour Sarguayos. Grâce à des complicités que nous avions dans la prison, nous lui avons fait savoir notre appui.

— Et... qu'a-t-il dit ? demanda Achillas.

— Il était serein. Il a fait dire à ses amis qu'ils devaient prier pour eux-mêmes, car, pour lui, il se réjouissait de rencontrer le Seigneur.

— Je sais, dit Pierre d'une voix sourde, qu'on lui a infligé le plus infamant et le plus glorieux des supplices.

— Oui. Il a été crucifié.

Tous se turent. Hesychius reprit, s'adressant à Pierre :

— Nous voulions te prévenir afin que tu sois là. Mais nous craignions que les Romains ne te trouvent immédiatement et nous voulions refroidir ta piste. Par ailleurs, jamais nous n'aurions imaginé qu'ils seraient si pressés.

— Comment cela ? demanda l'évêque.

— Il est mort à l'aube, il y a deux jours, dit Macaire. C'était le surlendemain du jugement. D'habitude, ils attendent quelques jours pour permettre à la nouvelle de se répandre et attirer ainsi une plus grande foule.

— Il est mort il y a deux jours, mais il a été crucifié il y a trois jours, précisa Hesychius. Ils l'ont emmené au camp César, qui semble maintenant leur lieu d'exécution préféré. Ils l'ont dénudé et l'ont attaché à la croix.

Marcus imaginait le corps nu du vieillard, maigre, décharné.

— A-t-il dit quelque chose à ses bourreaux ? demanda Achillas.

— Il priait tout le temps à haute voix. Quand ils lui ont enlevé ses habits, il a semblé sortir de sa méditation. Il a demandé une seule grâce, celle de couvrir sa nudité.

— Alors ?

— Ils ont commencé par se moquer de lui. Finalement, un décurion a ordonné de lui enrouler un pagne autour des hanches.

Marcus se souvenait de l'obsession du vieux presbytre à ignorer son corps, à le domestiquer, à le maîtriser. Il se rappelait les discussions passionnées sur les femmes, quand Sarguayos martelait que leur corps était occasion de chute et de péché. Il mesurait l'humiliation ultime du vieillard, quand on l'avait promené nu devant la foule cruelle.

— Ils l'ont accroché à la croix, poursuivait Hesychius. La foule le brocardait. On s'attendait à ce qu'il meure au bout d'une heure ou deux. Mais il a été résistant.

— Combien de temps a duré le supplice ? demanda Macaire.

— Ils l'ont crucifié il y a trois jours, au moment du coucher du soleil. Il est mort à l'aube, il y a deux jours. Cela a donc duré douze heures.

Marcus imaginait l'homme suspendu, les os saillants, les tendons étirés. Le vieux corps exténué que Sarguayos avait si longtemps maltraité avait souffert vaillamment. Douze heures de suite.

— La foule s'est vite ennuyée, reprenait Hesychius. Nous sommes restés, les frères et moi, priant dans la nuit. Les deux légionnaires qui le gardaient bâillaient à se décrocher la mâchoire et nous regardaient d'un air soupçonneux. Quand enfin il est mort, ils sont partis, tout soulagés, en annonçant à haute voix qu'ils allaient prévenir les fossoyeurs. Je crois qu'ils voulaient ainsi nous avertir.

— J'imagine donc que vous l'avez descendu de la croix et emmené. Où est-il maintenant ?

— Dans une maison amie de son quartier. Ses fidèles veulent l'enterrer dans l'église du Broucheion mais elle est fermée et surveillée par les Romains. Ils attendront le temps qu'il faudra pour qu'il repose au milieu d'eux.

— Tu m'amèneras chez ces frères qui l'ont emporté chez eux, dit Pierre à Hesychius. Je veux prier auprès de sa dépouille.

Ils se turent tous. Il n'y avait plus rien à ajouter.

Pierre avait repris sa méditation. Il leva la tête et sourit faiblement en regardant Marcus.

— Marcus, tu seras content. Je viens de recevoir une lettre de quelqu'un que tu aimes et qui t'aime.

— Qui donc ? demanda Marcus, ébahi par cette entrée en matière.

— De notre frère Marcel. Il m'annonce des choses importantes. Tiens, lis, dit-il en tendant un rouleau de papyrus à Marcus.

Marcus commença à lire. Marcel avait fait l'effort d'écrire en grec, afin de mieux se faire comprendre des Alexandrins.

De Marcel, évêque de Rome et Pape,
À son frère dans la foi, Pierre, évêque d'Alexandrie et Papa d'Égypte,

Que la Paix et la Grâce de Notre Seigneur Jésus-Christ soient sur toi, bien-aimé Pierre.

Tu dois être surpris du début de ma missive. En effet, la dernière fois que nous nous sommes écrit, j'étais presbytre dans notre Ville.

Tu sais cependant que mes frères de Rome comptaient beaucoup sur moi pour les aider et les diriger. Depuis quatre ans, depuis la mort de notre saint évêque Marcellin, notre ville n'a pas eu d'évêque, car nous étions trop absorbés à survivre à la persécution déclenchée par Dioclétien. Pour la première fois depuis la mort de l'apôtre Pierre, le troupeau romain n'avait plus de main ferme pour le guider.

Maintenant, les successeurs de Dioclétien, Galère partout dans l'Empire et Maxence plus particulièrement ici à Rome, ont repris avec vigueur la persécution un moment ralentie. Je sais aussi que le César d'Orient met votre foi à l'épreuve, par l'épée et par le feu.

Nous avons décidé à Rome que le troupeau ne pouvait plus rester longtemps sans pasteur. Les presbytres et les diacres se sont réunis. Ils m'ont choisi pour être leur père et leur évêque. Je me réjouis de t'annoncer cette nouvelle, même si j'en ressens le poids sur mes épaules. Je sollicite mes frères d'Égypte pour qu'ils prient pour moi.

Au cours de la même réunion où ils m'ont choisi pour les diriger, nos presbytres et nos diacres ont décidé que leur évêque porterait également le titre de pape. Ce mot nouveau me désigne clairement comme leur père. Je l'ai accepté en toute humilité, et je crois bien que, dorénavant, tous les successeurs de Pierre à Rome porteront également ce titre.

Les deux grandes villes de l'Empire ont maintenant des guides qui sauront mener en ces temps troublés notre peuple souffrant et persécuté. Je suis donc heureux de pouvoir t'appeler frère.

Je n'ai, hélas, guère de bonnes nouvelles à te donner, car les autorités continuent de nous poursuivre avec un zèle enragé. Je ne voudrais cependant pas finir cette missive sans te demander de saluer bien paternellement de ma part, de la part d'Eusèbe et de tous les chrétiens de Rome notre frère Marcus.

Sa visite chez nous nous a permis non seulement d'avoir de vos nouvelles, mais aussi de le connaître et de l'aimer. Certains de nos frères, commerçants dans les forums de la Ville, ont été même abordés par un païen, un adorateur de Mithra, un nommé Peirius, qui leur a demandé de transmettre ses salutations à Marcus. Les sachant chrétiens, a-t-il ajouté, il se doutait qu'ils pourraient entrer en contact avec lui. Je m'empresse donc de lui communiquer le message.

Gardons notre foi au Christ et en son Père, notre Dieu Tout-Puissant. Prions fraternellement les uns pour les autres.

Marcel, évêque de Rome et Pape

Marcus était ému. Il revoyait le visage énergique du Romain. Les salutations de Peirius ressuscitèrent soudain à ses yeux le forum Boarium de Rome ; il se revit dans les tavernes où les deux hommes avaient si longuement bavardé. Son souvenir dériva vers Julia, sa maison à la fraîche pénombre, ses bras à la fraîche étreinte. Quand elle marchait devant lui, son corps tanguait dans la lumière romaine comme une barque sur le Nil... Il se secoua et chassa ces images de son esprit.

— C'est une bonne chose, disait Pierre, que les Romains aient enfin choisi un évêque. Vous savez que j'ai connu Marcel quand il était venu ici en voyage, bien avant les persécutions. Marcus l'a fort bien connu et le portrait qu'il nous en a fait augure bien pour la protection et l'unité de nos frères de Rome.

Ces mots et la lettre de Marcel, qui avaient pendant quelques instants éloigné les esprits de l'évocation du martyre de Sarguayos, avaient un peu détendu l'atmosphère. Pierre les ramena à la gravité de la situation en reprenant :

— La mort de Sarguayos n'est qu'un jalon de plus dans notre longue traversée de l'épreuve. Notre situation devient de plus en plus difficile. Même nos frères les plus fermes dans la foi se sentent vaciller. Il faut faire quelque chose pour ranimer les énergies et raffermir les âmes. J'ai à ce propos une idée que je voudrais partager avec vous. Mais nous nous réunirons pour cela dans quelques jours. Aujourd'hui, je ne veux que prier pour mon frère Sarguayos.

CHAPITRE SEIZE

Marcus regardait le Nil, vaste comme la mer.

Le jeune homme admirait la campagne tout autour de lui. Il était debout sur la berge occidentale du fleuve, à la pointe du delta. Le Nil s'élargissait soudain, ses rives s'éloignaient l'une de l'autre, comme deux jambes de femme qui s'écartent et s'ouvrent pour donner naissance à la vie du delta, accoucher de la luxuriance verte et grouillante de la campagne égyptienne.

Le fleuve était calme et placide et charriait nonchalamment ses eaux boueuses. Mais Marcus savait que cet assoupissement était trompeur. Au cours des derniers jours, il avait appris à deviner les signes imperceptibles du réveil.

L'eau du fleuve se colorait d'ocre. Les vaguelettes qui, il y a quelques jours à peine, s'épuisaient et mouraient sur les berges les léchaient maintenant avec un clapotis régulier, insistant. L'extrême frange des champs qui bordaient le fleuve était déjà recouverte de l'eau qui montait.

La crue approchait ; elle avait même commencé, sournoisement. Dans quelques jours, deux ou trois semaines au plus, le fleuve allait se réveiller soudainement, son désir enflerait, il allait se ruer sur la terre d'Égypte, la labourer de sa saillie furieuse, l'éventrer de ses coups de boutoir liquide et répandre dans ses profonds sillons sa semence de limon, mêlée à l'eau ensanglantée de ces noces cycliques et éternelles.

Marcus savait tout cela, mais il ne l'avait jamais vu. Depuis son arrivée dans ce pays, neuf ans plus tôt, il avait vécu à Alexandrie et n'en était sorti que pour aller à Rome ou pour visiter la campagne autour de la capitale, une campagne ordonnée, léchée, domestiquée et que ne traversait que le docile canal de Canope. Il avait aussi passé plusieurs mois dans le désert de Scété, au moment de la persécution de Dioclétien.

C'était la première fois qu'il s'enfonçait dans le cœur du pays. Il avait décidé d'arpenter les chemins poussiéreux du delta, en remontant la branche canopique du fleuve[1], au lieu d'emprunter les barques qui le sillonnaient.

Ses deux compagnons regardaient en silence, comme lui, le fleuve. Soudain, Athanase se mit à courir le long de la berge, se saisissant de galets qu'il faisait ricocher sur l'eau. Marcus sourit : pour une fois, l'adolescent perdait de sa gravité et manifestait un peu d'exubérance. « Enfin une réaction de son âge », se dit Marcus.

Athanase ne cessait de l'étonner depuis le départ d'Alexandrie. Marcus avait d'abord refusé net d'emmener avec lui un garçon de quinze ans, mais l'insistance et les manœuvres d'Athanase auprès de Pierre avaient emporté le morceau : l'évêque avait donné son accord et garanti à Marcus que son compagnon de voyage ne le dérangerait guère.

Depuis lors, Marcus l'avait observé attentivement : le jeune homme était taciturne et grave. Il faisait scrupuleusement ses prières du matin et du soir et ne prêtait que peu d'attention aux paysages autour de lui et aux péripéties du voyage.

Un jour, devant les yeux directs, brillants, du jeune homme, devant son regard qui ne cillait jamais, devant sa mine sérieuse, quelquefois même renfrognée, Marcus éprouva un malaise : Athanase lui rappelait vaguement Sarguayos, le presbytre martyrisé. Il écarta cette comparaison, qu'il trouva ridicule.

Le voyage était fatigant et routinier. L'été approchait, la chaleur était déjà lourde et la marche pénible dans les chemins de terre battue, étroits et poussiéreux. Le soir, à l'étape, les trois voyageurs s'arrêtaient dans une auberge ou chez un fermier.

Le troisième voyageur s'appelait Sérapammon. Malgré son nom tout à fait païen, c'était un bon et loyal chrétien. Il avait grandi dans le nome d'Arsinoé[2], puis était devenu batelier, ce qui lui avait permis de sillonner toute l'Égypte. Il avait fini par s'installer à Alexandrie où il s'était converti, mais avait refusé de changer de nom. Sa connaissance du pays en faisait le guide idéal et, à la demande de Pierre, il avait accepté d'accompagner Marcus.

Sérapammon parlait peu, mais observait tout. Il connaissait les moindres sentiers, les plus petits hameaux, savait deviner d'avance la cavalcade d'un groupe de Romains ou l'arrivée soudaine d'une tempête de sable. Ses yeux mobiles ne cessaient de parcourir le paysage à la recherche du moindre mouvement. Au bout de quelques jours, Marcus lui faisait la plus complète confiance.

1- Aujourd'hui, la branche de Rosette.
2- L'actuelle oasis du Fayoum, à cent kilomètres au sud-ouest du Caire.

Ils se dirigeaient tous trois vers Arsinoé, au sud de Memphis. C'était un détour, mais Pierre avait profité du voyage de Marcus pour lui demander de visiter les évêques du delta et du nome d'Arsinoé. Il voulait leur donner des nouvelles des frères d'Alexandrie et apprendre directement d'eux comment les chrétiens du pays profond résistaient aux persécutions.

Marcus n'aurait jamais imaginé qu'il entreprendrait un tel voyage, qu'il s'éloignerait de nouveau d'Alexandrie pendant quelques semaines, peut-être deux mois. Il se souvenait encore de son séjour à Rome et de ses conséquences dramatiques sur sa vie et celle de sa femme.

Le tout avait pris forme après le martyre de Sarguayos. Marcus se rappelait la remarque sibylline de Pierre sur « une idée » qu'il avait afin de raffermir le courage des chrétiens ébranlés par la sauvagerie méthodique de Maximin Daïa et de ses sbires. L'évêque n'en avait pas parlé pendant quelques semaines et Marcus avait fini par l'oublier, lorsque Pierre convoqua de nouveau son conseil, où l'absence de Sarguayos, le bâillon mortel imposé par les Romains à sa passion et à sa véhémence — même si souvent ses amis s'étonnaient, se scandalisaient même de ses opinions extrêmes et les rejetaient — les attristaient tous.

— Depuis notre dernière réunion, dit Pierre, il y a près d'un mois, la situation n'a guère changé. Et si elle a changé, elle n'a fait qu'empirer. Nos frères, qui sont soumis depuis deux ans aux sévices du César et de ses agents, sont las, épuisés, démoralisés.

— Tu as raison, Pierre, dit le diacre Hesychius, nos familles sont fatiguées de se terrer dans leurs maisons ou de déménager à tout bout de champ parce qu'un voisin décide soudain, pour une mesquinerie quelconque, de les dénoncer au pouvoir.

— De nombreuses familles sont appauvries, sinon dans un état désespéré, dit le presbytre Achillas, parce que le père a été martyrisé ou jeté en prison.

— Même dans l'armée, dit Flavius — qui prenait ainsi la parole pour l'une des rares fois dans ces réunions —, nos frères qui avaient réussi jusqu'à maintenant à pratiquer leur foi tout en continuant à servir sentent le filet se resserrer autour d'eux. Ils sont soumis au chantage de ceux qui connaissent leur secret et l'on a vu ainsi des légionnaires désobéir à leurs chefs en les mettant au défi de les punir.

— Bref, nous pourrions poursuivre encore longtemps cette litanie de lamentations, dit Pierre. Il faut faire quelque chose. Il le faut d'autant plus que, même si nos frères chrétiens ont confiance en moi, ma présence à leurs côtés n'est plus suffisante pour les soutenir. Je suis traqué comme eux, je me cache comme eux, je dois quelquefois me réfugier à la campagne ou au désert. Non, ajouta-t-il, il nous faut un coup d'éclat.

— Je crois bien, dit Macaire avec un mince sourire, que tu as déjà une idée, Pierre.

— Oui, dit l'évêque, et je n'irai pas par quatre chemins : il faut inviter Antoine à venir nous visiter à Alexandrie.

Le silence des autres donnait une idée de leur stupéfaction. Au bout de quelques instants, Paphnuce, le presbytre de Rhakôtis, se secoua :

— Antoine ? Mais tu sais bien, Papa Pierre, qu'il ne voudra jamais quitter sa cellule.

— Il n'en est jamais sorti, dit Achillas.

— Le désert est son pays, reprit Paphnuce.

— Et surtout la solitude, dit Hesychius.

— Il ne voit presque personne, renchérit Achillas.

— Il s'éloigne à cent lieux de toute habitation, ajouta Paphnuce, et ne désire qu'une seule chose : le face-à-face permanent avec le Seigneur.

— Vous avez tous parfaitement raison, dit Pierre avec le sourire, et la vivacité de vos réactions montre bien la difficulté de la tâche. Mais la situation n'a jamais été aussi grave et je suis convaincu que notre frère Antoine ne voudrait pas voir s'affaiblir et s'effondrer l'Église du Seigneur sans qu'il se dresse contre les forces du mal.

Ils se turent tous un moment, pensifs.

— D'autant plus, dit Marcus, que toute sa vie a été une lutte constante pour faire triompher le message du Seigneur.

— Ce qui m'amène à vous proposer de l'inviter ici, dit Pierre, c'est l'admiration sans bornes, la vénération absolue qu'ont nos frères pour lui.

— Cela est bien vrai, dit Hesychius. Dès que son nom est mentionné, les gens s'exclament sur sa sainteté ; on admire son amour pour le Seigneur, sa prière constante…

— Il faut dire aussi, ajouta Achillas, que sa fermeté d'âme est admirable. On se raconte dans toute l'Égypte comment, à vingt ans, il a vendu sa propriété familiale dans le nome d'Arsinoé, a distribué l'argent aux pauvres et est allé vivre au désert.

— Je vois bien que vous êtes d'accord avec moi, dit Pierre. Antoine à Alexandrie ranimerait la flamme de notre foi et de notre courage.

— Il y a cependant une difficulté, dit Marcus.

— Laquelle ?

— Antoine ne pourrait venir incognito à Alexandrie. Sa présence chez nous serait tôt ou tard connue des autorités.

— Et alors ?

— Mais… les Romains l'arrêteraient !

— Je ne le crois pas, répondit immédiatement Pierre, qui semblait avoir réfléchi à la question. La popularité d'Antoine est telle que même le César, même son préfet hésiteraient à l'arrêter. Ils savent que nos frères sont tendus à l'extrême. Ils sont fatigués de courber l'échine, de se cacher. Ils sont prêts à tout, et même à affronter le pouvoir. Celui-ci prendrait-il le risque d'une émeute ? Et même les païens, nos voisins, nos compagnons de travail, commencent à murmurer contre cette persécution, ces arrestations, cette incertitude qui est mauvaise pour les affaires et le commerce.

— Nous savons cependant, dit Hesychius, la haine que nous porte Daïa. La venue d'Antoine dans notre ville lui semblerait une provocation intolérable. Ne risquerait-il pas alors de durcir encore plus la répression ?

Pierre hésita.

— Si c'est une garantie que vous recherchez, je ne puis vous la donner. Rien n'est assuré. Pas même que notre frère Antoine accepte de quitter sa retraite pour se plonger dans ce monde qu'il a quitté il y a déjà plus de trente ans. Mais j'ai beaucoup prié et je crois que nous ne pouvons rester les bras croisés. Au risque de me répéter, j'insiste : il nous faut faire quelque chose. À moins que vous ayez d'autres idées... conclut-il.

Ils se turent. La proposition de Pierre faisait son chemin dans leur esprit.

— Et... comment ferait-on pour l'inviter ? demanda Macaire.

— Je lui écrirai une lettre pressante et...

— Fort bien, l'interrompt Macaire, et nous pourrions trouver un batelier...

— La lettre, cependant, ne suffirait pas, le coupa Pierre. Il nous faudra quelqu'un qui le convainque de vive voix.

— Quelqu'un ?

— Oui. L'un des nôtres. Il ne suffirait pas de lui faire parvenir la lettre par un messager anonyme. L'un de nous doit aller le rencontrer, lui parler, lui décrire nos épreuves, l'adjurer au nom de son attachement au Seigneur de venir nous encourager et prier avec nous.

— L'un des nôtres ? demanda Achillas.

Pierre s'apprêtait à répondre lorsqu'il hésita à la dernière seconde. Il finit par dire :

— Oui, l'un des nôtres. Qui, pensez-vous, devrait se charger de cette mission importante ?

La discussion dura encore longtemps. Ils tombèrent tous d'accord que les presbytres — Achillas, Paphnuce —, et le diacre Hesychius ne pouvaient s'absenter : ils étaient trop proches de leurs fidèles, ils servaient trop leurs communautés pour qu'on envisageât de les en éloigner.

Macaire, pour sa part, avait réussi, par un véritable tour de force, à retrouver ses fonctions de chargé des copistes de la Bibliothèque. Certains de ses collègues savaient son appartenance à la secte des disciples de Christos, mais comme il était aimable, souriant et serviable, nul ne l'avait dénoncé jusqu'alors. Une longue absence attirerait sur lui les soupçons.

Il ne restait que Flavius et Marcus. On discuta pour la forme. Il était clair que l'ensemble du groupe, tout en aimant et estimant Flavius, savait bien qu'il était trop réservé, trop laconique, trop discret pour vaincre les réticences certaines d'Antoine.

On demanda à Marcus s'il accepterait de se rendre jusqu'au golfe des Héros[3], où Antoine vivait en reclus depuis de nombreuses années, pour lui transmettre l'invitation. Il demanda à y réfléchir.

Marcus était secrètement tenté de dire oui. L'idée de remonter le Nil et de visiter la vallée l'intéressait prodigieusement. Il se réjouissait aussi de rencontrer Antoine, ce personnage presque légendaire, d'autant plus que si l'ermite repoussait l'invitation de l'évêque et ne venait pas à Alexandrie, ce serait pour lui l'unique occasion de le voir.

Il reculait devant la perspective de quitter Artémisia pour de longues semaines. Son voyage serait sûrement plus court que son séjour à Rome, mais il devrait quand même s'absenter pendant longtemps.

La tempête qui avait secoué leurs vies, deux ans plus tôt, s'était calmée. Les deux époux n'évoquaient plus depuis quelques mois ce qui s'était passé à Rome et à Canope, pendant leur séparation. Encouragés par Pierre, ils avaient tenté, au début, d'en parler, mais ils l'avaient fait indirectement. Ils n'osaient, par pudeur, dire les choses comme elles s'étaient passées, mais ils avaient vite compris qu'ils n'avaient pas besoin, pour se pardonner, de se flageller devant l'autre.

Quand le préfet avait fait du zèle, ils s'étaient vite retrouvés dans la commune adversité, ce qui avait ravivé leur amour. Il est vrai que leurs caresses, leurs étreintes, leurs conversations, n'avaient plus l'abandon, la spontanéité, la fraîcheur des premières années. Leur mutuelle infidélité, même si elle était maintenant pardonnée, avait changé le regard qu'ils jetaient l'un sur l'autre.

Marcus n'avait plus jamais revu Apollonius. Le Grec s'était évanoui dans Alexandrie. Quels arguments Flavius avait-il utilisés pour l'éloigner du groupe? Le jeune homme l'ignorait et ne voulait pas le savoir. Cependant, il entendait encore parfois parler d'Apollonius, qui était devenu l'un des grands personnages de la ville. Il s'était enrichi encore plus et avait ses entrées

3- L'actuel golfe de Suez.

auprès des autorités. On disait que le préfet, qui dirigeait le pays au jour le jour pendant que le César Maximin Daïa s'occupait de parer les coups des intrigants, l'aimait bien et recherchait ses avis.

À quelques reprises, Marcus avait aperçu Apollonius dans les rues, au Gymnase ou dans des cérémonies au Stade. Il s'était détourné du Grec qui, de loin, voulait lui sourire.

Marcus ne craignait donc pas que son voyage dans la vallée mette à nouveau en péril sa relation avec Artémisia. Il était convaincu que, pour lui comme pour sa femme, l'épreuve vécue deux ans plus tôt était due à l'ouragan qui soufflait sur eux et sur leur communauté. Dans le tourbillon des épreuves et des tensions, ils avaient saisi, dans leur chair et dans leur sensibilité, que l'amour le plus solide peut un moment vaciller.

Mais il savait que cette page était maintenant tournée. Il ne craignait plus rien de la part d'Artémisia. Il savait que le vertige qui s'était emparé d'elle dans les bras d'Apollonius était justement cela, un vertige. Quant à sa propre faiblesse à lui, il l'avait affrontée et dominée.

Non, s'il hésitait à partir, c'est qu'il craignait d'être sevré, pendant de trop longues semaines, de cette tendresse retrouvée. Et la situation à Alexandrie le préoccupait. Justement, Damiana, la sœur de sa femme, avait dû se réfugier deux mois plus tôt avec sa famille dans une maison de campagne, chez une vague cousine. Elle avait eu vent que des commères du quartier, à la suite de quelques tensions de voisinage, commençaient à déblatérer contre ses airs qu'elles trouvaient «hautains». D'autant plus, ajoutaient-elles, qu'elle n'avait pas «à faire la fière, ni elle ni sa famille, puisque leur attachement au César et à l'Empereur est plus que tiède». L'allusion était perfide et la menace directe. La police et ses espions n'allaient plus être très loin.

Marcus parla à Artémisia. La jeune femme, sa première surprise passée, accepta ce nouveau départ. Elle aussi, elle était fascinée par Antoine, par sa réputation qui avait pris les allures d'une épopée. Elle avait saisi, plus vite que les hommes qui entouraient Pierre, que l'intuition de l'évêque était bonne: seul un moment exaltant, comme l'arrivée d'Antoine à Alexandrie, allait redonner du courage aux chrétiens.

Dès que la nouvelle qu'une délégation allait se rendre auprès d'Antoine se répandit dans les milieux chrétiens, elle suscita un vif intérêt. Quelques jours plus tard, Athanase alla voir Pierre et lui demanda de faire partie de cette délégation.

Athanase était le fils d'une grande famille d'Alexandrie. Il parlait parfaitement le grec et l'égyptien. Ses parents s'étaient convertis avant sa naissance et l'enfant avait grandi dans un milieu de foi et de piété. Il avait témoigné, dès son jeune âge, d'une grande intelligence, alliée à une grande dévotion et à une assurance indomptable.

L'évêque essaya de le décourager. Le voyage allait être long, peut-être même dangereux. Les Romains tenteraient d'intercepter les voyageurs. Rien n'y fit : le jeune homme voulait absolument rencontrer Antoine. Le presbytre de son quartier se porta garant de son sérieux et Pierre finit par céder.

Athanase se retrouva donc, un beau matin, en compagnie de Marcus et de Sérapammon, qui franchissaient la porte de Canope pour aller vers l'est, vers la branche canopique du Nil qui allait les mener au cœur du pays. Avant d'arriver au fleuve, ils traversèrent la chora alexandrine et Marcus admira encore une fois les vignobles qui s'étendaient à perte de vue sur les rives du lac Maréotis. Athanase, à qui il indiqua les ceps en rangs serrés et drus, ne détourna même pas le regard.

Après avoir dépassé la pointe du delta, les trois hommes s'enfoncèrent dans la vallée. Ils traversèrent rapidement Memphis, virent de loin les pyramides et s'aventurèrent un soir dans le désert, vers le nome d'Arsinoé.

Ils atteignirent Arsinoé[4] deux jours plus tard et se rendirent chez Patermouthis, l'évêque du nome. C'était un Égyptien du sud, vigoureux, basané, court sur pattes, les épaules larges, le nez gros, les dents éclatantes solidement plantées dans une mâchoire carrée. Fils de paysans, il en avait la sagesse et la malice. Il s'exprimait surtout en égyptien et baragouinait assez mal le grec et le latin.

Il accueillit ses hôtes avec cordialité. Il les invita à se délasser en passant aux bains. À l'ahurissement de Marcus, les serviteurs du bourgeois chez qui demeurait l'évêque tournèrent une espèce de poignée, et de l'eau jaillit d'un tuyau encastré dans le mur. Le jeune homme n'avait jamais rien vu de pareil, ni à Alexandrie ni à Rome, et s'approcha d'abord avec méfiance de cette eau qui sortait du mur.

Les trois hommes passèrent une semaine chez l'évêque d'Arsinoé pour se reposer et pour mieux faire connaissance avec la réalité des frères du sud.

Les récits que leur fit Patermouthis les attristèrent sans les étonner. Même dans cette province éloignée de la capitale, la persécution avait été violente. Le stratège du nome, aiguillonné par le préfet et bombardé de décrets par Maximin Daïa, avait fait du zèle.

Les chrétiens qui vivaient à la campagne s'en tiraient quelquefois sans trop de brimades, parce que le stratège et les percepteurs d'impôts savaient que s'ils emprisonnaient trop de paysans, les travaux des champs allaient

---

4- Le nom désignait le nome et sa ville principale.

en souffrir. On ne pourrait plus lever les innombrables taxes et impôts qui enrichissaient le pouvoir à Alexandrie. On ne pourrait plus, surtout, cultiver le blé, ce blé qui partait sur des trains innombrables de péniches vers Alexandrie et, de là, sur les navires romains ou phéniciens, vers Ostie où il servait à nourrir le peuple de Rome.

Les chrétiens du nome vivaient donc des périodes d'accalmie où les autorités faisaient semblant d'ignorer leur existence, suivies de périodes de grande brutalité quand un messager arrivait d'Alexandrie, porteur d'un message du préfet. Mais même là, le stratège du nome, après avoir sacrifié une douzaine ou deux de chrétiens pour satisfaire et endormir les espions du pouvoir, préférait rafler les autres, surtout les hommes jeunes et sains, pour les réduire en esclavage et les envoyer dans les mines du désert oriental, où du moins ils pourraient produire quelques richesses.

Patermouthis invita Marcus et ses compagnons à l'accompagner dans une tournée de son diocèse. L'ex-décurion admirait la fécondité extraordinaire de cette oasis. Le blé alternait avec des bois de figuiers. Des champs à perte de vue formaient une couronne d'un vert intense autour du lac Moeris, qui occupait le centre du nome. Des dizaines de barques de pêcheurs exécutaient un ballet lent et ordonné sur l'eau.

De nombreux vergers étaient ceints de hauts murs, qui dérobaient à peine à la vue des branches lourdement chargées de citrons, de pêches, de poires et de pommes. Les caroubes striaient de longs appendices noirs la frondaison des caroubiers, tandis que les grenades tachetaient de rouge le vert dru des jardins.

Dans la ville d'Oxyrhynchos, qu'ils atteignirent après une longue marche, ils rendirent visite à Severus, l'évêque du lieu. Celui-ci leur montra avec fierté deux églises, bâties juste avant le début des persécutions. L'une d'entre elles était au milieu du quartier populaire et grouillant des gardeurs d'oies, l'autre dans le quartier des colons grecs, tout près du temple païen d'Imouthès. Elles étaient fermées toutes les deux, mais les autorités les avaient épargnées et l'évêque espérait pouvoir y pratiquer bientôt un culte discret.

Un jour, dans la campagne, Patermouthis leur fit faire un détour pour se rapprocher du Nil. Ils traversèrent le village de Theadelphia et arrivèrent bientôt à une bourgade moyenne, perdue au milieu des champs de haricots, d'ail, d'oignons, de lentilles et de vesces. Des huttes de boue se pelotonnaient les unes contre les autres, à l'abri de quelques belles résidences. On était loin de l'architecture grecque d'Alexandrie ou d'Arsinoé, et le limon du Nil était le matériau principal de construction. Marcus, un peu surpris, se demandait pourquoi on les amenait là.

Patermouthis leur dit, d'une voix émue :

— Nous sommes dans le village natal d'Antoine.

Il les mena à une grande maison à l'extrémité de la bourgade, plus belle et mieux construite que les autres. Un porche en bois d'acacia, luxe suprême, montrait bien que les propriétaires du lieu étaient riches.

— Il s'agit de la maison où Antoine est né, expliqua Patermouthis. Les champs tout autour appartenaient à sa famille. C'étaient les gens les plus riches à des lieux à la ronde. Quand son père est mort, Antoine a vendu tous ses biens pour obéir au message de Christ, il a distribué l'argent aux pauvres du village et il est allé vivre au désert.

Marcus était ému. C'était son premier contact avec l'histoire du grand homme. Tout avait commencé ici, se disait-il. Puis il remarqua Athanase : son jeune compagnon semblait hypnotisé. Suspendu aux lèvres de Patermouthis, il ne perdait pas un mot de son récit. Ses yeux brillaient, il haletait doucement.

Ils retournèrent au bout d'une semaine ou deux à Arsinoé où ils se reposèrent encore quelque temps. Un soir, Marcus dit à ses compagnons :

— Nous avons repris des forces et nous avons prié longuement avec nos frères du nome et avec leur pasteur, Patermouthis. Il est temps pour nous de reprendre la route, d'autant plus que la crue montante risque de nous empêcher de traverser le Nil pour aller au désert oriental. Demain nous partirons et, dans quelques jours, nous atteindrons la retraite d'Antoine.

Le matin, ils étaient en train de préparer leurs baluchons lorsqu'un messager les convoqua chez Patermouthis. L'évêque remit à Marcus un rouleau de papyrus.

— Cette missive vient d'arriver d'Alexandrie, dit-il. Elle t'est adressée. Le messager a spécifié qu'on avait insisté pour qu'il ne traîne pas en route, afin de te rejoindre avant ton départ du nome.

Marcus déroula le papyrus et lut.

De Macaire, bibliothécaire à Alexandrie,
À son frère Marcus,

J'espère bien, Marcus, et je souhaite que le messager à qui je remets d'urgence cette missive te retrouve avant que tu ne t'enfonces dans le désert, en chemin vers notre père Antoine.

Pierre m'a demandé de t'écrire cette lettre. Je lui obéis, même si, ce faisant, j'ai le cœur brisé, car ce que je dois t'annoncer, Marcus mon ami, Marcus mon frère, est tragique.

Deux ou trois jours après ton départ d'Alexandrie, un pêcheur qui vit sur les bords du lac Maréotis, dans la chora[5] alexandrine, est venu nous dire que les soldats du préfet s'étaient montrés particulièrement actifs depuis quelques jours dans toute cette région. Ils allaient de village en village et même dans les maisons isolées au milieu de la campagne pour interroger les gens et arrêter les chrétiens.

Nous avons tout de suite pensé à ta belle-sœur Damiana, qui, comme tu le sais, était réfugiée dans cette région depuis quelques semaines, justement pour échapper aux sbires du préfet. Elle était allée avec toute sa famille chez une de ses parentes, qui possède là une belle maison de campagne.

À peine avions-nous commencé à nous en préoccuper que ton beau-frère, le mari de Damiana, est arrivé en ville accompagné de ses trois enfants. Il était agité, presque hystérique. Il nous a raconté ce qui leur était arrivé.

Un soir, au coucher du soleil, un galopin du village voisin était venu les avertir qu'un peloton de soldats s'était arrêté au village pour se désaltérer à la taverne. On les avait entendus bavarder entre eux et on avait compris qu'ils devaient fouiller quelques maisons de la région, dont celle où s'était réfugiée la famille de ta belle-sœur.

Immédiatement, Damiana, son mari et ses enfants, ainsi que leurs hôtes, se préparèrent à quitter la maison. Le temps de ramasser quelques habits essentiels et ils étaient déjà sur la route, dans l'obscurité, quand, sans crier gare, ils se heurtèrent presque à la patrouille romaine qui arrivait en silence.

Ils eurent à peine le temps de se jeter dans un fourré, au bord de la route. Malheureusement, Damiana ne courut pas assez vite. De plus, sa tunique claire faisait une tâche pâle dans la nuit. Un soldat la vit, courut derrière elle et l'arrêta. Son mari et ses enfants, terrifiés, abasourdis, la virent s'éloigner entre deux gardes, incapables de bouger, de crier ou de pleurer.

Ils se réfugièrent chez d'autres voisins qui les cachèrent pendant deux jours et deux nuits dans leur cave. Quand les Romains quittèrent enfin la région, ils sortirent de leur cachette et parvinrent à Alexandrie par des chemins détournés.

Ce récit nous atterra tous. Comme tu peux bien l'imaginer, mon cher Marcus, Artémisia, sa mère, ses frères et ses sœurs étaient effondrées et ne cessaient de pleurer.

Nous réussîmes assez rapidement à savoir que Damiana avait été emprisonnée dans un vieux fortin du temps des Ptolémées, que les Romains avaient transformé en prison pour les chrétiens arrêtés dans la chora alexandrine.

Nous savions que, si tu avais été à Alexandrie, tu aurais remué ciel et terre pour sauver ta belle-sœur. Nous ne voulions pas être en reste et Pierre en parti-

---

5- Rappelons qu'il s'agit là du nom qu'on donnait alors à la campagne égyptienne, particulièrement autour d'Alexandrie.

culier se reprochait de t'avoir séparé de ta femme et de sa famille en ces temps troublés. Nous nous sommes réunis à de nombreuses reprises avec lui : que pouvait-on faire pour Damiana ?

Tu sais que notre foi, la Bonne Nouvelle du Christ, se répand de plus en plus dans toutes les couches du peuple, à Alexandrie et dans le reste du pays. Nous avons donc des amis, des sympathisants partout. Nous leur avons demandé de nous aider à connaître les intentions du pouvoir. Nous voulions en particulier savoir la date du procès contre Damiana, et surtout si elle allait rester dans ce vieux fortin à la campagne ou bien si on allait la transférer dans une des prisons d'Alexandrie. On envisageait en effet de tenter de la libérer pendant son transport.

Hélas! les événements se sont précipités. Grâce à des récits de plusieurs sources, grâce à une enquête discrète que nous avons menée auprès des paysans de la région et surtout grâce à un légionnaire qui avait demandé et reçu en secret le baptême, nous avons su ce qui s'était passé.

Tu sais bien, mon cher Marcus, que la persécution que mène Maximin Daïa contre nous est différente de celle de Dioclétien. Ce dernier était un homme grave, sévère, qui voulait nous réduire parce qu'on lui avait fait croire que nous étions un danger pour son Empire. Mais le tout devait être mené avec rigueur, dans le cadre de la loi et de la discipline romaines.

Daïa, lui, insiste non seulement pour nous réduire et nous tuer, mais aussi pour nous humilier, nous enlever toute dignité, nous rabaisser au rang d'animaux. Il a donné à cet égard des ordres à ses subalternes.

Tu sais tout cela, Marcus, et je m'en veux de te rappeler ces ignominies. Mais tu dois savoir ce qui s'est passé.

Depuis déjà un an, certains agents des Romains, encouragés par cette licence donnée par Daïa, ont décidé de porter atteinte à l'honneur de nos mères, de nos épouses, de nos sœurs. Nous avons appris que plusieurs d'entre elles ont été violées avant d'être exécutées. Nous avons même appris que certaines, qui plaisaient particulièrement à leurs tortionnaires, au lieu de mourir, étaient réduites en esclavage pour assouvir tout le temps leurs infâmes convoitises.

Le vieux fortin où étaient enfermés Damiana et ses malheureux compagnons était sous la garde d'un misérable nommé Anoup, une crapule qui menait une carrière de criminel dans les bas-fonds d'Alexandrie et qu'on avait recruté pour servir de geôlier dans ce lieu retiré.

Un soir, il est arrivé au fortin et s'est rendu à l'étage où étaient rassemblées les femmes. Il y avait là non seulement des chrétiennes, mais de malheureuses veuves qui ne pouvaient plus payer les taxes, des filles de joie, des orphelines qu'on avait ramassées dans les lieux publics, des filles même pas pubères que leurs parents avaient jetées à la rue parce qu'ils ne pouvaient plus les nourrir.

Il a fait le tour de l'étage, regardant effrontément les femmes. Il a arrêté son choix sur une prostituée d'Alexandrie, une certaine Aphrodite, qu'on avait arrêtée parce que le permis de pratiquer qu'on lui avait délivré avait expiré sans qu'elle songeât à le renouveler.

Anoup a désigné la malheureuse à ses gardes. Ils l'ont entraînée, et elle n'a reparu que le lendemain.

Elle pleurait et gémissait. Pressée de questions par les autres, elle a fini par avouer que le geôlier s'était montré brutal avec elle. Il l'avait violée et lui avait imposé des pratiques que la simple pudeur ordonne de taire ici. Puis il l'avait jetée en pâture à ses aides.

Le récit d'Aphrodite a fait une forte impression sur les autres prisonnières. La jeune femme, qui a longtemps pratiqué ce métier, a avoué à ses compagnes qu'aucun de ses innombrables clients ne s'était montré aussi ignoble, aussi bestial qu'Anoup.

Deux jours après, il est retourné au fortin. Il a commencé sa lente, silencieuse et sinistre marche devant les prisonnières. Il s'est arrêté devant une autre jeune fille, à peine une adolescente. Quand elle est retournée le lendemain, elle pleurait à fendre l'âme et ses reins, déchirés, saignaient abondamment.

Le troisième jour, l'effrayante ronde a repris. Anoup s'est arrêté devant Damiana et l'a désignée du doigt à ses hommes de main.

Ils l'ont entraînée dehors. Que s'est-il passé dans la tête et dans le cœur de notre sœur? Nous pouvons imaginer la terreur qui l'a saisie. Nous pouvons imaginer le dégoût, la révulsion qu'elle a sentis en imaginant les mains de cet homme sur son corps.

Voilà ce qui est arrivé. Les gardes ont sorti Damiana du fortin. Ils l'ont fait monter dans une barque qui traversait un petit canal, car Anoup demeurait de l'autre côté.

Soudain, au milieu du canal, notre sœur, à qui personne n'avait songé à lier les mains, s'est levée et s'est jetée dans l'eau. En quelques instants, elle avait disparu sous la surface boueuse du canal. Avant que ses gardiens pétrifiés réagissent et se jettent à leur tour à l'eau, de longs instants s'étaient écoulés.

Les deux hommes ont plongé et replongé dans le canal. Ils ont fini par la retrouver. Ils l'ont sortie de l'eau. Hélas! elle était déjà morte.

Notre sœur est morte, Marcus! Elle a préféré la mort au déshonneur. Elle a dit non à l'avilissement.

Notre sœur, Marcus, est morte en martyre. Elle allait être condamnée de toute façon par les Romains. Elle a préféré abréger sa vie de quelques jours, plutôt que d'être souillée!

Anoup a fait arrêter les deux malheureux qui n'avaient pas su lui garder sa proie et les a fait flageller au sang. Entre-temps, le corps de Damiana avait été ramené à Alexandrie, et nous lui avons donné une sépulture chrétienne.

Artémisia, sa mère, ses frères et ses sœurs, le mari de Damiana et ses enfants, tous sont effondrés. Ta femme pleure à fendre l'âme. Nous l'entourons de nos soins et de notre affection. Thaïs, la femme de Flavius, ne l'abandonne plus.

Si tu avais été plus proche d'Alexandrie, peut-être aurais-tu pu revenir assez vite pour être près de ta femme et de sa famille dans ces terribles circonstances. Je sais, hélas, que cette missive ne te parviendra que plusieurs jours, sinon une semaine, après ces événements. Il te faudrait de nombreuses autres journées pour revenir.

Artémisia, dans son chagrin, a eu la grandeur d'âme, quand je lui ai annoncé que je t'écrivais, de me prier de te dire que tu devais poursuivre ton voyage. Elle comprend que ta mission est importante pour nous, d'autant plus importante que la tragédie de la mort de notre sœur Damiana n'a fait que souligner l'horreur et la précarité de notre situation à tous.

Je te rappelle encore une fois, mon frère, toute mon amitié et toute mon affection.

Fait à Alexandrie en ce huitième jour du mois d'Epiph de la sixième année de Galère Auguste, vingt-septième année de l'Ère des Martyrs d'Égypte[6].

Macaire, bibliothécaire

Marcus n'avait déchiffré qu'à grand-peine la fin de la missive. Quand il l'eut finie, il se mit à pleurer, la tête entre les deux mains, les épaules secouées de sanglots. Il imaginait l'agonie atroce de sa belle-sœur, ces terribles dernières secondes où elle avait dû s'arracher à la vie, se jeter dans l'eau glauque pour échapper à l'étreinte avilissante de cet Anoup.

Marcus s'était attaché à Damiana et à sa famille. Il était absorbé par trop d'activités, trop de soucis à Alexandrie pour se laisser souvent aller aux joies simples des visites familiales, mais il admirait le caractère entier et décidé de sa belle-sœur. Il savait qu'Artémisia aimait tendrement sa sœur, il savait à quel point elle s'était réjouie quand Damiana, bientôt suivie de sa famille, s'était convertie à la foi de Christ, il savait que sa femme allait passer de longues heures avec sa sœur quand il était occupé et qu'elle s'ennuyait seule à la maison.

Ces réflexions redoublèrent le chagrin de Marcus. Il pensait maintenant à sa femme, il s'imaginait son désarroi, sa douleur quand elle évoquait la fin atroce de sa sœur. Comme il eût aimé être auprès d'elle, la serrer dans ses

---

6- Juillet 310.

bras, la bercer, la consoler! Et le jeune homme recommençait à pleurer sans honte, le corps tout entier secoué par l'orage.

Patermouthis, Athanase et Sérapammon regardaient Marcus avec stupéfaction. Ils l'interrogèrent. Il leur tendit la missive en silence. Quand l'évêque d'Arsinoé eut fini de la lire et qu'il en eut informé les autres, ils entourèrent Marcus, le consolèrent.

Le jeune homme finit par se calmer. Il se trouvait devant un dilemme difficile. Devait-il retourner à Alexandrie? Il n'y parviendrait, au mieux, que dans huit ou dix jours. Plusieurs semaines se seraient écoulées depuis la mort de sa belle-sœur.

Devait-il poursuivre son chemin? Il pensait alors à Artémisia, il sentait, il savait que sa femme serait heureuse de le revoir.

Elle l'avait pourtant, elle-même, encouragé à aller vers Antoine. Elle comprenait que l'enjeu de son voyage était essentiel. Elle lui disait, par l'intermédiaire de Macaire, que son chagrin, que leur amour devait, pour le moment, céder le pas, s'effacer devant la tragédie de tous.

Marcus comprenait qu'il ne pouvait plus tarder. La montée incessante de la crue allait rendre le voyage dans la vallée de plus en plus difficile.

Il resta pensif pendant de longues minutes, puis il releva la tête :

— Nous allons poursuivre notre chemin. Nous allons à la rencontre d'Antoine! Il perçut alors un bref éclat dans les yeux d'Athanase.

Quelques heures plus tard, les trois hommes quittaient Arsinoé, après avoir remercié Patermouthis de son hospitalité. L'évêque leur offrit du pain fait avec de la farine de grain de lotus, des tiges de papyrus passées au four et râpées et du poisson séché. Ils voulurent refuser, car l'évêque n'était guère riche, mais il insista :

— Vous serez longtemps dans le désert et ces aliments peuvent vous durer plusieurs jours. Ils vous serviront de viatique.

Marcus et ses compagnons quittèrent la ville et le nome et traversèrent le désert qui séparait l'oasis de la vallée. Ils parvinrent, trois jours plus tard, sur les bords du Nil. L'eau déjà s'infiltrait dans les champs, les paysans déménageaient leurs familles et leurs bêtes dans les maisons bâties sur des buttes. Les terres basses ressemblaient à un damier liquide où mille pièces brillantes reflétaient le bleu du ciel.

Il fallut chercher longtemps pour trouver un batelier qui acceptât de les transporter de l'autre côté du Nil; le trafic sur le fleuve avait presque totalement cessé. Ils finirent par soudoyer un vieil homme borgne qui avait une petite barque plate. Quand le batelier vit deux drachmes d'argent dans la main de Marcus, il finit par accepter, son visage se plissa de mille rides et il se baissa bien bas en disant : « S'il plaît à Votre Fortune, nous allons traverser immédiatement. »

Ils s'engagèrent sur le fleuve ; dès qu'ils s'éloignèrent de la rive, ils furent entraînés par un courant furieux ; l'eau grondait autour d'eux, des tourbillons invisibles les happaient et la barque tanguait et tournoyait avec violence.

Le vieux batelier n'opposait aucune résistance au flot. Il laissait le courant le porter et quand un remous quelconque le rejetait vers les berges, il donnait à peine un léger coup de barre pour ramener sa barque dans le fleuve.

Au bout d'une heure qui leur sembla une éternité, ils finirent par aborder à l'autre rive. Une mince bande cultivée faisait un cadre de verdure au Nil. Au-delà, ils durent grimper sur une haute colline. Quand ils arrivèrent à son sommet, ils virent, s'étendant à l'infini jusqu'à l'horizon, un désert de sable et de rocher. Sérapammon, le guide, étendit la main dans un geste ample :

— C'est le désert oriental, dit-il avec quelque émotion dans la voix. Il nous faut le traverser pour arriver au golfe des Héros. Il nous faut le traverser pour trouver Antoine.

CHAPITRE DIX-SEPT

Marcus, Athanase et Sérapammon avançaient péniblement dans le désert.

La piste qui reliait la vallée au golfe des Héros était vaguement dessinée dans le sable. Le passage régulier des chameaux et des hommes — car c'était la principale piste qui menait vers l'Arabie — avait même creusé un sillon dans l'étendue morne du désert. Les trois hommes s'enfonçaient dans le sable jusqu'à la cheville et devaient lutter contre le soleil ardent et le rayonnement de la lumière blanche et crue sur les rochers.

Ils avaient quitté la vallée du Nil pour pénétrer dans le désert oriental deux jours plus tôt. Ils avaient préféré suivre la piste au lieu de s'aventurer dans les lits des oueds où personne ne s'était jamais risqué, mais ils restaient toujours aux aguets, car ils craignaient de fâcheuses rencontres.

Ils partaient au milieu de l'après-midi et marchaient jusque tard dans la nuit, quand la lune blafarde se couchait à l'horizon et cessait d'éclairer la piste. Ils s'enroulaient alors dans des couvertures, derrière des éboulis de rochers ou dans un petit vallon, et le froid mordant de la nuit hachurait leur sommeil.

Dès le lever du soleil, la température grimpait très vite. Marcus admirait alors la symphonie de couleurs qui se déchaînait au levant. Le violet sombre, puis pâle, de l'aube cédait bientôt le pas à un déferlement de lilas et de rose, avant que le soleil n'apparaisse derrière les collines de l'est et n'épande sur le désert vague après vague d'une incandescence grenat, puis rouge, blanche enfin.

Ils attendaient derrière les rochers pendant de longues heures. Ils virent une ou deux fois passer sur la piste un peloton de soldats romains qui encadraient quelques chameaux menés par des caravaniers.

Ils reprenaient leur marche harassante, les yeux brûlés, la gorge desséchée. Même si Sérapammon avait promis qu'ils rencontreraient des points d'eau sur leur chemin, ils ménageaient l'eau qu'ils transportaient dans des gourdes de peau.

Ils s'apprêtaient, le troisième jour dans l'après-midi, à quitter leur cachette pour reprendre la piste lorsque Sérapammon leur intima l'ordre de se taire. «J'entends quelque chose», souffla-t-il. Ils se précipitèrent derrière les rochers. Ils perçurent bientôt un hennissement qui venait de l'ouest.

Ils virent sur la piste de vagues points noirs qui grandirent et devinrent bientôt des silhouettes. Une longue théorie d'hommes s'approchait, précédée et suivie de quelques chevaux.

Marcus distingua bientôt des soldats à cheval qui encadraient plusieurs dizaines de prisonniers enchaînés aux pieds. Quand ils furent tout près, Marcus eut un haut-le-cœur: certains de ces malheureux avaient un des deux yeux recouvert d'une croûte noirâtre et purulente, tandis que les autres boitaient de façon marquée.

Sérapammon se signa.

— Ce sont des chrétiens réduits en esclavage, souffla-t-il. Pour s'assurer qu'ils ne pourront s'enfuir, les Romains éborgnent certains et cautérisent les tendons des pieds des autres avec des épées chauffées à blanc. Les uns ne pourront plus voir clairement et les autres ne pourront plus courir.

Marcus pâlit, tandis que les yeux d'Athanase étincelaient. Au bout d'un moment, Marcus demanda:

— Où vont-ils?

— Dans les mines du désert, non loin du golfe des Héros, répondit Sérapammon. Ils vont y descendre et être enterrés vivants, à creuser les rocs jusqu'à leur mort.

Ils restèrent longtemps silencieux, tandis que la misérable caravane s'éloignait vers l'est. Quand elle eut disparu, Sérapammon donna le signal du départ.

— Il faut être prudent, dit-il, car les Romains vont bientôt s'arrêter et dresser leur camp pour la nuit. Il nous faudra les contourner pour nous éloigner d'eux.

Le lendemain, ils reprirent leur marche dans le silence. Même Athanase semblait abattu, tandis que Marcus ruminait de sombres pensées. Le guide, pour sa part, s'arrêtait souvent, tendait l'oreille, scrutait l'horizon, indifférent à la splendeur incandescente du soleil couchant, qui teintait de pourpre et d'ocre le désert autour d'eux.

Deux jours plus tard, Sérapammon leur dit:

— Nous approchons du golfe des Héros. Il nous faut redoubler de prudence, car nous entrons dans la zone des mines. Les Romains sont soupçonneux ici et quadrillent souvent la région, surtout quand quelques malheureux ont réussi à s'enfuir d'une mine. Ils finissent d'ailleurs le plus souvent par être repris et crucifiés, ou par mourir de soif dans le désert.

Le lendemain à l'aube, ils venaient à peine de se réveiller et commençaient à plier leurs couvertures lorsqu'ils entendirent des hennissements et des bruits de voix. Ils se cachèrent derrière un rocher.

Une patrouille romaine de six hommes avançait sur la piste. Elle était dirigée par un décurion. Les légionnaires semblaient bavarder paisiblement. Marcus dressa l'oreille.

— Par Mithra, dit l'un, pourquoi avait-on besoin de nous réveiller si tôt?

— Tu sais bien, Vitellius, répondit un autre, que le centurion est très méfiant. Il veut que nous menions une patrouille par ici. L'arrivée prochaine de cette caravane d'esclaves le rend nerveux.

— Mais, décurion, rétorqua le dénommé Vitellius, que peut bien craindre le centurion? Une attaque des imbéciles qui suivent ce prophète juif? Il n'y a pas un chat dans ce désert…

— Vitellius, tu passes ton temps à marmonner et à te plaindre, dit le décurion en haussant les épaules.

Leurs voix devinrent inaudibles à mesure qu'ils s'éloignaient, Vitellius et le décurion toujours discutant, tandis que les autres légionnaires somnolaient sur leurs chevaux en dodelinant de la tête.

À peine eurent-ils disparu derrière une élévation de terrain que Sérapammon se tourna vers ses deux compagnons:

— La situation se corse, dit-il. Je connais ces patrouilles. Les Romains vont circuler sur la piste et se cacher quelquefois derrière les rochers. Ils pourront nous voir de loin. Comme nous sommes à pied, nous n'avons aucune possibilité de fuite s'ils lancent leurs chevaux contre nous.

— Et… que proposes-tu? demanda Marcus.

— Nous devrons nous cacher toute la journée. Demain, ils seront repartis et nous pourrons enfin aborder la dernière partie de notre voyage.

— Fort bien, mais nous cacher où? Derrière ces rochers?

— Ce n'est pas une cachette sûre, si près de la piste. Il faut nous éloigner de celle-ci et, si possible, trouver une grotte dans ces collines, au sud…

Ils marchèrent une heure ou deux, tournant le dos à la piste, s'enfonçant carrément dans le désert. La chaleur faisait rougeoyer le sable et allumait les blocs de basalte sur lesquels ils avançaient. Leurs sandales de fibres de papyrus ne les protégeaient guère et la plante de leurs pieds brûlait.

Ils finirent par arriver à un moutonnement de collines qu'ils se mirent à grimper. À mi-pente, ils virent une ouverture dans les rochers.

— Nous pourrions nous réfugier dans cette grotte, dit Sérapammon. Elle nous protégerait du soleil.

En approchant de la grotte, Sérapammon ralentit. Une expression étonnée se peignit sur son visage.

— Ce n'est pas une grotte, dit-il. L'ouverture est trop symétrique. Vous voyez bien, il s'agit d'un grand rectangle presque parfait.

— Et... si ce n'est pas une grotte, demanda Marcus, qu'est-ce que cela peut bien être ?

— Ce doit être une mine. Probablement une mine d'argent. Il y en a beaucoup dans la région. C'est là qu'aboutissent les esclaves, ainsi que dans les carrières de calcaire, de porphyre, de basalte ou de granit.

— Mais nous allons alors être découverts par les gardiens, dit Marcus en baissant soudain la voix.

— Non, dit Sérapammon avec un sourire, il s'agit sûrement d'une mine désaffectée. Nous n'avons rencontré personne dans les alentours et les ronces en obstruent l'ouverture.

Ils se détendirent et s'approchèrent de l'entrée. Une grande gueule noire s'ouvrait devant eux. Ils y pénétrèrent lentement, en tâchant de s'habituer à la pénombre.

À peine étaient-ils tous les trois dans une espèce de couloir creusé dans le roc qu'ils sentirent comme un mouvement derrière eux. Marcus n'eut même pas le temps d'esquisser un geste. Un coup porté par derrière l'assomma. Il s'écroula par terre et tomba dans un trou noir.

Il en émergea avec de violents élancements à l'arrière du crâne. Il pouvait à peine bouger : le moindre mouvement déclenchait des vagues de douleur lancinante qui irradiaient dans toute sa tête, son cou, ses épaules. Il voulut se tâter la base du crâne mais constata que ses deux mains étaient liées par une cordelette.

Il s'obligea à rester immobile, puis recommença à bouger lentement, presque imperceptiblement. La douleur était encore là, mais moins violente. Un bruissement de voix finit par l'en distraire. Il ouvrit les yeux, tendit l'oreille.

À quelques pieds de lui, de l'autre côté du corridor d'entrée de la mine, il entrevit deux silhouettes. Des étoffes entortillées tout autour de la tête leur cachaient presque tout le visage. Les deux hommes murmuraient. Il comprit qu'ils parlaient en égyptien. Il avait appris la langue du pays à Alexandrie, même s'il était bien plus à l'aise en grec et en latin. Il fit un effort désespéré pour capter la conversation.

— Nous ne jouons vraiment pas de chance, disait l'un.

— C'est vrai, approuva l'autre. Ils n'ont pas grand-chose sur eux.

— Quelques couvertures, des gourdes, un peu de poisson séché, du pain rassis... As-tu trouvé de l'argent ?

— Presque pas. Quelques pièces dans une bourse…

Ils se turent un moment. Dans l'obscurité, Marcus sentit que Sérapammon bougeait un peu, sa respiration était de nouveau audible.

— Que va-t-on en faire ? Nous ne pouvons pas les laisser ici. Pourquoi fallait-il donc qu'ils découvrent l'entrée ? Que viennent-ils chercher si loin de la piste ?

— Cesse donc de gémir, Amoun, rétorqua l'autre. Il va falloir réfléchir… En attendant, il y a quelque chose qui m'intrigue.

— Quoi donc ?

— Les deux plus grands sont des hommes faits. Mais le gringalet, là-bas, c'est un tout jeune homme. Un adolescent. Que vient-il faire ici, dans le désert ?

Le dénommé Amoun se tut. Ce fut l'autre qui reprit, comme s'il réfléchissait à haute voix.

— Il faudra peut-être les interroger, avant de décider de leur sort. Allons voir s'ils ne sont pas trop amochés. Je t'avais pourtant bien dit, Amoun, de les étourdir et non pas de les assommer avec ton gourdin.

Ils se levèrent et s'approchèrent avec précaution des trois voyageurs. Celui qui semblait le chef avait allumé une minuscule torche résineuse qui projetait une vague lueur devant eux. Son faible éclat était cependant suffisant pour aveugler Marcus et l'empêcher de les bien voir. La lumière tremblait sur la paroi rocheuse contre laquelle ils étaient adossés.

Marcus sentit soudain que Sérapammon s'agitait. Il était resté immobile pendant toute la conversation et n'avait pas bronché quand les deux hommes s'étaient approchés d'eux. Soudain, il s'était mis à tourner la tête, à se désarticuler presque le cou, comme s'il voulait regarder derrière lui, malgré ses deux mains attachées.

Marcus était surpris. Il voulut pousser Sérapammon du coude pour l'inciter à la prudence mais n'eut même pas le temps d'esquisser un geste. Le guide hélait les deux hommes, d'une voix basse, comme assourdie par la douleur, mais cependant ferme.

— Mes frères, dit-il, mes frères, nous sommes, nous aussi, chrétiens.

Amoun et son compagnon s'arrêtèrent, saisis par cette voix qui jaillissait de l'obscurité.

— Nous sommes chrétiens, reprenait Sérapammon. Nous adorons le Père et nous aimons et vénérons le Fils, notre Seigneur.

Les deux hommes étaient tout proches maintenant. Ils levèrent le voile qui leur recouvrait le visage et le chef approcha la torche de Sérapammon, pour mieux l'examiner.

Ce faisant, ils s'étaient découverts. Marcus eut un mouvement de recul : dans la faible lumière de la torche, il vit deux rictus, deux faces difformes. À la place de leur œil gauche, il y avait une cavité béante, noire. Sérapammon et Athanase, qui avaient aussi vu les visages des deux hommes, eurent un haut-le-corps.

— Comment t'appelles-tu ? demanda le chef.

— Sérapammon.

— Et… ceux-là ?

— Marcus et Athanase.

— Marcus ? C'est un Romain ? dit l'autre en tournant sa torche d'un air soupçonneux vers le jeune homme.

— Non, non, s'empressa d'assurer Sérapammon. C'est un… Alexandrin. Comme nous tous.

— Et tu dis que vous êtes chrétiens ?

— Oui, mon frère.

— Pourquoi devrais-je te croire ?

— Si tu me délies les mains, je t'en donnerai la preuve.

L'autre hésita. Il fit un signe imperceptible à Amoun, qui s'éloigna d'un pas, levant son gourdin en l'air, prêt à cogner. Puis le chef s'approcha de Sérapammon et défit la cordelette qui lui enserrait les mains.

Le guide se frotta les poignets puis, instinctivement, il porta la main à l'arrière de son crâne, qu'il tâta en grimaçant de douleur. L'autre le surveillait de près.

Sérapammon finit par esquisser un grand signe de croix. Le chef rit ; son visage se déforma dans un rictus et son orbite béante et noire se plissa.

— Tout le monde dans ce pays sait que les chrétiens ont adopté ce signe. Même les espions du César.

— Tu as raison, dit Sérapammon avec un léger sourire qui lui arracha une grimace. Je vais donc te donner une autre preuve.

Il prit un caillou et se mit à dessiner quelque chose dans le sable de la grotte. Le chef se pencha avec curiosité, puis se redressa. Un autre rictus, que Marcus prit pour un sourire bienveillant, lui déformait le visage. Il fit signe à Amoun, qui abaissa son gourdin.

Le chef s'approcha de Marcus et d'Athanase, à qui il délia les mains.

— Bienvenue, mes frères, dit-il, je m'appelle Palémon. Et voici mon ami Amoun.

Marcus était abasourdi. Il se frotta le crâne, puis se pencha pour voir ce que Sérapammon avait dessiné dans le sable. Le guide avait tracé les vagues contours d'un poisson.

— C'est un… poisson ? demanda Marcus.

— Oui, expliqua Sérapammon. Pendant les persécutions de Valère et de Dèce, il y a plusieurs dizaines d'années, et bien avant cela d'ailleurs, les chrétiens se reconnaissaient entre eux à ce signe du poisson. Avant que Dioclétien ne reprenne les persécutions, nous avons vécu une quarantaine d'années dans une relative tranquillité, et nous avons oublié ce symbole. Je m'en souvenais pourtant vaguement, car dans mon village natal les vieux en parlaient encore.

— Et… comment as-tu fait pour savoir que Palémon et Amoun étaient chrétiens ?

Le guide et les deux borgnes sourirent. Ce fut Palémon qui prit la parole.

— Je crois bien le savoir. Tu as dû voir cela, dit-il en désignant quelque chose de la main sur la paroi, un peu en retrait de là où ils se trouvaient.

Marcus regarda et, à la lueur vacillante de la torche, il vit, gravé grossièrement dans la roche, un poisson.

— Quand vous vous êtes approchés de nous, expliqua Sérapammon, j'ai cru voir ce signe sur le mur. Je n'en étais pas certain, j'essayais de tourner la tête pour mieux l'apercevoir, mais la douleur était telle que je n'ai pu le faire. Je craignais que vous ne veniez nous achever, c'est pourquoi je me suis risqué et je vous ai interpellés.

Marcus comprenait maintenant les gigotements de son voisin. Athanase et lui finirent par se redresser péniblement.

— Il fait trop noir ici et cette torche finira par s'éteindre, dit Palémon. Sortons. Nous nous assoirons devant l'entrée. Nul ne peut approcher sans que nous le voyions. C'est comme cela, d'ailleurs, que nous vous avons aperçus.

Les cinq hommes sortirent. Palémon et Amoun se couvrirent de nouveau partiellement le visage, pour cacher leurs orbites creuses. Ils s'assirent tous à l'ombre d'un gros rocher.

Les deux hommes au visage de cyclopes racontèrent leur histoire. Elle était lamentable. Ils possédaient deux petites parcelles de terre dans le nome de Pispir, au sud de Memphis. Leurs familles étaient chrétiennes depuis deux générations et tout le monde dans le village le savait. Les autorités locales ne l'ignoraient guère non plus, mais fermaient les yeux car elles préféraient les voir travailler leurs champs de l'aube à la nuit afin de pouvoir les taxer durement.

Quand le pouvoir avait besoin d'une corvée, Palémon, Amoun et les autres chrétiens étaient doublement mis à contribution. Les deux hommes n'osaient pas se plaindre, car ils savaient qu'ils évitaient ainsi l'arrestation, la prison ou pire encore.

Un jour, un voisin qui avait des vues sur leurs champs les dénonça en bonne et due forme au stratège du nome. Le fonctionnaire était dans un dilemme. Une accusation avait été enregistrée par écrit. Il ne pouvait plus plaider l'ignorance. Il envoya une escouade de légionnaires qui cueillit les deux hommes à l'aube, avant qu'ils ne se rendent aux champs. Ils n'eurent même pas le temps d'embrasser leurs enfants.

Ils passèrent quelques semaines en prison. Ils attendaient tous les jours le martyre. Un matin, on fit sortir les prisonniers dans une cour. Un homme les passa en revue: ils surent après qu'il s'agissait du gérant des mines du désert oriental. Il s'arrêtait devant chacun d'eux et l'examinait de ses yeux perçants. Il en désigna une douzaine. Les autres regagnèrent leurs cellules, tandis que ceux qu'il avait choisis — tous jeunes et forts — furent acheminés vers un grand centre non loin de Memphis, où ils rejoignirent plusieurs dizaines d'autres esclaves.

Un jour, on les fit sortir dans un terrain vague. On les sépara en deux groupes, au hasard. On les avait attachés avec des chaînes. Les bourreaux éborgnèrent le premier groupe et sectionnèrent les tendons des pieds du deuxième. Puis ils partirent en caravane vers le désert oriental.

Palémon et Amoun, qui avaient eu la chance d'être liés ensemble, ne descendirent pas dans les mines. Ils travaillèrent dans une carrière de grès. Quatorze heures par jour, ils arrachaient des blocs de pierre à la montagne, sous le soleil ardent qui les faisait quelquefois s'évanouir. On les réveillait à coups de fouets.

Au bout de quelques mois, ils décidèrent de tenter le tout pour le tout. Ils étaient épuisés, affamés et les gardes-chiourmes se plaignaient tout le temps de leur rendement. D'ailleurs, une caravane de «nouveaux» arrivait chaque huit ou dix semaines. Le roulement était élevé.

Une nuit, ils réussirent à s'enfuir. Ils préféraient mourir dans le désert que sous les coups des nerfs de bœuf des gardiens. Au bout de deux nuits de marche, ils finirent par découvrir cette mine désaffectée.

Ils y étaient depuis trois mois. Ils étaient à deux heures du lieu où s'arrêtaient habituellement les voyageurs pour la nuit. Lorsqu'une caravane avait bivouaqué là, ils se rendaient le lendemain à l'emplacement du camp pour ramasser les restes de nourriture. Ils avaient aussi appris à sucer les racines de certaines plantes épineuses.

Ils avaient vu passer bien des voyageurs: des militaires, des forçats, des commerçants. Ils se méfiaient surtout des nomades qui pouvaient fondre sur les caravanes et les piller.

Ils passaient l'essentiel de la journée dans la mine désaffectée, pour se protéger de l'incandescence du soleil. Ils s'ennuyaient ferme et Amoun, pour se distraire, avait gravé dans la roche le poisson que Sérapammon avait vu et bien d'autres animaux et paysages familiers : un bœuf, un champ de blé, un canal. Il les montra fièrement aux trois Alexandrins.

Palémon et Amoun savaient qu'ils ne pouvaient rester là indéfiniment. Ils s'affaiblissaient peu à peu. Ils n'osaient retourner dans leur village dans la vallée, de peur d'être arrêtés et crucifiés. Mais ils étaient au bord du désespoir et envisageaient de fuir ailleurs, peut-être dans le delta, malgré leur œil éborgné qui allait tout de suite les désigner aux agents du pouvoir, lorsqu'ils virent monter trois hommes vers leur cachette. C'étaient les premiers qui s'étaient dirigés vers leur colline depuis leur fuite de la carrière.

Quand ils eurent fini de parler, Marcus et ses compagnons restèrent longtemps silencieux. La journée s'avançait. Palémon finit par leur demander où ils allaient.

Marcus raconta brièvement le but de leur voyage. Quand il sut qu'ils cherchaient Antoine, Palémon eut un cri de surprise.

— Tu connais notre père Antoine ? demanda Marcus.

— Je ne l'ai jamais rencontré, mais qui n'a pas entendu parler d'Antoine ? De plus, reprit Palémon d'un air fanfaron, nous sommes voisins, puisqu'il vient lui aussi du nome de Pispir, notre pays.

Marcus lui raconta qu'ils avaient visité le village d'Antoine et qu'ils connaissaient le nome de Pispir. L'autre ne cessait de se rengorger. Marcus reprit :

— Et tu sais où se trouve Antoine ?

— Oui, comme tout le monde. De ce côté-ci, dit-il en indiquant vaguement l'est.

— Comme tout le monde ? Que veux-tu dire par là ?

— Eh bien, quand nous étions au village, nous voyions souvent des gens partir pour le rejoindre. Ils se dirigeaient tous de ce côté-ci. Et puis, depuis que nous sommes ici, nous avons vu à quelques reprises des ermites passer dans le désert et se diriger vers le levant.

— Des ermites ? Comment sais-tu que c'étaient des ermites ?

— Par la Vierge, dit l'autre, c'était bien assez clair ! Leurs robes de bure, leurs mines hâves, leurs pieds nus dans ce sable brûlant… Ils allaient par groupes de deux, de trois au plus. Ce n'étaient ni des commerçants, ni des esclaves, ni des Romains. Et seuls les ermites sont assez fous pour s'aventurer ainsi dans le désert.

Marcus réfléchit. Palémon avait raison. Il savait déjà qu'Antoine attirait vers lui de nombreux chrétiens séduits par la vie de solitude dans le désert. Et même s'il continuait à vivre seul dans son antre, il ne pouvait empêcher d'autres de le rejoindre et de s'établir non loin de lui. Ces ermites qui traversaient le désert pour s'enfoncer dans des solitudes effrayantes étaient attirés par Antoine comme une limaille de fer par un aimant.

— Tu as raison, Palémon, finit-il par dire. Nous savons qu'Antoine est non loin du golfe des Héros, même si nous ne connaissons pas précisément l'endroit où il s'est retiré. Nous allons donc nous reposer ici ce soir, et nous retournerons demain à la piste.

— Pourquoi donc à la piste? demanda le borgne.

— Mais… pour poursuivre notre chemin jusqu'au golfe des Héros. Puis nous longerons la mer vers le sud jusqu'à ce que nous rencontrions Antoine.

— C'est bien ce que je pensais, dit Palémon. Mais, sur la piste, vous allez sûrement rencontrer des Romains, avant même de voir l'ombre d'Antoine. Sans parler des bandits nomades.

— Il nous faut pourtant aller à la rencontre d'Antoine, dit fermement Marcus. Notre mission est impérative.

— Fort bien, dit l'autre. Mais vous pourriez arriver au golfe sans passer par la piste.

Le silence de Marcus et de ses compagnons témoignait de leur surprise. Palémon sourit. Marcus n'arrivait toujours pas à s'habituer à ce trou noir dont les bords se plissaient au milieu de son visage.

— Cela vous surprend, hein! Cela fait de longs mois que nous sommes ici. Nous avons arpenté cette région de jour et de nuit. Nous la connaissons parfaitement. Il y a moyen de contourner la piste pour arriver à la mer.

— Comment cela? demanda Marcus.

— Il y a, un peu plus au sud, un oued desséché. Quelquefois, l'hiver, un orage violent en fait un torrent furieux. Mais maintenant, il est à sec. Il est encaissé entre deux chaînes de collines, et donc encore plus chaud que la piste. Mais à son extrémité, on débouche sur une montagne. Une fois qu'on la franchit, on atteint la mer. Vous pourrez alors partir à la recherche d'Antoine.

Marcus avait écouté avec une vive attention. Il se tourna vers Sérapammon. Le guide comprit le message.

— Ce que raconte Palémon est bien possible, dit-il. Cet oued serait parallèle à la piste. Rien de surprenant donc qu'on arrive ensuite au golfe des Héros.

— Et combien de jours de marche nous faut-il pour y arriver? demanda Marcus en se tournant vers Palémon.

— Deux jours au plus, répondit l'esclave. Il s'agit de bien remplir nos gourdes. Je vous amènerai, si vous le voulez.

Marcus ne mit pas longtemps à se décider. Les quelques jours qu'il avait passés sur la piste lui avaient révélé ses dangers. Il avait été surtout surpris par le nombre de caravanes et de voyageurs qui l'empruntaient. Tôt ou tard, il baisserait sa garde et ferait une mauvaise rencontre.

Le lendemain, ils partirent pour l'oued. Palémon avait dit vrai: le cours d'eau à sec était plutôt un vallon encaissé et il y faisait une température de fournaise. Même après le coucher du soleil, ils ahanèrent sur le sable et les cailloux, en sueur, leurs habits collés au corps.

Le lendemain, ils atteignirent la montagne dont avait parlé Palémon. Ils commencèrent à la grimper. L'épreuve était pénible car la montagne dressait quelquefois à pic de gros rocs lisses qu'il fallait escalader en s'accrochant aux ronces et aux aspérités.

Palémon et Amoun — qui n'avaient pas voulu rester seuls dans la mine et les avait accompagnés —, plus légers, plus aguerris, grimpaient devant eux. Arrivés au sommet, ils se mirent à faire de grands gestes de la main. Marcus finit par se hisser à leurs côtés. Palémon, tout joyeux, lui désigna l'horizon d'un ample mouvement de la main. «Le golfe des Héros[1]», dit-il.

Marcus cligna des yeux. Devant lui se dressait un ciel immense et vaporeux. Au bas de la montagne ocre, une mince bande de dunes jaunes soulignait le bleu intense de la mer.

Marcus sentit son cœur se gonfler. Il approchait du but de sa mission. C'était aussi la première fois qu'il voyait la mer depuis son départ d'Alexandrie. Pourtant, le golfe était différent. À Alexandrie, la mer était quelquefois bleue, d'autre fois gris-vert. Ici, elle reflétait l'intense rayonnement du soleil. De là où il se trouvait, Marcus avait le sentiment d'être au bord d'un chaudron où bouillonnait une lumière incandescente et blanche. Une nappe en fusion recouvrait toute la mer, d'où jaillissaient quelquefois des éclairs aveuglants qui l'obligeaient à cligner des yeux. De courtes vagues écaillaient de sombre l'argent liquide de l'eau.

Le moment de se séparer de Palémon et d'Amoun était venu. Marcus leur demanda leurs intentions.

— Tu sais que nous avions l'intention de quitter notre mine, dit Palémon. Nous ne pouvions plus y rester sans risquer de mourir de faim et de soif. Mais nous allons patienter encore quelque temps.

— Patienter? demanda Marcus avec étonnement.

— Oui, dit l'autre avec son sourire de cyclope. Nous nous sommes parlé, Amoun et moi, la nuit dernière, et nous avons décidé de rester encore quelque temps dans notre cachette.

1- Rappelons qu'il s'agit de l'actuel golfe de Suez.

— Pourquoi donc?

— Eh bien, nous attendrons votre retour. Surtout si vous convainquez Antoine de vous accompagner. Nous le verrions alors. Qui sait? Peut-être même pourrions-nous nous joindre à vous.

— Mais comment nous trouveriez-vous?

— Ne vous inquiétez pas, répondit Palémon. De notre cachette, nous pouvons surveiller tout le désert alentour. Que vous empruntiez la piste ou que vous décidiez de revenir par l'oued, nous vous verrons.

Les trois voyageurs embrassèrent fraternellement les deux esclaves qui disparurent bientôt dans l'oued. Marcus et ses compagnons descendirent la montagne. Arrivés sur une plage de sable fin, ils se déshabillèrent et se précipitèrent dans l'eau. C'était la première fois qu'ils pouvaient se laver depuis leur départ de la vallée et l'eau tiède du golfe leur sembla un bain de jouvence. Ils avaient l'impression de ressusciter.

Ils se reposèrent la nuit sans trop s'inquiéter, car il n'y avait qu'une piste rudimentaire qui longeait la mer et les Romains ne s'aventuraient guère jusque là.

Le lendemain, Marcus décida qu'ils poursuivraient leur route vers le sud non pas directement sur le rivage, mais plutôt sur les premiers contreforts de la chaîne de montagnes qui longeait le golfe. «Antoine, expliqua-t-il à ses deux compagnons, ne vit pas sur la grève, mais plutôt dans le désert. En serpentant sur le flanc de la montagne, nous avons plus de chances de le trouver, ou plutôt de trouver ses traces ou celles de ses compagnons.»

Ils marchèrent plusieurs heures sans rien voir et durent s'arrêter pour la nuit. Leur réserve d'eau diminuait dangereusement et Sérapammon, qui ne connaissait pas ce coin du désert, ne savait trop s'ils en trouveraient.

Le lendemain, leur marche fut aussi stérile. Marcus commençait à s'inquiéter. Tout le monde disait qu'Antoine vivait non loin du golfe des Héros, mais ce désert était vaste. Allait-il le trouver? N'entraînait-il pas ses compagnons dans une aventure dangereuse, peut-être mortelle?

Le troisième jour, avant le coucher du soleil, Sérapammon, dont les yeux ne cessaient de scruter la montagne, la mer et les plages, s'arrêta soudain et leur désigna quelque chose, plus haut, tout près du sommet de la montagne. Marcus ne voyait rien mais le guide insistait: «Il y a une tache plus sombre, là», disait-il en levant la main.

Ils décidèrent d'en avoir le cœur net et se mirent à grimper. Ils arrivèrent, essoufflés, au sommet du mamelon qu'avait désigné le guide. Sérapammon ne s'était pas trompé: il y avait là une petite hutte, manifestement bâtie de petits rocs que liait du sable durci par le soleil. Dans les interstices des rochers étaient encastrés quelques coquillages.

Non loin de là, un homme était assis sur un rocher. Ses lèvres bougeaient sans que n'en sortît le moindre son. Marcus sentit son cœur battre. Il s'approcha de lui. L'homme n'avait même pas cillé : on eût dit qu'il n'avait pas vu arriver les trois voyageurs.

— Père Antoine ? demanda Marcus.

À cet appel, l'homme finit par tourner la tête. C'était un vieillard. Marcus fut étonné. Ne disait-on pas qu'Antoine était encore dans la force de l'âge ?

— Antoine ? dit le vieillard d'une voix rauque, éraillée, comme rouillée par le silence. Dieu fasse que je lui ressemble. Hélas ! je ne suis même pas digne de lacer ses sandales.

— Mais qui êtes-vous donc ?

— Je ne suis qu'un serviteur du Seigneur, répondit l'autre. Je le prie ici dans le silence.

— Et notre père Antoine ?

— Il est là, derrière la montagne, précisa le vieillard. Vous ne pourrez le manquer.

Et il se détourna d'eux et se replongea dans son marmottement silencieux.

La nuit était tombée. Marcus et ses compagnons décidèrent de dormir avec le vieil ermite.

Le lendemain, ils passèrent la journée à l'ombre de la hutte. Le vieillard, perdu dans sa méditation, ne leur adressa pas la parole une seule fois.

Ils repartirent au milieu de l'après-midi dans la direction que leur avait montrée l'ermite. Marcus était inquiet, car ils tournaient le dos à la mer et s'enfonçaient de nouveau dans le désert. Aucune piste, aucun sillon, aucune trace humaine ne leur permettaient de savoir s'ils allaient dans la bonne direction. Ils se dirigèrent vers l'ouest.

Avant le coucher du soleil, ils rencontrèrent un autre ermite. L'homme se montra aussi taciturne que le premier vieillard. Il se contenta de leur confirmer qu'Antoine n'était plus très loin et leur céda sa hutte misérable pour la nuit.

Le lendemain, ils découvrirent plusieurs solitaires, de tout âge. La plupart étaient des Égyptiens du sud. Certains étaient à peine plus âgés qu'Athanase, d'autres étaient des vieillards frêles. Ils semblaient s'être regroupés en petites communautés. Même s'ils vivaient isolés, dans des huttes ou des cavernes de la montagne, ils se retrouvaient à deux ou trois, le soir, autour d'un feu, pour chanter des psaumes et prier.

Ils accueillirent les trois voyageurs avec sérénité. Ils ne s'étonnaient guère de voir surgir au milieu des sables du désert trois hommes qui cherchaient

Antoine. Ils leur offrirent l'hospitalité sans engager la conversation. Le soir, ils les invitèrent dans leurs cercles de prière.

Marcus savaient qu'ils étaient près du but. Le lendemain — c'était le troisième jour depuis qu'ils avaient quitté le golfe des Héros pour s'enfoncer dans le désert —, ils virent littéralement des dizaines d'ermites. Certains avaient même un minuscule jardinet de légumes devant leurs huttes. Marcus s'étonnait : où trouvaient-ils l'eau pour boire, cuisiner, arroser leurs plantes ?

Au moment de partir, il demanda encore une fois où était Antoine. Contrairement aux jours précédents où on lui avait vaguement désigné l'ouest, un ermite lui montra un point précis à l'horizon : «Tu le trouveras là-bas, mon frère», lui dit-il.

Marcus et ses compagnons plissèrent les yeux. Dans la lumière qui faisait trembler l'horizon, ils virent une tache plus sombre. Ils se dirigèrent de ce côté-là. La tache grandissait : on eût dit des mâts sombres, coiffés d'une ligne horizontale, qui hachuraient l'horizon. Ils distinguèrent bientôt des palmiers sauvages adossés à une haute montagne.

Des dizaines de huttes d'ermites entouraient cette oasis surprenante, tache de verdure sombre jaillissant au milieu du cuivre doré des sables. Marcus et ses compagnons se précipitèrent vers la source qui jaillissait de la montagne. L'eau était douce, fraîche et limpide. Ils burent à longues gorgées : ils avaient rationné l'eau depuis plusieurs jours et n'avaient jamais vraiment étanché leur soif.

En voyant les palmiers, les petits enclos qui cernaient de petits vergers et potagers, Marcus comprit comment les moines qui habitaient ce coin du désert ne mouraient ni de soif ni de faim. Il demanda à l'un des deux hommes qui travaillaient dans les enclos si Antoine se trouvait là. L'autre lui montra une espèce de petite construction basse à l'extérieur de la minuscule oasis. Ils s'y dirigèrent.

La cabane était carrée, en blocs de rochers grossièrement taillés, recouverte d'un toit de palmes. Tout autour d'elle se dressaient quelques huttes plus modestes. Marcus s'approcha d'un ermite et demanda à rencontrer Antoine. L'autre, sans mot dire, l'amena à un homme vigoureux, assis sur un rocher en train de tresser un panier. Le cœur de Marcus battait à se rompre :

— Père Antoine? dit-il.

L'homme leva la tête et sourit.

— Non, je ne suis pas Antoine, dit-il.

— Et… comment vous appelez-vous ?

— Je m'appelle Amatas. Antoine est notre père. Il prie dans sa grotte.

— Sa grotte? Il ne vit pas ici, dans cette... cabane?

— Si, si, reprit Amatas. La nuit venue, il y reviendra. Et vous, comment vous nommez-vous?

Marcus se présenta et présenta ses compagnons. Amatas reprit:

— Vous venez de quel nome?

— Nous venons d'Alexandrie, expliqua Marcus. Nous avons quitté la ville il y a quelques semaines déjà. Nous sommes porteurs d'un message de notre Papa Pierre, le patriarche d'Alexandrie, à Antoine.

— Eh bien, vous verrez donc Antoine demain.

— Demain? s'exclama Marcus qui, si proche du but, bouillonnait d'impatience.

— Oui, demain, reprit Amatas. Vous voyez, le soleil se couche. Notre père reviendra bientôt et se retirera tout de suite dans sa cabane.

— Et... ne pourrais-je alors me présenter à lui? Ne pourrais-je prier avec lui avant la nuit?

— Hélas! il vous faudra patienter jusqu'à demain. Dès son retour, nous fermerons la porte de sa cabane et notre père se préparera au combat.

— Au combat?

— Oui. Le combat qu'il va mener toute la nuit.

— Mais... qui combattra-t-il? demanda Marcus.

— Les démons, dit Amatas. Toute la nuit, il livrera bataille aux légions des démons.

CHAPITRE DIX-HUIT

Marcus était épuisé.

Malgré la couverture dont il s'entourait les épaules, il claquait des dents. Et ce n'était pas seulement le froid mordant de l'aube qui le faisait trembler de tous ses membres.

À côté de lui, Athanase et Sérapammon semblaient aussi abattus, aussi éreintés. Tous les trois avaient passé la nuit éveillés, à frissonner d'effroi, saisis d'une terreur qu'ils ne parvenaient pas à contrôler. Et leur angoisse se doublait de stupéfaction devant le spectacle d'Amatas et des autres ermites qui, calmes et impavides, priaient à voix basse, insensibles à ce qui les entourait. Certains — les plus âgés, les plus frêles — s'étaient même retirés au milieu de la nuit dans leurs huttes pour se reposer et dormir.

La veille au soir, Antoine était revenu de la grotte où il se retirait tout le jour. Amatas et les autres disciples s'étaient éloignés respectueusement pour lui permettre d'atteindre sa cabane sans être dérangé. Marcus n'avait vu ainsi qu'une vague silhouette qui avait tout de suite disparu dans l'habitation.

Puis la nuit était tombée et une lune amarante s'était levée à l'horizon. Le ciel était jonché d'une myriade d'étoiles couleur de jasmin qui répandaient partout une clarté laiteuse. Marcus se sentait envahi d'une grande douceur. Il était arrivé à son but, il avait rempli sa mission. Demain, il parlerait à Antoine, il lui transmettrait le message de Pierre. Dans son cœur, un hymne de joie et de reconnaissance se levait.

Il s'apprêtait à inviter Athanase et Sérapammon à s'enrouler dans leurs couvertures pour dormir au milieu des huttes des ermites, lorsqu'un bruit insolite attira son attention. Il venait de la cabane d'Antoine.

Marcus et ses deux compagnons se dirigèrent de ce côté-là. Ils virent les ermites — ou plutôt les moines, comme les ascètes du désert voulaient qu'on les appelât dorénavant — qui les avaient déjà précédés et qui entouraient la cabane d'une ceinture humaine et priante.

Les bruits commencèrent à se préciser. C'étaient des gémissements, des grincements de dents. Marcus se demandait ce que cela pouvait bien être lorsqu'un cri inhumain, terrifiant, retentit dans la cabane.

Marcus sentit ses cheveux se hérisser sur sa tête. Instinctivement, Sérapammon et Athanase s'étaient rapprochés de lui. Un deuxième cri retentit, puis un troisième. Des ricanements sinistres, des hululements lugubres, tout un concert démoniaque semblait s'être déclenché dans la cabane où s'était retiré le père des moines.

Quelquefois, les cris cessaient. Dans le silence soudain, on entendait une voix qui chantait. Elle était forte et ferme. Elle chantait des psaumes. «Écartez-vous de moi, vous tous, les malfaisants, le Seigneur entend ma supplication, le Seigneur accueille ma prière. Honte et profond effroi à tous mes ennemis, qu'ils reculent, soudain couverts de honte!» À peine la voix avait-elle fini de chanter que le concert de gémissements recommençait, des cris, des hurlements, encore plus furieux, encore plus frénétiques.

Au début, les cris étaient indistincts. Soudain, Marcus dressa l'oreille. Rêvait-il? Avait-il vraiment entendu? Il avait cru comprendre, à travers les hurlements, des mots, puis des bouts de phrases. Une voix rauque jappait: «Va-t'en de chez nous! Qu'as-tu à faire au désert?» La voix devenait un murmure, avant de rebondir en une vocifé6ration stridente, terrifiante: «Va-t'en! Sauve-toi!»

Maintenant, Marcus, Sérapammon et Athanase étaient serrés les uns contre les autres, presque enlacés. Ils tremblaient de tous leurs membres. Soudain ils tressaillirent. Un grondement venait de la montagne contre laquelle s'adossait la cabane. On eût dit une avalanche de rochers qui dévalaient les pentes, qui rebondissaient sur les falaises et roulaient dans les précipices, en un vacarme grandissant.

Au sommet de la montagne, Marcus vit des lueurs qui zébraient le ciel. Rêvait-il de nouveau? Étaient-ce les éclairs d'un orage silencieux et lointain? Le ciel pourtant était clair.

La montagne s'illuminait quelquefois. Des bêtes aux formes monstrueuses semblaient bondir d'un rocher à l'autre. Des animaux cornus levaient la tête vers la lune. Un écho roulait dans les vallées: «Antoine! Antoine!»

Les cris dans la cabane reprirent, triomphants, ricanants. Maintenant, Marcus sentait la terre frémir sous ses pieds. Les murs de la cabane tremblaient-ils? Il n'en était pas certain. Pourtant, oui! C'étaient bien là des coups contre les murs, des bruits de chute. Et le sabbat infernal de cris, de hurlements se poursuivait.

Il s'affaiblit un moment. La voix qui chantait jaillit soudain, aussi claire, aussi ferme, aussi sereine : « Yahvé est mon berger, rien ne me manque… je ne crains aucun mal, car tu es près de moi… » La colère des voix ne connut plus de bornes ; elles noyèrent la prière d'Antoine dans un concert d'imprécations. Quelquefois, on eût dit des animaux qui aboyaient, d'autres fois des voix humaines qui gémissaient et se lamentaient.

Dans l'obscurité de la nuit, dans le désert vaste et vide, ces bruits, ces roulements de pierre, ces cris, ces lueurs fantasmagoriques qui couronnaient les cimes de la montagne, cet ébranlement de l'ordre des choses créaient chez Marcus et ses compagnons un sentiment de terreur qu'ils n'arrivaient pas à secouer, malgré le lent passage des heures, malgré l'impassibilité d'Amatas et de ses compagnons.

Toute la nuit se passa ainsi. À un moment donné, on entendit des chocs à l'intérieur de la cabane, comme si on jetait des objets par terre. La porte était soudain furieusement secouée. Dehors, dans la montagne, les bruits inquiétants se poursuivaient. Des ombres — étaient-ce des êtres monstrueux ? des animaux aux formes humaines ? — bondissaient d'un rocher à l'autre, d'une montagne à l'autre.

Et tout le temps, ces ricanements, ces gémissements, ces cris qui s'élevaient en un crescendo furieux, avant de diminuer et de s'éteindre et de reprendre encore, en une vague incessante, en un déferlement sans cesse renouvelé de haine et d'insultes. Un assaut inlassable et furieux semblait battre les murs de la cabane sans pouvoir l'ébranler, un assaut qui se brisait contre la parade forte, insistante, souveraine, du chant d'Antoine.

Une ou deux heures avant l'aube, les cris s'espacèrent, diminuèrent d'intensité, puis finirent par s'éteindre complètement. Les éclairs, les grondements dans la montagne, le roulement de pierres avaient aussi cessé et les animaux cornus avaient disparu. Amatas s'approcha des trois Alexandrins :

— Notre père Antoine a gagné son combat, dit-il. Ce n'est pas encore cette nuit que les démons prévaudront contre lui ! Et il les invita à se reposer et dormir, comme Antoine, comme lui-même et les autres moines.

Les trois hommes eurent de la difficulté à fermer les yeux, tellement ils étaient secoués. Ils finirent par s'endormir d'un sommeil lourd, entrecoupé de réveils en sursaut.

Le soleil était déjà levé quand Marcus ouvrit les yeux. Il trouva Amatas qui tressait des nattes.

— Verrai-je Antoine ? demanda-t-il.

— Il sort incessamment, répondit le moine.

La porte de la cabane s'ouvrit. Antoine en sortit. Amatas et deux autres disciples se précipitèrent vers lui. Marcus les suivait.

Il s'attendait à trouver un homme épuisé, chenu, hirsute et maigre. Antoine, à sa grande surprise, lui parut bien au contraire plein de santé et de solidité.

Il était petit, carré d'épaules, trapu, le teint basané des Égyptiens du sud du pays. Sa longue barbe était noire, à peine striée de quelques poils blancs. Il avait un gros nez, un peu épaté. Il semblait musculeux et se tenait droit, la tête redressée.

Mais ce qui frappa surtout Marcus, ce fut le regard d'Antoine. Il était direct et enfantin. Ses yeux étaient noirs, mais on les eût dit transparents, presque translucides. La lumière du désert, l'éclat étincelant du ciel semblaient s'être réfugiés derrière sa pupille et irradiaient partout dans l'iris. L'effet en était saisissant.

Marcus fut encore plus surpris de voir Antoine frais et dispos, malgré la nuit infernale qu'il venait de passer. Amatas l'invita à s'approcher et le présenta à Antoine. L'Alexandrin, saisi d'un élan soudain, s'apprêtait à baiser la main de l'ermite lorsque Antoine le saisit à bras-le-corps, lui donna une vigoureuse étreinte et l'embrassa.

Marcus présenta ses compagnons en quelques mots. Athanase semblait en transe et dévorait Antoine du regard. Puis Marcus sortit de sa sacoche la missive précieuse que lui avait remise Pierre, quelques semaines plus tôt, et qui lui avait valu ce voyage long et mouvementé.

Antoine déroula le papyrus puis le tendit à Amatas. Marcus comprit que l'ermite ne savait pas lire.

Pierre saluait fraternellement Antoine et s'enquérait de sa santé. Puis il parlait brièvement de la persécution qui ne cessait pas, de la lassitude des fidèles, de l'épreuve que traversait l'Église. Il demandait à son frère dans la foi de prier pour lui et les autres fidèles. Il lui disait enfin que son fils bien-aimé Marcus lui transmettrait une autre partie du message.

Antoine se tourna vers Marcus. Devant ce regard de lumière, un regard presque intemporel, le jeune homme vacilla. Puis il se ressaisit et dit à Antoine que Pierre, le patriarche d'Alexandrie, le père spirituel de l'Égypte, était soucieux et souhaitait trouver un moyen d'encourager ses fidèles dans la foi et la persévérance. Il savait bien que toute la vie d'Antoine s'était déroulée dans le désert et que la solitude était sa demeure, mais il se demandait s'il n'accepterait pas de quitter sa retraite pour venir à Alexandrie quelque temps.

La réponse d'Antoine fut immédiate et tranchée. Il se tourna vers Amatas :

— Notre père Pierre a besoin de nous, lui dit-il. Nous partirons donc pour Alexandrie. Combien de temps devrait durer le voyage?

— Avec un peu de chance et si nous ne rencontrons pas d'obstacles, nous devrions y arriver dans trois semaines.

— Fort bien, dit Antoine, nous partirons donc demain. Marcus nous montrera le chemin.

— Nous pourrions, dit ce dernier, retourner par l'oued du désert avant de rejoindre la vallée.

— Et pourquoi, demanda Amatas, faut-il aller par l'oued? Ne pourrions-nous pas suivre la piste des caravanes?

— C'est vrai qu'elle est plus facile, dit Marcus, mais…

— Mais?…

— Eh bien, elle est moins sûre que la solitude absolue du désert. Nous risquons d'y rencontrer des patrouilles romaines.

— Les Romains? intervint Antoine. Dieu prendra soin des Romains. Quel est le chemin qui nous permettrait d'arriver le plus rapidement à Alexandrie?

— La piste caravanière, dut reconnaître Marcus.

— C'est donc ce chemin que nous emprunterons, dit avec sérénité Antoine. Maintenant, il faut prier.

Et il se mit à grimper la montagne pour se réfugier dans sa grotte.

Marcus était ravi : sa mission était couronnée de succès. Il ne savait trop, en venant voir Antoine, ce qui l'attendait. En fait, il était inquiet : la réputation d'Antoine était faite et bien faite. Depuis trente ans qu'il s'était réfugié dans le désert, il s'était éloigné de plus en plus de la vallée. Il ne renvoyait pas les nombreux disciples qui venaient à lui, mais préservait toujours sa solitude, son espace de prière et de méditation.

Voilà qu'il acceptait tout bonnement, tout simplement, de quitter sa retraite, de se rendre à Alexandrie, la plus grande ville de l'univers après Rome, lui qui n'avait connu que son minuscule bourg égyptien qu'il avait quitté à vingt ans pour vivre seul. Marcus en était tout ébahi. Mais il avait cru percevoir, dans la réaction de l'ermite, une obéissance filiale, immédiate, à l'invitation de Pierre : l'évêque avait parlé et Antoine, en bon soldat, obéissait.

La journée s'écoulait lentement. Les moines vaquaient à leurs occupations. Certains travaillaient dans leur petit jardin. D'autres lisaient de longs rouleaux : ce devait être les Écritures. D'autres enfin avaient disparu, comme Antoine, dans la montagne où ils s'étaient retirés dans des grottes.

Marcus, que la décision d'Antoine avait ragaillardi, décida de monter au sommet de la montagne où s'était réfugié l'ermite. Elle semblait accueillante et facile. Mais quand il commença à la grimper et à se colleter avec elle, Marcus la découvrit sévère, difficile d'accès. Aucun sentier n'était tracé vers le sommet et il devait quelquefois se hisser à la force des poignets sur des rochers hauts et massifs.

La cime semblait s'éloigner chaque fois qu'il avait l'impression de s'en approcher. Marcus, qui était parti seul, grimpa ainsi pendant plusieurs heures avant de déboucher enfin sur une petite plate-forme qui couronnait le mont.

Il se rendit alors compte que la montagne était la plus haute de la région. Il dominait littéralement le paysage à des lieues à la ronde.

Marcus frissonna. Il prit mieux la mesure de l'effrayante solitude dans laquelle vivait Antoine. La petite oasis qui lui permettait, ainsi qu'à ses disciples, de ne pas mourir de faim et de soif, était une tache sombre et minuscule au pied du mont. Partout ailleurs, le paysage était désolé.

Le désert était une vaste mer de jaune, d'ocre et de cuivre foncé. Partout, des écroulements de rochers titanesques semblaient les ruines d'un monde sans vie. Le soleil était presque au zénith, et nulle ombre ne venait tempérer l'éclat ardent de la lumière qui brûlait ce paysage mort.

Au loin, il vit le miroitement scintillant du golfe des Héros. Perdu dans une brume pailletée d'éclats de lumière, il s'élargissait soudain et se perdait dans une coulée lumineuse en fusion : c'était, devina Marcus, le golfe des Arabes[1].

Marcus sentit soudain un malaise : devant ce paysage morne malgré l'étincelante lumière qui l'éventrait de partout, il se souvint de la nuit qu'il venait de passer. C'était au sommet de cette montagne, sur le lieu même où il se tenait, qu'il avait vu — avait-il vraiment vu ? avait-il rêvé ? — des lueurs inquiétantes, des éclairs dans un ciel vide et noir, une lumière qui semblait danser une sarabande enragée, au rythme même des hurlements et des imprécations qui venaient de la cabane d'Antoine.

Marcus se mit à redescendre. Il arriva essoufflé, fatigué, au pied de la montagne où l'attendait Athanase, une interrogation dans le regard.

Au coucher du soleil, Antoine redescendit de sa caverne. Marcus fut pris d'une brève panique : le sabbat infernal allait-il recommencer ? Il posa la question à Amatas. Le disciple d'Antoine sourit :

— Je ne le crois pas, dit-il. Les démons ont subi une telle volée hier qu'ils ne se hasarderont guère à venir déranger de nouveau notre père. Ils s'y essaient depuis trente ans, et depuis trente ans ils échouent.

Marcus s'enroula dans ses couvertures. Amatas avait eu raison : nul bruit, nul vacarme ne vint troubler le calme de la nuit et si la cabane d'Antoine

---

1- La mer Rouge.

vibrait un peu, c'était à cause des ronflements sonores de l'ermite qui dormait, confiant et serein comme un enfant.

Le lendemain, Antoine, Marcus et leurs compagnons prirent la route. Les ermites voulaient tous se joindre à la caravane mais Antoine les morigéna avec sévérité:

— Notre combat principal ne se déroulera pas à Alexandrie, mais partout où nous élèverons nos prières au Seigneur. Restez et priez, et je ne tarderai guère à vous rejoindre de nouveau.

Il accepta cependant qu'Amatas et deux autres moines, jeunes et vigoureux, les accompagnent.

Ils traversèrent le désert qui les séparait du golfe des Héros puis se dirigèrent vers le nord, en longeant la mer. Antoine marchait avec vigueur et ne s'arrêtait que rarement. La nuit, avant de rompre le pain et de manger les olives que le groupe avait emportés de l'oasis, il rassemblait sa petite troupe pour prier et rendre grâce. Athanase suivait l'ermite comme son ombre et s'abîmait avec lui en prière.

Marcus s'étonnait de l'attitude de l'adolescent. Il semblait hypnotisé par Antoine. Il le dévorait sans cesse des yeux. Pendant les semaines de voyage, Marcus avait réussi à se gagner la confiance d'Athanase. Il l'aborda un soir au moment où ils s'apprêtaient à s'enrouler dans leurs couvertures pour dormir.

— Athanase…

— Oui, Marcus?

— Je te vois très proche de notre père Antoine. Tu sembles l'admirer beaucoup…

— Tu as raison, Marcus, dit l'adolescent, dans un de ses rares moments d'abandon. Antoine est le plus grand de nous tous. Il montre la voie de l'avenir…

— La voie de l'avenir? Pourtant, il est tout seul ici, dans ce désert terrible, entouré seulement de quelques dizaines de disciples.

— Pourtant, son message traversera les siècles, et les chrétiens de tous les âges le connaîtront.

— Comment cela? demanda Marcus, que la gravité du jeune homme amusait et impressionnait à la fois.

— Eh bien, parce que je raconterai sa vie…

— Toi?

— Oui, moi, reprit Athanase d'une voix égale. Je raconterai sa vie. Je dirai comment il s'abîmait dans la prière. Je suis heureux de t'avoir accompagné, car je pourrai aussi témoigner de ses combats contre les démons…

— Mais… tu prévois donc te réfugier plus tard ici avec lui?

— Oh non, répondit avec vivacité le jeune homme. Je n'ai ni sa patience, ni sa sainteté. Non, je resterai et je lutterai à Alexandrie.

— Tu lutteras?

— Tu vois bien toi-même, Marcus, que nous luttons tous les jours pour maintenir notre foi. Penses-tu que le combat cessera? Après Dioclétien, il y a eu Maximin Daïa. Après Daïa, il y en aura d'autres. Et même si la persécution cesse, les difficultés ne cesseront pas. Notre père Pierre a travaillé d'arrache-pied pour réconcilier la communauté, la maintenir unie. Après lui, il en faudra d'autres qui œuvrent dans la vigne du Seigneur, qui la protègent des voleurs, qui la gardent pure et unie…

Marcus était abasourdi. Jamais le jeune homme n'avait tant parlé. Son ton était égal, mais une véhémence retenue perçait sous la voix. L'ex-décurion s'étonnait surtout de la maturité de l'adolescent : il parlait comme l'un des conseillers de Pierre, dans ces innombrables réunions autour de l'évêque. Sa dernière phrase surtout le stupéfiait. Il voulut pousser Athanase dans ses retranchements. Il reprit, d'un ton qu'il voulait léger :

— Et parmi ces autres qui doivent continuer à s'occuper de la communauté, y a-t-il une place pour Athanase?

— Bien sûr, reprit le jeune homme avec placidité. Je m'y prépare déjà. Ce voyage n'est qu'une première étape, une initiation…

Marcus, trop ahuri pour continuer la conversation, n'ajouta rien et dit bonsoir au jeune homme qui s'enroula dans sa couverture.

Au bout de trois jours, les voyageurs rejoignirent la piste que Marcus avait empruntée en sens inverse, quelques semaines plus tôt. L'Alexandrin devenait nerveux. La solitude du désert risquait ici de n'être qu'un leurre : allaient-ils rencontrer des Romains? Allaient-ils tomber dans une embuscade?

Il crut, le matin du premier jour où ils s'engagèrent sur la piste, que ses craintes allaient se réaliser. Ils entendirent en effet de grands cris; Marcus, le cœur battant, scrutait l'horizon, lorsqu'il vit surgir, à quelques dizaines de pieds de lui, deux silhouettes qui sortaient de derrière un rocher et s'élançaient vers eux en agitant frénétiquement les mains.

La petite troupe serra les rangs; Marcus regrettait de n'avoir aucune arme sur lui, sauf son bâton de voyage. Mais les deux silhouettes étaient seules; elles grandirent et Marcus, stupéfait, reconnut Palémon et Amoun, les deux esclaves éborgnés.

Ils se précipitèrent sur Antoine, s'écroulèrent à genoux devant lui. Comme il l'avait fait avec Marcus, l'ermite les releva et les embrassa. Palémon bégayait; Amoun pleurait et ses larmes, coulant d'un seul œil tandis que l'autre demeurait noir et vide, créaient des rigoles sur une moitié de son visage, tandis que l'autre restait, masque tragique et immobile, couverte d'une gangue de sable.

Les deux esclaves demandèrent à Antoine la permission de l'accompagner. Il la leur accorda volontiers, et la troupe reprit son chemin.

Ils croisèrent à quelques reprises de petites caravanes; les chameliers et les voyageurs regardaient avec stupéfaction la petite troupe hétéroclite, poussiéreuse et qui entonnait, à la suite d'Antoine, des hymnes et récitait des psaumes. Palémon et Amoun n'étaient pas en reste, et les deux borgnes braillaient à qui mieux mieux les louanges du Seigneur.

Ils avaient déjà franchi la moitié du chemin qui les séparait de la vallée lorsqu'un jour, à midi, ils virent à l'horizon un gros nuage de poussière.

— C'est une grosse troupe, dit Sérapammon. Il doit y avoir là plusieurs cavaliers.

Marcus pâlit. Il se tourna vers Antoine et Amatas :

— Ce sont des Romains. Heureusement que nous avons vu la poussière au loin. Nous avons une ou deux heures pour les éviter. Nous pourrions nous cacher là, dit-il en désignant un gros amas de rochers sur le bord de la piste.

— Nous cacher? demanda Antoine. Pourquoi nous cacher?

— Mais… ce sont des Romains, dit Marcus que la question de l'ermite avait désarçonné. Sûrement des militaires, précisa-t-il.

— As-tu quoi que ce soit à te reprocher? demanda Antoine.

— Euh… non.

— As-tu un crime à cacher?

— Non, non…

— Alors, les Romains n'ont aucune raison de te vouloir du mal, conclut Antoine d'un ton égal et serein. Et il reprit sa marche.

Il y eut un moment de flottement dans le groupe. Amatas et les autres moines emboîtèrent le pas à Antoine sans broncher. Les deux borgnes regardèrent Marcus. Il suivit l'ermite à son tour, entouré de Sérapammon et d'Athanase.

La poussière couvrait maintenant l'horizon : ce devait être un grand convoi. Les contours bientôt s'en précisèrent : c'était une caravane d'esclaves, fort probablement chrétiens, enchaînés, certains borgnes, d'autres claudicants. Palémon et Amoun se couvrirent le visage d'un linge sale.

La caravane était précédée d'un peloton de Romains à cheval. Le décurion qui la commandait regardait avec stupéfaction ce petit groupe d'hommes poussiéreux qui n'avaient ni chameau ni cheval et qui s'étaient rangés sur le bord de la piste. Il les héla :

— Qui êtes-vous?

— Je m'appelle Antoine, dit l'ermite d'une voix claire.

L'autre le regarda plus attentivement.

— Cet habit que tu portes, cette barbe... Ne serais-tu pas l'un de ces fous de chrétiens qui fuient au désert?

— Je suis chrétien, dit Antoine, et je prie le Seigneur dans la solitude qu'Il a créée.

— Et que fais-tu ici, loin de ton antre? Et qui sont ces gens avec toi? Et ces deux-là, qui se cachent le visage, qu'ils se découvrent, ou bien... Et le décurion fit avancer son cheval d'un air menaçant.

Marcus se résignait déjà à leur arrestation, lorsqu'un vacarme qui grandissait attira son attention et obligea le décurion à se détourner vers le convoi qui le suivait.

Les prisonniers, qui étaient enchaînés deux par deux, secouaient leurs chaînes. Le cliquetis allait en augmentant. Ils scandaient en même temps quelque chose que Marcus d'abord ne comprit pas. Puis il saisit un cri qui allait s'amplifiant et devint bientôt un grondement qui couvrait même le choc du métal contre le métal : « Antoine! Antoine! » hurlaient les forçats à pleins poumons.

Ils l'avaient entendu dire son nom. Ils n'avaient pas tardé à comprendre, à sa mine et à son habit, de quel Antoine il s'agissait. Un mouvement spontané, irrépressible, les avait entraînés. Eux qui étaient courbés, abattus, les yeux encore purulents de leurs blessures récentes, la gorge desséchée, le visage ravagé par le soleil et le sable, ils s'étaient redressés, ils agitaient les mains, ils gueulaient : « Antoine! Antoine! » en secouant leurs chaînes, en tâchant de se hausser sur la pointe des pieds pour apercevoir le petit homme, en tombant dans les bras les uns des autres. Et toujours ce cri, « Antoine! Antoine! », qui s'élevait dans le désert, sous le soleil ardent qui écrasait tout mais n'arrivait pas à étouffer l'élan des condamnés à une mort lente.

Antoine se dirigea vers les forçats. Il les prenait dans ses bras, les embrassait. Les misérables pleuraient. Antoine les consolait. Il avait dénoué la ceinture de chanvre qui lui entourait la taille et saisi le bas de sa tunique pour en essuyer le visage des forçats, dévoilant ainsi des jambes courtes, des cuisses musclées. Il n'en avait cure et continuait d'embrasser les prisonniers, de leur frotter les poignets sous leurs chaînes, de les encourager en reprenant avec eux des psaumes de confiance et de louange.

La scène durait depuis une minute ou deux quand le décurion qui commandait la troupe finit par se secouer. L'homme avait été ahuri par l'assurance d'Antoine et semblait dépassé par les cris et les chants des forçats qu'il convoyait. Il hésitait manifestement, ne sachant trop quoi faire. Quand les cris des prisonniers devinrent assourdissants, il se mit à hurler : «En avant! En avant!» Les légionnaires firent claquer leurs fouets. Des gourdins s'abattirent sur le dos de quelques malheureux et la caravane reprit sa marche, le décurion ignorant ostensiblement Antoine et ses compagnons.

L'ermite embrassait les derniers du peloton, les bénissait, assurant à tous qu'ils se retrouveraient bientôt, que le Royaume était proche et que la maison du Père était assez vaste pour les accueillir tous. La troupe disparut enfin dans le désert.

Le surlendemain, ils virent à l'horizon une rangée de hautes collines. «La vallée est derrière ces montagnes», leur dit Sérapammon. Ils les grimpèrent et, à leur sommet, ils s'arrêtèrent, saisis par le spectacle qui s'étendait devant eux.

Un large ruban de verdure serpentait au bas des collines. Au nord et au sud, ce ruban se perdait au loin, tandis qu'à l'ouest, une cicatrice orange, à peine visible, indiquait l'endroit où le désert reprenait ses droits et emprisonnait de nouveau le pays du Nil entre ses griffes de feu.

Marcus vacilla presque devant cette masse de verdure. Il se retourna un bref moment pour regarder le chemin d'où ils venaient : sous ses yeux s'étendait la vaste mer, immuable et jaune, du désert. Il tourna son regard à nouveau vers la vallée : à ses pieds s'étendait la vaste mer des champs verts et luxuriants. Ce contraste entre la vie et la mort, ce combat entre le vert et le jaune, qui était l'essence même de ce pays, il n'arrivait toujours pas à s'y habituer et il en éprouvait toujours un choc.

Au milieu du serpent de verdure se lovait un autre serpent, de lumière celui-là : c'était le Nil qui, au milieu de la vallée, lent et magnanime, dispensait souverainement la vie.

Toute la troupe était saisie de la même émotion. Antoine entonna un chant de louange. Devant le bouleversement que suscitait en eux, en lui, le miracle permanent de la vie dispensée par le Nil, Marcus eut une pensée furtive pour les Égyptiens qui avaient divinisé le fleuve. «Au fond, se dit-il, nous réagissons comme eux.»

Ils descendirent dans la vallée et pénétrèrent bientôt dans un bourg où ils devaient se reposer un jour ou deux. À peine s'étaient-ils assis à l'ombre d'un bouquet de palmiers qu'un homme, puis deux, puis trois s'approchèrent d'eux.

— Est-il vrai qu'Antoine est avec vous? demandèrent-ils.

Palémon et Amoun, méfiants, s'apprêtaient à nier quand Antoine répondit :

— Je suis Antoine.

Les hommes se précipitèrent vers l'ermite pour baiser le bas de sa tunique. Ils se présentèrent : c'étaient des chrétiens du village, ils avaient vaguement entendu parler d'Antoine qui avait quitté sa retraite et depuis lors ils guettaient le passage des voyageurs pour voir s'ils ne le rencontreraient pas. Antoine les releva et les serra dans ses bras.

Marcus s'émerveillait : comment ces gens-là avaient-ils appris qu'Antoine quittait sa retraite ? Comment la nouvelle avait-elle pu traverser les solitudes du désert et les précéder ?

Bientôt, la moitié du village était là, à les entourer, à s'approcher d'Antoine, à vouloir le voir, le toucher, l'embrasser, à lui demander ses bénédictions. Un cortège hétéroclite s'approcha : une famille entière portait un grabat où gisait un homme d'âge mûr au visage émacié. C'était le père de famille, il était gravement malade, mourant même, et on demandait à Antoine de le guérir. Des mamans apportaient leurs nourrissons pour qu'il les bénisse.

Antoine embrassait, bénissait, serrait dans ses bras, échangeait quelques mots avec ceux qui lui parlaient. Il semblait parfaitement serein, à l'aise, heureux même au milieu de ces gens qui l'entouraient à l'étouffer. « Est-ce bien là cet homme qui a presque toujours vécu dans la solitude ? s'émerveillait Marcus. Comment peut-il converser avec eux comme s'il avait passé toute sa vie dans ce village ? »

Le soir, les villageois invitèrent Antoine et ses compagnons à manger. Ils avaient préparé une soupe de lentilles et cuit quelques poulets sur la braise. L'un d'entre eux s'avança avec une cruche de vin et Amatas voulut l'écarter, mais Antoine intervint :

— Amatas ! Amatas ! Mieux vaut boire du vin avec une bonne intention que de boire de l'eau avec orgueil.

Au bout de deux jours, Antoine donna le signal du départ. Quelques hommes, quelques adolescents du village décidèrent de se joindre à lui. Marcus s'inquiétait : leur troupe n'allait-elle pas, à force de se gonfler, attirer l'attention des autorités ? Il s'en ouvrit à Amatas ; le disciple d'Antoine lui dit de ne pas s'inquiéter.

Ils atteignirent bientôt le lieu dit du Ventre de la Vache, où le Nil se divise en deux pour former son delta. Antoine et ses compagnons se mirent à suivre la branche canopique, celle de l'ouest, qui remontait vers Alexandrie.

Le soir, au bivouac, Sérapammon, qui n'était jamais à court d'observations et d'idées, s'adressa à Antoine et à Marcus :

— Nous souhaitons, leur dit-il, arriver le plus rapidement possible à Alexandrie. Or, la crue a suffisamment baissé pour permettre de naviguer de nouveau sur le fleuve, même si le courant est encore assez fort pour pousser les navires. Nous irions plus vite. Nous devrions donc en profiter.

La justesse de cette observation rallia tous les suffrages. On se mit à la recherche d'embarcations. On trouva bientôt deux barques de pêcheurs. On s'apprêtait à gratter le fond des bourses des villageois qui s'étaient joints à la troupe, lorsqu'un des pêcheurs, apprenant qu'Antoine faisait partie du groupe, refusa tout net de se faire payer : il était chrétien et ne voulait, pour tout paiement, que la bénédiction de l'ermite. Son compagnon, qui adorait à la fois Isis et le babouin Thot, maugréa pour la forme : on lui promit solennellement que sa barque lui serait rendue au bout de quelques semaines.

Le lendemain, le groupe monta à bord des embarcations, qui se mirent à descendre le fleuve à vive allure. Marcus, Athanase et Sérapammon, qui n'avaient cessé de marcher depuis plusieurs semaines, et souvent dans des conditions difficiles, accueillirent cette pause avec soulagement. Assis sur les bancs des barques, ils voyaient défiler à vive allure la rive devant eux.

Des champs verdoyants s'étendaient à perte de vue. Quelques bouquets de palmiers hachuraient à peine la vaste plaine du delta. Les grêles potences des machines d'irrigation, mues par le lent piétinement des buffles, plaquaient sur le ciel vibrant de lumière leurs noires silhouettes.

Deux chemins longeaient, à droite et à gauche, le fleuve. Marcus s'étonna bientôt d'y voir une vive agitation. Des hommes, des femmes, des enfants, debout sur les berges, levaient les mains vers le ciel et riaient en découvrant des dents éclatantes. Ils criaient quelque chose. Au mouvement de leurs lèvres, aux bribes de voix que portait jusqu'à eux le vent, Marcus comprit bientôt qu'ils scandaient : «Antoine! Antoine!»

Comment avaient-ils fait pour savoir que l'ermite était à bord de ces barques? Marcus ne le sut jamais. De façon mystérieuse, la nouvelle de son voyage s'était répandue comme une traînée de poudre et le précédait partout. Antoine, lui, ne semblait pas surpris et, debout à la proue de la barque, agitait les mains pour répondre aux cris des paysans ou pour saluer ceux d'entre eux qui, juchés sur leurs ânes, fouaillaient leurs bêtes pour suivre le plus longtemps possible, en trottinant sur la rive, le rythme rapide des barques.

Le soir, à l'étape, quand les barques accostaient sur une berge, ils trouvaient là un attroupement nombreux. Les paysans se précipitaient sur eux : ils voulaient voir Antoine, le toucher, l'embrasser et l'ermite, heureux, à l'aise, plongeait dans la foule.

Étaient-il tous chrétiens? Marcus en doutait : il est vrai que les conversions s'étaient multipliées au cours des dernières années, mais les disciples du Seigneur ne représentaient peut-être que le quart, au plus le tiers de la population. D'où sortaient donc ces foules qui attendaient et ovationnaient Antoine?

En posant quelques questions, en captant des bribes de conversations, Marcus apprit qu'en effet, parmi les foules qui suivaient leur voyage, se trouvaient de nombreux adorateurs d'Isis, d'Amon, de Ptah et surtout d'Osiris, dont le culte était particulièrement fervent dans le delta.

Ils n'avaient pourtant cure du dieu qu'adorait Antoine : ils avaient entendu dire qu'un saint homme, un prophète, s'en venait chez eux et ils se précipitaient vers lui. « Ces Égyptiens sont vraiment curieux, se dit Marcus, en qui le frottis de culture grecque qu'il avait acquis se hérissait un peu devant l'inconséquence de la foule. Il suffit de leur parler de religion, de dieux et du ciel, et ils se précipitent immédiatement ! »

Le voyage sur le fleuve dura cinq jours. On arriva bientôt à l'embouchure du canal qui, partant du Nil, traversait Canope et se déversait dans le lac Maréotis, à Alexandrie. Antoine décida de quitter les barques et de faire son entrée à pied dans la ville.

Dès qu'il s'engagea sur le chemin qui, longeant plus ou moins le rivage de la mer, menait vers Alexandrie, la même foule nombreuse commença à se presser autour de lui, le suivant dans sa marche. Des curieux, attirés par ce bourdonnement humain, s'agglutinaient à la troupe sans trop savoir qui ils suivaient, et pourquoi leurs compagnons riaient et chantaient.

Un cortège de plusieurs centaines de personnes se mit bientôt à serpenter dans la chora alexandrine. Marcus était ahuri devant la foule qui les suivait : il y avait là des gueux et des mendiants, des paysans et des pêcheurs, et même quelques prospères fermiers. Des femmes entraînaient dans leur sillage des nuées de marmaille, de bébés braillant dans leurs bras et d'enfants qui bourdonnaient autour des adultes. Certaines avaient en main des palmes qu'elles agitaient au-dessus de la tête des enfants, pour les éventer et leur faire de l'ombre.

Tout autour d'Antoine s'avançait ainsi, dans un désordre bon enfant et un vacarme assourdissant, une troupe hétéroclite, bigarrée, chaleureuse et bruyante, qui soulevait des tourbillons de poussière dans les étroits chemins de la campagne égyptienne.

Le père des moines semblait heureux de tout ce bruit, de toute cette agitation autour de lui. Il ne cessait d'encourager ses compagnons à entonner des hymnes et des cantiques. La mélopée des psaumes chantés en égyptien s'enflait quelquefois pour dominer le sourd grondement des vagues, toutes proches sur la grève.

Il ne restait plus que quelques heures de marche pour arriver à Alexandrie lorsque Marcus sentit qu'on le tirait par la manche de sa tunique. Au début, il n'y prêta pas attention : il y avait tellement de monde autour de lui qu'il n'avait cessé d'être pressé et même bousculé. Cette fois-ci, cependant, on lui tirait encore la manche, d'un mouvement insistant, et Marcus, agacé, se tournait pour se débarrasser de l'importun lorsqu'il s'immobilisa, les yeux ronds.

Deux hommes se tenaient debout derrière lui. L'un était son ancien esclave Nikânor, qu'il avait affranchi mais qui était demeuré à son service. L'autre était Tothès, le gigantesque légionnaire égyptien qu'il avait connu à l'armée.

Tothès l'avait aidé à faire évader Artémisia de prison. Le légionnaire n'avait jamais quitté l'armée, mais il avait discrètement demandé le baptême et continuait d'admirer et de servir Marcus.

Les deux hommes saluèrent ce dernier brièvement, puis le prirent de côté.

— Que faites-vous là? demanda Marcus, encore surpris de les voir surgir au milieu des gueux poussiéreux et en sueur qui les entouraient.

— Nous te cherchions, maître, répondit Nikânor. Nous devions te trouver le plus rapidement possible.

— Vous deviez me trouver? On vous envoie donc.

— Oui. C'est Papa Pierre qui nous a demandé de venir à ta rencontre.

— Et… pourquoi vous deux? Pourquoi pas l'un ou l'autre?

— Il voulait s'assurer que nous te retrouverions vite et que… nous pourrions te protéger.

— Me protéger? De qui? De quoi?

— Pierre nous a chargés d'un message pour toi. À Alexandrie, les autorités s'énervent et le préfet est furieux et inquiet.

— Pourquoi donc?

— Cela fait déjà quelques semaines qu'on a commencé à lui parler d'une certaine agitation dans le sud, surtout dans les nomes de Pispir et d'Arsinoé. Les stratèges des nomes lui ont envoyé des rapports. Ils y évoquaient le voyage vers Alexandrie de quelques ermites du désert. Le préfet a réagi avec dédain: «Quelques gueux, a-t-il dit en haussant les épaules. Pourquoi donc mes stratèges s'énervent-ils?»

— Il a bien raison, dit Marcus en éclatant de rire. Regardez donc autour de vous. N'est-ce point là une troupe de vagabonds? Antoine a surtout attiré vers lui les miséreux. Que peut donc craindre le préfet?

— C'est que ce n'est pas tout, reprit Nikânor, tandis que Tothès, fidèle à son habitude, restait silencieux. Les rapports des stratèges et des espions se sont multipliés. On lui a écrit, et Papa Pierre a insisté pour que nous te rapportions les termes exacts de ces missives, qu'«une espèce d'illuminé, un fou qui se terrait comme un serpent dans les sables du désert, en avait jailli pour distiller son venin contre l'Empire et l'Empereur».

— Oh, oh, dit Marcus qui avait cessé de rire, cela est grave. Antoine les dérange. Pire, il les inquiète.

— D'autant plus, reprit Nikânor, qu'on a rapporté aussi au préfet que des foules le suivaient partout. Il a craint des troubles, peut-être même une révolte.

— Il sait bien, pourtant, dit Marcus, que ces gens sont des va-nu-pieds. Leurs seules armes sont leurs bâtons de voyage. Ils viennent des provinces lointaines, sont incultes et n'ont guère la sophistication des Alexandrins.

— Le préfet, précisa Nikânor, a enfin reçu une missive de Maximin Daïa. Le César, qui a quitté Alexandrie, lui a écrit sèchement qu'on lui avait rapporté que sa province d'Égypte s'agitait beaucoup et qu'il s'attendait à ce que son préfet la garde, calme et productive, dans le giron de l'Empire. Le préfet a alors paniqué et a décidé de passer à l'action.

— Passer à l'action? Qu'a-t-il décidé?

— Il envoie contre vous une centurie bien armée. Elle quitte Alexandrie demain à l'aube pour vous surprendre dans la campagne, avant que vous n'arriviez aux portes de la ville. Papa Pierre l'a su et nous a immédiatement envoyés pour vous en avertir.

Marcus devint grave. La situation se corsait. Le danger était réel. Il fallait aviser, en parler à Antoine, se débander dans la campagne, se cacher quelques jours peut-être… Avant de se retourner vers Antoine et Amatas, une question lui traversa soudain l'esprit.

— Et savez-vous, demanda-t-il, qui commande cette centurie?

Les deux hommes eurent un mouvement d'hésitation. Nikânor finit par se décider:

— Il s'agit de Domitius, dit-il.

— Domitius? s'exclama Marcus qui avait pâli. Domitius? reprit-il en se tournant vers Tothès.

— Oui, décurion, dit le légionnaire, qui n'avait jamais cessé de donner à Marcus son titre militaire. C'est bien Domitius, votre ami, qui nous a aidés à sortir la maîtresse de prison…

CHAPITRE DIX-NEUF

Pierre s'était levé dès l'aube. Il était inquiet : la journée n'allait-elle pas se terminer par un désastre ? Ce qu'il redoutait depuis quelques semaines déjà n'allait-il pas se produire ?

Depuis l'entrée d'Antoine à Alexandrie, l'évêque vivait dans un état de grande fébrilité. Il passait de l'exaltation la plus joyeuse à l'inquiétude et à l'angoisse. Il ne quittait pas Antoine d'une semelle et s'émerveillait de le voir traverser les dangers et les embûches avec un regard limpide et un visage souriant.

Il n'avait jamais imaginé qu'en invitant le père des moines à Alexandrie il allait déclencher tant d'agitation, tant de remous. Il croyait qu'Antoine viendrait discrètement dans la grande ville, qu'il rencontrerait les chrétiens assiégés et prierait avec eux et qu'il se retirerait tout aussi discrètement dans son désert.

L'entrée même d'Antoine dans la grande ville avait déjà donné le ton à toute cette visite : elle s'était faite dans le bruit, l'effervescence, la controverse et la curiosité.

Pourtant, Pierre avait cru un moment qu'Antoine ne franchirait même pas la porte Canopique et qu'il serait arrêté ou même tué avant d'atteindre l'enceinte de la ville. C'est pourquoi il avait envoyé, la mort dans l'âme, des émissaires à Marcus. Il espérait ainsi sauver Antoine et ses amis, tout en se désolant déjà de l'échec de sa visite.

Ce qui se passa ce matin-là, il l'apprit plus tard de la bouche des dizaines de témoins qui se trouvaient là. Antoine avait refusé, à son habitude, de se dérober devant les Romains. Toute la nuit, Marcus et ses amis avaient veillé dans l'angoisse, tandis que le rude Égyptien ronflait tranquillement à la belle étoile.

Le lendemain, à l'aube, la troupe était à peine éveillée et debout qu'on entendit des bottes cloutées qui sonnaient de façon cadencée sur les pavés du chemin. Seuls les légionnaires en portaient dans le pays. À ce bruit, un grand nombre des paysans qui avaient suivi Antoine s'éparpillèrent dans la nature, comme un vol d'oiseaux effarouchés. Quelques-uns resserrèrent les rangs autour de lui.

Les légionnaires étaient entraînés et efficaces : dès qu'ils virent les gueux qui défiaient le pouvoir de Rome, ils se séparèrent en deux rangs, enveloppèrent le groupe d'un mouvement tournant et attendirent, l'arme à la main, les ordres de leurs officiers.

Domitius s'avança, suivi de trois décurions, dans le cercle ainsi créé. Marcus le reconnut tout de suite.

Cela faisait presque neuf ans que Marcus avait rencontré Domitius pour la première fois. Il se rappelait les affinités qui avaient tissé tout de suite des liens entre eux. Domitius était un homme honnête, un ami sincère, un vrai Romain.

Il avait fait partie du noyau d'intimes qui avaient préparé et exécuté avec lui la fuite d'Artémisia, après son arrestation. Marcus n'avait jamais oublié cette preuve d'amitié.

Domitius avait cependant accueilli avec surprise la conversion du décurion au christianisme. Il ne comprenait pas qu'un soldat romain, un sujet de l'Empereur et dont la famille avait depuis longtemps acquis la citoyenneté romaine, pût se joindre ainsi à une secte ennemie de l'État. Il n'avait jamais rompu avec son ancien camarade de la légion, mais les liens qui les unissaient s'étaient distendus. Marcus s'était souvent reproché de ne pas avoir mieux expliqué sa conversion à son ami.

Domitius avait fait une belle carrière. Marcus avait entendu dire qu'il avait maintenant ses entrées au palais du préfet. Cela devait être vrai, puisque le préfet avait confié au centurion — ou peut-être était-il déjà général ? — la mission d'étouffer dans l'œuf la turbulence des Égyptiens.

Domitius s'avançait au milieu du cercle, se dirigeant vers Antoine. L'ermite l'attendait, les pieds campés dans la poussière, les bras croisés, le visage tranquille. Soudain, une voix s'éleva :

— Domitius !

L'officier, surpris, tourna la tête. Il eut un moment d'hésitation, puis une vive expression de surprise se peignit sur son visage. Il s'exclama :

— Marcus ! Que fais-tu donc ici ?

— J'accompagne Antoine, répondit sans hésiter l'ancien décurion.

L'officier romain tressaillit. Il leva sa cravache et, désignant la troupe apeurée qui s'agglutinait derrière l'ermite, il demanda :

— Tu accompagnes… ces gens-là ?

Marcus acquiesça. Le sang commençait à lui monter à la tête. Les mots « ces gens-là » avaient été dits sur un tel ton !... Domitius se tut un instant, puis reprit d'un ton ferme :

— Le préfet a interdit les désordres et toute atteinte à la sûreté de l'État. J'ai ordre d'arrêter les fauteurs de trouble et, à leur tête, le dénommé Antoine.

— Désordre ? Atteinte à la sûreté de l'État ? Où vois-tu donc qu'il y ait désordre ? Nul ici ne veut porter atteinte à l'Empire. Au contraire, nous respectons tous l'Empereur.

— Tu sais bien, Marcus, que les attroupements sont interdits. Et nous avons appris qu'au cours des dernières semaines la troupe qui suivait... ton ami n'a cessé de grandir au fil des jours.

Marcus se sentit touché quand son ami l'interpella nommément. Il reprit d'un ton conciliant :

— Domitius, nous savons tous les deux que ces gens ne se rassemblent que parce qu'ils admirent Antoine. Ce sont des pauvres, des misérables... la lie de la terre, comme on dit quelquefois à Alexandrie. Quant à l'Empereur, fort peu le connaissent, sinon quand on leur donne la bastonnade en son nom pour leur arracher des impôts. D'ailleurs, notre Seigneur nous a bien dit de rendre à César ce qui appartient à César. Comment veux-tu donc que ces gens menacent le César ? Non, non, reprit-il d'une voix forte, ils sont inoffensifs.

Domitius hésita un bref instant, puis reprit :

— Les attroupements sont interdits. Ces gens-là n'entreront pas à Alexandrie.

Marcus s'approcha du centurion et lui tendit la main. L'autre comprit l'invite et descendit de cheval. Marcus l'entraîna un peu plus loin.

Les deux hommes parlèrent longuement. Ce que Marcus dit à Domitius, Pierre ne réussit jamais à le savoir. Toujours est-il que l'ancien militaire revint vers Antoine, qui attendait placidement, et les autres et leur dit à haute voix :

— Nous obéissons à l'Empereur et nous respectons les ordres légitimes. Nous allons nous disperser. Aucun mal ne nous sera fait. Puis il se mit à donner des directives.

L'intention de Marcus devint bientôt claire. La bruyante cohorte d'Antoine dut se scinder en plusieurs petits groupes. Marcus, Athanase et Sérapammon furent les premiers à quitter la scène de l'affrontement : ils se dirigèrent tranquillement vers la porte Canopique, qu'ils franchirent, et se retrouvèrent à Alexandrie. Ils furent suivis, quelques minutes plus tard, par

Antoine, accompagné d'Amatas et d'un jeune moine. La troupe turbulente avait vite compris l'astuce : il ne fallait pas être plus de trois ensemble. Au-delà de trois membres, tout groupe devenait un « attroupement », dûment interdit par la loi.

Ce fut un jeu : on se poussait, on riait, on se chamaillait pour former des groupes de trois. Le cortège d'Antoine mit ainsi deux ou trois bonnes heures à entrer en ville, sous l'œil impassible de Domitius et de ses légionnaires, qui fronçaient les sourcils quand un malin voulait se joindre en catimini à un groupe de trois, l'obligeant vite à battre en retraite.

Dès qu'il fut à Alexandrie, Marcus se précipita chez Pierre, qui l'accueillit avec un immense soulagement. Quelques instants plus tard, Antoine apparaissait sur le seuil. La rencontre entre l'ermite et le patriarche d'Alexandrie fut touchante : ils ne s'étaient jamais vus et Antoine s'agenouilla tout de suite devant Pierre pour lui baiser la main. Il fallut que l'évêque le relevât de force pour l'étreindre et l'embrasser.

Marcus s'excusa : il avait hâte de retourner chez lui. Quand il vit Artémisia qui, prévenue, s'était habillée avec coquetterie et l'attendait sur le seuil, il se précipita vers elle, la serra dans ses bras, l'embrassa avec tendresse, puis avec passion. Les deux jeunes gens se rappelaient l'autre séparation, celle qui, deux ans plus tôt, avait failli détruire leur amour. Ils ne se dirent rien, mais la spontanéité, la force de leurs caresses étaient pour eux un signe, le point final mis à cette page terrible de leur vie.

Les quelques semaines qui suivirent furent un véritable tourbillon. L'entrée d'Antoine à Alexandrie avait bouleversé la donne, tant pour les autorités que pour les chrétiens de la ville. Ces derniers, usés par sept ans de persécution intermittente, de brimades, d'ostracisme, étaient épuisés, découragés, presque vaincus. Les cas de fuite ou d'apostasie avaient recommencé à se multiplier et même si chaque semaine apportait son lot de martyrs, Pierre craignait que la tension ne finît par briser les plus résolus, les plus courageux.

Or, dès qu'on sut qu'Antoine était en ville, les plus découragés relevèrent la tête. Les réunions de prière, qui étaient devenues rares ou qui avaient totalement cessé, reprirent de plus belle. Les maisons du Seigneur recommencèrent à recevoir leur lot de visiteurs et ceux-ci rasaient de moins en moins les murs.

Quelques églises qui étaient fermées depuis longtemps rouvrirent leurs portes. Et partout, dans les églises comme dans les maisons particulières, dès que quelques chrétiens se réunissaient pour prier ou rompre ensemble le pain, ils invitaient Antoine, que Pierre accompagnait partout.

L'ermite répondait à toutes les invitations. Son arrivée dans les lieux de prière déclenchait des alléluias et des hosannas à n'en plus finir. Antoine embrassait, bénissait, étreignait, et surtout entraînait tout le monde dans les chants et les prières. Il avait une prédilection particulière pour les psaumes et s'égosillait, d'une voix fausse et tonitruante, à chanter les louanges du Seigneur.

Il avait même fait une concession à ses habitudes : discrètement prévenu par Amatas, qui avait été à son tour sollicité par Marcus à la suite de quelques plaintes, de quelques murmures de la part des fidèles, il avait changé de tunique, permettant ainsi à quelques dévotes de laver ses habits afin d'atténuer la sainte mais forte odeur qui s'en dégageait.

Amatas et les deux autres moines qui avaient accompagné Antoine se laissèrent aussi convaincre que la sainteté de l'âme pouvait bien s'accommoder de la netteté du corps. On les débarrassa de leurs tuniques couleur de sable et de boue et ils s'habillèrent, comme Antoine, de blanc.

Antoine ne se contentait pas des réunions dans les églises ou dans les maisons particulières. Il arpentait souvent les rues d'Alexandrie, toujours suivi et précédé par ses innombrables nouveaux amis. Deux silhouettes, la tête couverte d'un voile, tâchaient de se fondre dans la foule qui le suivait. Quelquefois, une bousculade, un brusque reflux de gens, en les faisant trébucher, les empêchaient un bref moment de tenir leurs voiles serrés autour de la tête. Les Alexandrins, effarés, voyaient alors deux têtes difformes, un trou noir au milieu du visage. On grondait autour des deux monstres, on voulait les lapider, et Palémon et Amoun avaient toutes les peines du monde à s'esquiver, à se cacher dans une venelle, quitte, une fois la foule calmée, à rejoindre de nouveau le tourbillonnement populaire autour d'Antoine.

De temps en temps, l'ermite s'arrêtait à un carrefour important ou dans une rue principale. On remarqua assez vite que ses haltes avaient toujours lieu non loin d'un des innombrables temples d'Alexandrie.

La foule se pressait alors autour de lui. Il indiquait du doigt le temple de Sérapis, ou celui d'Athéna-Thouéris, de Dionysos, d'Aphrodite-Hathor ou d'Astarté. Il s'attaquait aux faux dieux, aux cultes absurdes. Il comparait le message apporté par le Seigneur, le Fils du vrai Dieu, à celui des divinités capricieuses, quelquefois cruelles, qu'adoraient les païens.

Il rappelait, la voix sarcastique, certains des mythes les plus enracinés dans le pays. Il demandait, l'air faussement innocent, s'il était vrai que Seth s'était métamorphosé en hippopotame et si Isis avait ainsi pu lancer contre lui son fils Horus, afin de se débarrasser une fois pour toutes de son adversaire. Ses compagnons n'osaient respirer, on s'effrayait de cette attaque frontale contre les dieux, on regardait peureusement autour de soi.

Antoine n'en avait cure. Parfois, une sainte colère montait en lui. Sa voix s'enflait, il se mettait debout sur une borne, il tonnait :

— Malheur à toi, Alexandrie, qui adores des monstres en qualité de Dieu ! Malheur à toi, ville adultère, qui es devenue la retraite des démons répandus par toute la terre !

Autour de lui, c'était l'effarement. Des policiers, attirés par tout ce bruit, s'approchaient. Des Alexandrins, qui étaient trop loin et n'avaient rien entendu mais avaient vu cet homme bizarre gesticuler, lui lançaient des pierres, comme à un fou.

Pierre et Marcus entraînaient alors Antoine. Les païens se dispersaient en riant. L'ermite, que toute cette agitation ne troublait guère, reprenait sa marche, mais s'arrêtait de nouveau devant le temple d'Apollon, de Jupiter Alexandrin ou d'Isis. On eut dit que les édifices païens exerçaient sur lui une vraie fascination. Et ses vitupérations recommençaient, tandis que Marcus, inquiet, regardait autour de lui.

Cette assurance d'Antoine, sa placidité même devant ce qui agitait et inquiétait ses hôtes, ses prières, ses chants confiants, son absence de peur et son mépris du danger, tout cela fouettait à nouveau les chrétiens, leur redonnait courage. Bref, le séjour d'Antoine à Alexandrie était en passe de réussir l'impossible : revigorer la communauté abattue et lui redonner ce second souffle que recherchait Pierre quand il avait envoyé Marcus chez l'ermite du désert. L'évêque, heureux, soulagé, priait avec lui et se réjouissait avec ses fidèles.

Sa joie était pourtant traversée d'inquiétudes. Les autorités n'allaient-elles pas réagir ? N'allaient-elles pas s'exaspérer de tout ce bruit dans la ville, de cette présence de nouveau visible des chrétiens qui pourrait ressembler à de l'insolence, sinon à un défi ?

Marcus apprit par Macaire que le désarroi régnait au palais du préfet. Antoine ne faisait rien d'illégal et on hésitait à l'arrêter. Nul n'avait encore rapporté ses attaques contre les dieux de l'Empire, en l'absence d'une dénonciation en bonne et due forme, le pouvoir tergiversait.

On craignait surtout d'augmenter les troubles si on osait s'attaquer à lui. D'ailleurs, l'ermite obtenait un franc succès non seulement auprès des chrétiens, mais aussi des autres Alexandrins. Le bruit s'était répandu en ville qu'un magicien venait d'arriver du désert où il avait parfait son art, qu'il était capable de spectaculaires tours de magie et que le spectacle qu'il donnerait alors serait un des plus savoureux qu'on ait vus en ville depuis longtemps.

Dès qu'on sut qu'il s'appelait Antoine, on commença à rire. Les Alexandrins n'oubliaient pas, trois cents ans après sa mort, la grande Cléopâtre et toute la gloire qu'elle avait fait rejaillir sur leur cité. On n'oubliait pas non plus que son amant s'appelait Antoine. Dès l'entrée de l'ermite dans la ville, un loustic s'avisa de déclarer à haute voix : « Antoine ? Un magicien ? On le dit bien fort. Serait-il équipé comme l'autre ? Va-t-il ensorceler les dames ? Fera-t-il sa magie à l'horizontale ? » Et les commères, les pêcheurs et les taverniers de s'esclaffer et de se taper sur le ventre.

Les déplacements d'Antoine entraînaient donc dans leur sillage des rires, des mouvements de foule, toute une agitation qui exaspérait le préfet.

Il s'avisa alors de rappeler à tous que les attroupements étaient interdits et que des groupes de plus de trois personnes étaient séditieux aux yeux de l'Empereur. On assista alors à un spectacle qui faisait rire les Alexandrins : Antoine sortait accompagné de Pierre et Amatas, ou de Pierre et Marcus. Quelques dizaines de pas plus loin, trois autres chrétiens suivaient. Puis, un peu plus loin, un troisième trio… Et les Alexandrins, hilares et gouailleurs, se divertissaient de cette troupe nombreuse fracturée en une multitude de petits îlots.

Le préfet fit afficher partout un édit : il avait appris, pouvait-on y lire, que des meneurs de la secte interdite des disciples du juif Christos, qui s'étaient longtemps cachés dans le désert, avaient eu l'audace de quitter leur repaire et de venir à Alexandrie. Il leur intimait l'ordre immédiat de quitter la ville, s'ils s'y trouvaient encore, ou de se préparer à subir toutes les rigueurs de la loi.

Pierre et Marcus s'inquiétèrent de cette proclamation : le préfet rendait publique sa colère. Il s'engageait devant tous à ne plus tolérer la présence d'Antoine à Alexandrie. Les choses allaient se corser. Ne valait-il pas mieux se montrer prudent ? Fallait-il tenter le diable ? D'ailleurs, Antoine avait pleinement réussi. Les chrétiens avaient retrouvé, sinon l'espoir, du moins la ferveur et le courage.

On alla donc parler à l'ermite. On lui suggéra de se montrer plus discret et d'envisager peut-être même un départ d'Alexandrie, un retour à sa retraite du désert.

Jusque là, Antoine s'était laissé faire. Aux portes d'Alexandrie, il avait accepté la recommandation de Marcus de se séparer du gros de son escorte pour pénétrer en ville quasi en catimini. Plus tard, il avait aussi accepté de circuler en petite compagnie, même si ses promenades dans la ville finissaient toujours en bousculade. Il s'était étonné qu'on voulût qu'il changeât d'habits — il ne trouvait, quant à lui, rien à redire à leur couleur et ne sentait rien de leur odeur —, mais il s'était résigné à porter une longue tunique blanche et nette. Ce qui importait, pour lui, c'était la joie qu'il ressentait à se mêler aux frères d'Alexandrie, à prier avec eux, à leur parler du Seigneur, à les fortifier dans l'épreuve et, du même coup, à dénoncer les démons qui logeaient dans les palais de marbre des faux dieux.

Cette fois-ci, quand on lui parla de se montrer discret, de quitter la ville, il regimba. Cet homme, le préfet romain, n'avait aucun pouvoir sur lui. Le Seigneur seul comptait. Et puis, il n'outrepassait aucune des lois humaines. S'il acceptait de se laissait chasser de la ville, il reconnaissait des fautes qu'il n'avait jamais commises.

D'ailleurs, ce préfet n'avait aucun droit de lui interdire de circuler dans les rues. Et soudain, Antoine se décida : il voulait voir ce Romain, cet homme qui faisait ainsi trembler toute l'Égypte.

Le souhait d'Antoine fit sur tous l'effet de la foudre. On tenta de le dissuader : rien n'y fit. L'ermite était aussi ferme dans ses décisions que dans sa foi. Il voulait voir le préfet. Il voulait que le préfet le voie. Il était inébranlable : rien ne le ferait dévier de sa décision.

Il se renseigna : pouvait-on aller au palais du fonctionnaire romain, lui rendre visite ? On lui dit que c'était impossible. Le préfet sortait-il dans les rues ? Rarement. Antoine insista, et on dut reconnaître que le préfet quittait chaque matin son palais pour se rendre à la chancellerie.

Fort bien, dit Antoine. Je le verrai donc demain dans la rue, entre son palais et la chancellerie.

Le reste de la journée fut lugubre. Il ne faisait plus de doute pour personne qu'Antoine venait de signer son arrêt de mort. Les plus faibles, les plus pusillanimes, murmuraient dans son dos : qu'avait-il besoin de faire le fanfaron ? Devait-il vraiment défier ainsi le préfet, sinon l'insulter ? N'allait-il pas attirer de nouveau sur tous les foudres du pouvoir romain ?

Pierre n'avait plus rien dit, une fois qu'Antoine avait manifesté son intention. Mais il était mortellement inquiet. Il passa la nuit à s'agiter dans sa couche et se réveilla dès l'aube.

Antoine avait décidé d'aller attendre le préfet à un endroit très fréquenté. Il se plaça au milieu de la Via Horapollonia, dans le quartier des joailliers. Amatas et un autre moine se tenaient à deux pas derrière lui.

Le bruit s'était répandu en ville qu'une confrontation entre le préfet et le magicien du golfe des Héros était imminente. Des centaines d'Alexandrins, chrétiens ou adorateurs d'Isis, de Sérapis ou de Jupiter, s'étaient précipités dans les rues du quartier. Comme l'interdiction de rassemblement tenait toujours, les spectateurs se rassemblaient par petits groupes de deux ou trois, riant, chuchotant, dans l'attente d'un spectacle qui s'annonçait savoureux.

Nul pourtant n'avait voulu être trop proche d'Antoine, par peur de l'amalgame. Et comme l'ermite et ses compagnons portaient de longues tuniques blanches qui étaient démodées et faisaient rire le bon peuple, ils étaient bien visibles dans leur coin. Antoine attendait paisiblement, appuyé à une borne.

Le char qui portait le préfet s'approchait, précédé de deux cavaliers. Il arrivait à un carrefour voisin et les conversations et les rires cessèrent, chacun tendant le cou pour ne rien perdre du spectacle.

Le silence inhabituel de la rue alerta-t-il le préfet? Il leva soudain les yeux. Devant lui, debout à quelques toises à peine, se tenait un homme habillé de blanc qui le regardait intensément. Le conducteur du char avait dû s'arrêter devant l'arrogant qui lui barrait le chemin.

Le préfet comprit tout de suite: il ne pouvait s'agir que de cet illuminé d'Égyptien du sud qui lui causait tant de soucis. Il le regarda plus attentivement.

L'homme le fixait sans arrogance, mais avec une assurance, un calme souverain. Il ne bougeait pas, il ne parlait pas, il se contentait de regarder le préfet sans ciller, sans un mouvement de la tête ni des yeux.

La scène dura quelques instants qui semblèrent à tous — et surtout à Pierre et à Marcus, perdus dans la foule — une longue éternité. Le préfet, debout dans son char, et l'ermite, debout dans la rue, se toisaient tranquillement, sans hostilité apparente, dans un face-à-face silencieux mais intense.

Au moment où le préfet allait se tourner vers son cocher, soudain, dans le silence hallucinant d'une rue d'habitude bruyante, s'éleva la voix d'Antoine. L'ermite demandait, paisiblement mais clairement:

— Romain, as-tu jamais entendu que quelqu'un d'entre nous, chrétiens, ait jamais fomenté une émeute?

Le préfet cilla. Le silence s'abattit de nouveau sur la rue. Antoine attendait, tranquille, la réponse à sa question. Le populaire attendait la réaction du gouverneur du pays.

Soudain, le préfet rompit son silence. Il se détourna et cria à son cocher de poursuivre son chemin. L'homme contourna l'ermite et la rue recommença à bourdonner. Les Alexandrins n'étaient pas contents: on leur avait promis un spectacle, du théâtre, peut-être des cris, de la violence, qui sait même, un petit peu de sang versé, et qu'avaient-ils obtenu? Quelques moments de silence, une tragédie avortée, bref rien, pas même une farce.

Pierre, Marcus, Achillas, Macaire, tous les chrétiens étaient soulagés. Cette dérobade du préfet signalait clairement que les choses changeaient. Les autorités romaines semblaient à court de ressources pour venir à bout de leur foi, de leur détermination.

Antoine se contenta de dire que le préfet n'était pas, après tout, un si méchant homme. Il n'ajouta rien. Cependant, dès le lendemain, il commença à parler de son départ d'Alexandrie. Il avait le sentiment d'avoir répondu à l'appel du patriarche, d'avoir aidé ses frères de la grande ville et toute l'Église d'Égypte à traverser l'épreuve. Il aspirait soudain à retrouver son désert, sa solitude, ses méditations et ses prières, ses combats nocturnes et ses triomphes contre les démons et, surtout, ce face-à-face constant avec Dieu qui avait nourri sa vie et sa foi depuis sa jeunesse.

Pierre était reconnaissant à l'ermite et aurait souhaité qu'il restât long-temps encore à Alexandrie, mais il ne pouvait s'opposer à ses désirs. Antoine commença alors une dernière tournée des églises et des maisons du Seigneur pour une ultime prière avec les Alexandrins.

Quelques jours plus tard, Antoine quittait Alexandrie. La veille, il avait longuement prié avec Pierre et les autres. Puis il s'était levé à l'aube et, suivi d'Amatas et des deux jeunes moines, il avait franchi la porte Canopique pour reprendre le chemin du désert.

Pierre, Marcus et plusieurs autres les avaient accompagnés jusqu'à l'en-ceinte de la ville. Pour se conformer jusqu'à la fin aux prescriptions des autorités romaines, ils ne circulaient que par groupes de trois, séparés les uns des autres par quelques pas.

À la porte qui menait vers l'est, vers le Nil, et au-delà vers le désert, Antoine serra dans ses bras tous ceux qui étaient venus lui dire adieu. Il était serein et souriant, tandis que Marcus avait la gorge nouée. Il avait le sentiment d'avoir croisé un roc inébranlable. Le départ d'Antoine le laissait un peu orphelin.

Athanase aussi était là. Le jeune homme n'avait pas quitté l'ermite d'un pas, pendant son séjour à Alexandrie. Il restait tout près de lui, malgré les ordres de dispersion ou de rassemblement en petits groupes. Il le fixait constamment, de ce regard intense qui avait tout de suite attiré l'attention de Marcus. L'ex-décurion considérait le jeune homme avec fascination, un mélange de malaise et d'admiration. Même Pierre lui demandait quelque-fois, mine de rien, son opinion, que l'adolescent donnait toujours, d'une voix sereine mais ferme.

Athanase demanda à Antoine de le bénir. Il fut le dernier à quitter la scène des adieux pour retourner en ville, fixant intensément le sentier de campagne où la silhouette d'Antoine et de ses compagnons finissait de se dissoudre.

Dans les jours qui suivirent le départ d'Antoine, Marcus se rasséréna vite. Toute la communauté était joyeuse et exultait. Les Romains semblaient désarçonnés et avaient desserré leur étau. On gardait, pour la forme, un minimum de précautions, mais on recommença à prier en commun, on rouvrit timidement quelques églises. Certains opinaient comme Antoine et avançaient que ce préfet n'était au fond pas un mauvais bougre, et que depuis que le César Maximin Daïa avait quitté Alexandrie, il ne poursuivait que mollement les disciples du Seigneur.

Marcus éprouvait moins le besoin d'être toujours avec Pierre, prêt à réagir au moindre signe de danger. Il restait plus souvent chez lui. Il recommença à recevoir de nouveau ses amis, auxquels se joignit un soir Domitius, qu'on accueillit fraternellement.

Flavius et Thaïs, qui avaient déjà un enfant, restaient très proches de Marcus et d'Artémisia. Ils sortaient quelquefois tous ensemble, le soir, pour se rendre à Pharos au pied de la tour, dans les jardins du camp César, ou encore à Éleusis-sur-Mer pour manger, dans une taverne bruyante, des éperlans frits et des beignets à l'huile gorgé de miel et pour gober des fruits de mer tout frais, qu'on arrosait de bière d'Égypte ou de vin de Chios.

Le groupe se promenait maintenant à Alexandrie sans être obligé de se méfier, sans tressaillir devant le moindre légionnaire, sans surveiller du coin de l'œil l'éventuel espion de la police. Les femmes entraient dans les boutiques des tisserands, des potiers, des verriers et des graveurs, dans les échoppes de mercerie et dans les magasins de tissus, tandis que Flavius, dont les tempes commençaient à se dégarnir, s'était fait un jour aborder par une matrone qui voulait à toute force lui vendre une recette pour arrêter la chute des cheveux.

La première fois qu'ils étaient allés se promener au port, Artémisia avait tressailli. Elle ne se souvenait que trop qu'on l'avait entraînée là, un soir il y avait plusieurs années, qu'on l'avait enfermée dans un entrepôt désaffecté et que, toute une longue, toute une épouvantable semaine, elle avait dormi coincée entre deux femmes, la tête presque adossée à un seau qui débordait d'un liquide nauséabond, dans de terribles remugles d'urine et d'excréments.

Mais ces nuages avaient été vite chassés quand on s'était approché des navires qui débarquaient leurs marchandises. C'était un fouillis indescriptible de paniers, de couffins, de boîtes, de jarres et d'amphores. De petits coffrets que l'on transportait avec précaution contenaient des mines d'encens, de la myrrhe, du safran, tandis que les porteurs de défenses d'éléphants étaient précédés de gardes.

Les quais étaient encombrés de chargements de blé, de cargaisons de lin, d'amoncellements de papyrus, tous destinés à satisfaire provisoirement l'insatiable appétit de Rome.

Les voyageurs, les portefaix, les marins se bousculaient, s'invectivaient, s'insultaient, ne baissant la voix qu'à peine pour aborder les prostituées, dont c'était là le royaume incontesté et qui étalaient à la vue de tous des charmes quelquefois passés depuis longtemps.

Les deux couples d'amis se laissaient aller à la douceur de vivre de nouveau normalement, et se quittaient le soir avec la promesse de se retrouver bientôt.

Depuis son retour du désert, Marcus se sentait, auprès de sa femme, comme une étoupe qu'on approcherait imprudemment du feu. Chaque fois qu'il la voyait, chaque fois qu'il l'abordait, chaque fois qu'il la frôlait, c'était comme si une étincelle avait jailli qui l'embrasait tout entier. Et il devait se maîtriser pour ne pas l'enlacer en public, se saisir de ses lèvres, caresser son corps, ployer sa taille sous le poids de son désir.

Mais le soir, dans l'intimité de leur chambre, il la serrait tendrement dans ses bras, l'entraînait au lit, la déshabillait doucement. Leurs baisers et leurs caresses retrouvaient la fougue que les épreuves, la fatigue et les souffrances des dernières années avaient quelquefois reléguée au second plan, sans jamais l'émousser. Et quand, après avoir effleuré de ses lèvres tout son corps, Marcus s'allongeait sur Artémisia, la jeune femme arquait son dos pour mieux s'unir à l'homme qu'elle aimait.

Quelques semaines après le départ d'Antoine, Artémisia annonça à son mari qu'elle était enceinte. Marcus se redressa avec orgueil, et le soir, il caressa longuement le ventre de sa femme en l'assurant qu'il s'était déjà un peu arrondi, tandis qu'Artémisia souriait tendrement.

Marcus était heureux. Sa femme l'aimait. Ses amis l'appréciaient. Il continuait à être le bras droit de Pierre, qu'il admirait et aimait et qui comptait sur lui autant que sur les plus fidèles de ses presbytres. L'étau qui avait voulu broyer les chrétiens se desserrait. Et maintenant, il allait être père !

L'avenir allait-il enfin leur sourire ? Dans le cœur de Marcus montait une hymne de grâce et de reconnaissance.

CHAPITRE VINGT

Marcus s'était voilé la face. Il voulait que personne ne voie les larmes couler sur son visage.

Autour de lui, personne ne lui prêtait attention. Achillas, Flavius, Macaire, tous s'étaient agglutinés en un groupe compact, qu'il pouvait à peine discerner dans l'obscurité. Nikânor, l'esclave affranchi, s'était attaché à ses pas et se tenait discrètement en retrait de son maître. Marcus avait aussi reconnu dans la petite foule Athanase. Il ne voyait pas son visage, mais devinait qu'il était farouche et crispé. Il avait même entrevu, à sa grande surprise, la silhouette massive et trapue de Tothès, le légionnaire égyptien.

Quant à Artémisia, elle s'était accrochée à son bras. Il avait tenté en vain de la dissuader de l'accompagner. Elle s'était montrée inébranlable et s'était enveloppée dans de nombreux voiles. Depuis le début de la nuit, elle l'avait suivi, sans se plaindre, sans gémir de fatigue, malgré sa grossesse qui lui arrondissait le ventre et lui arquait les reins.

Maintenant, elle pleurait. Au début, elle avait tenté de se contenir, de ne pas faire de bruit, puis elle s'était laissée aller et ses hoquets, ses reniflements, étaient le seul bruit qui troublait le silence de la nuit, à l'exception des ordres brefs et rauques du centurion chargé de la sale besogne.

Le préfet, après le départ d'Antoine, s'était senti humilié. On lui rapportait tous les jours que la secte interdite relevait la tête. Daïa n'était plus là, mais ses espions le surveillaient.

Il avait craint une révolte. Il avait tout décidé dans le plus grand secret, puis avait passé à l'action d'une façon brutale et rapide. Il avait ordonné que l'exécution se passât pendant la nuit et que le bourreau fût accompagné d'une trentaine de légionnaires dirigés par un centurion.

Marcus sut plus tard que ce qui l'avait décidé à agir avait été une lettre comminatoire de Maximin Daïa.

Daïa, qui jusqu'alors était César d'Égypte et d'Orient, venait de se pro-clamer Auguste d'Égypte. Il usurpait ainsi carrément le titre d'empereur et voulait régner en maître absolu sur tout l'Orient, depuis l'Asie mineure[1] jusqu'à l'Arabie heureuse[2] et les pays du Nil.

Daïa écrivait donc à son préfet d'Alexandrie qu'il venait d'apprendre que les fauteurs de trouble qui avaient tenté de soulever le bon peuple d'Égypte contre ses maîtres romains étaient restés impunis. Lui, Daïa, en était suprê-mement agacé. Il se posait des questions sur l'efficacité de ses représentants à Alexandrie. Il espérait que ces questions recevraient bientôt une réponse rapide et décisive, et qui allât dans le sens du maintien de l'ordre et du respect et de la vénération dus à l'Empereur.

Le préfet trembla de tous ses membres. La menace était claire. Il savait déjà que Daïa n'avait pas une bonne opinion de lui, d'autant que nul n'ignorait dans l'Empire que le bon peuple d'Alexandrie l'avait affublé, lui le préfet, de l'épithète de «mollasson».

Il lui fallait donc entreprendre une action «rapide et décisive». Il consulta ses adjoints : on lui dit que la meilleure réponse eût été d'offrir Antoine en pâture à la colère du nouvel empereur d'Orient. Malheureusement, Antoine avait quitté la ville et s'était évanoui dans les déserts.

Pourrait-on lui courir sus ? Le ramener ici, enchaîné ? C'était toujours possible, lui répondit-on, mais cela prendrait de longues semaines pour le retrouver. Le désert est vaste. C'était comme si on cherchait une aiguille dans une botte de foin. Pouvait-on ainsi abuser de la patience du nouvel Auguste ?

À défaut d'Antoine, demanda-t-il, qui pouvait-on arrêter ? La réponse fusa : Pierre, le patriarche de la ville, que ces sectateurs de chrétiens aimaient comme un père et vénéraient comme un chef.

Le conseil sourit au préfet. Il n'ignorait pas qui était Pierre : ses soldats avaient tenté à plusieurs reprises, au plus fort de la persécution, de l'arrêter, et chaque fois il avait filé entre les mailles du filet. Il se cachait dans une mai-son de l'un des faubourgs populaires, ou chez un pêcheur du lac Maréotis et, quand l'alerte était particulièrement chaude, il s'éloignait chez un fermier de la chora alexandrine.

Puis, le danger écarté, il revenait dans sa ville et les espions du pouvoir recommençaient à faire au préfet des rapports qui l'exaspéraient : ce com-ploteur réconfortait ses suiveurs, tous ces timorés imbéciles qui croyaient en son galimatias. Il réorganisait ses cellules, nommait de nouveaux sous-chefs (comment les appelait-on déjà ? Ah oui ! des presbytres) pour remplacer ceux à qui on avait proprement décollé la tête ou qu'on avait criblés de flèches.

1- La Turquie.
2- Le Yémen.

Puis, pendant l'épisode douloureux de la visite à Alexandrie de cet illuminé qui se nourrissait de couleuvres dans le désert, ce Pierre n'avait cessé de l'accompagner partout. On avait même rapporté au préfet que, quand Antoine l'avait confronté et humilié dans la rue, devant toute la population, Pierre n'était pas très loin. Il devait se bidonner, ce cloporte, cet infâme !

Il ne faisait aucun doute : cet homme était dangereux, il était l'âme même de cette secte de séditieux. Si on l'éliminait, le nouvel Auguste, ce Daïa qui ne le lâchait jamais, serait content, il n'accablerait pas son préfet de sarcasmes et le laisserait tranquille pendant quelque temps.

Fort bien, se dit le préfet, mais pour l'éliminer, il fallait d'abord l'arrêter. Or, l'expérience des huit dernières années avait prouvé que cet homme était une anguille. Cependant, le ralentissement des brimades et de la persécution au cours des derniers mois avait endormi ces imbéciles. Et surtout, depuis les bouffonneries de cet Antoine à Alexandrie, ces misérables osaient relever la tête, baisser leur garde, sortir de leurs trous, reparaître au grand jour.

Le préfet se frottait les mains : allons, les choses se présentaient peut-être sous un meilleur jour que jamais. Oh ! Il ne se faisait guère d'illusion : l'arrestation et l'élimination de Pierre ne régleraient pas les problèmes de l'Empereur, ou plutôt des deux ou trois Empereurs qui se disputaient l'Orient et l'Occident.

Il était en effet depuis assez longtemps en Égypte pour savoir que ces misérables proliféraient chaque jour un peu plus. Ses amis à Rome lui écrivaient la même chose : on avait beau leur couper la tête, les jeter en pâture aux bêtes féroces ou les enterrer dans les mines, les chrétiens recrutaient tous les jours de nouveaux adeptes, des crédules imbéciles. On les retrouvait partout et même, chuchotait-on, dans l'entourage des Empereurs.

Ainsi, un sénateur de Rome, un de ses proches amis, lui avait écrit sous le sceau du secret ce qu'on insinuait à Rome. La mère de Constantin, le nouvel empereur d'Occident, une certaine Hélène, se serait ralliée en secret à ces misérables. Ah ! la pourriture était vraiment partout dans l'Empire !

Mais je ne suis pas là pour régler ce problème à long terme, se dit le préfet, ni non plus pour sauver la mise à ce bouffon grotesque et sanguinaire de Daïa. L'important est de sauver ma mise à moi, sinon ma tête. Et cet Égyptien de merde fera l'affaire.

Il appela donc le chef de ses espions et fit circuler le mot que celui qui lui désignerait la maison où se cachait le dénommé Pierre, chef de la secte des chrétiens, recevrait double récompense.

L'analyse du préfet était juste : les chrétiens de la ville avaient baissé leur garde. Fatigués d'être toujours sur le qui-vive, encouragés par la dérobade du préfet devant Antoine, ils croyaient que le pire de l'orage était passé.

Les espions n'eurent donc pas beaucoup de peine à trouver la trace de Pierre, qui demeurait depuis quelques mois avec sa famille chez une vieille veuve. Le préfet, informé, laissa passer encore quelques jours pour endormir les soupçons, puis lança ses légionnaires contre le patriarche.

Une nuit, au moment où la ville s'assoupissait, un centurion et ses légionnaires défoncèrent la porte de la veuve. Ils l'écartèrent brutalement, ainsi que la femme et les enfants de Pierre, et arrachèrent l'évêque de son lit. Il eut à peine le temps d'enfiler une tunique.

On l'amena à un corps de garde. Pierre demanda quand est-ce qu'on allait le juger. «Te juger?» dit le geôlier avec un gros rire.

Entre-temps, la nouvelle de son arrestation s'était propagée comme l'éclair. La ville était grande, mais les chrétiens éplorés couraient d'un quartier à l'autre, d'une église à l'autre, d'un presbytre à l'autre, pour annoncer à tous que Pierre, l'évêque de la ville, le patriarche d'Alexandrie, le papa de tous, allait bientôt mourir.

Quelques réunions de prière s'organisèrent spontanément. Les plus déterminés voulurent rejoindre Pierre. Ils se retrouvèrent à la porte de sa maison. C'est là que Marcus, alerté, arriva avec Artémisia pour trouver le noyau des amis et des conseillers de l'évêque.

On savait que les légionnaires avaient entraîné Pierre au corps de garde. On s'y rendit et on s'agglutina devant la porte en silence. Les geôliers, alertés, firent sonner quelques glaives dans leurs fourreaux de métal. Les chrétiens se retirèrent dans l'ombre et on les laissa tranquilles.

Vers minuit, il y eut une grande agitation dans la cour et la porte s'ouvrit. Marcus et ses amis s'étonnaient: d'habitude, les Romains attendaient le lever du jour pour exécuter les martyrs. Puis, une rumeur courut: Pierre avait demandé au centurion et obtenu — comment? par quel mystère? — d'aller passer les dernières heures de sa vie dans l'église où était enterré saint Marc l'évangéliste, le disciple de l'apôtre Pierre, celui-là même qui avait converti les premiers Égyptiens et avait été martyrisé à Alexandrie.

L'évêque, enchaîné, entouré de soldats, suivi au loin par ses amis, fut entraîné dans les rues obscures et désertes jusqu'à l'église des Boucolies. Il s'agenouilla sur la tombe de Marc et, la tête dans les mains, pria longuement.

Une heure avant l'aube, on le releva. On l'entraîna dans un champ vague, à la lisière entre le camp César et les faubourgs. Ses amis s'étaient rapprochés. Pendant qu'on le poussait, il passa à quelques pas d'eux. Il leva la tête et les regarda: il souriait.

Un bourreau l'obligea à s'agenouiller. Il devait tendre la tête le plus loin possible afin d'éviter le sort d'autres martyrs, pour qui la hache du bourreau, mal maniée, avait brisé le dos sans trancher la tête, prolongeant d'autant leur agonie.

Le bourreau leva la hache. Au moment où elle se détachait contre le ciel déjà mauve, une vive lumière la frappa, la hache étincela, avant de s'abattre dans un bruit sourd.

Marcus, surpris de cette lumière, tourna la tête.

Là-bas, à l'horizon, le soleil montait à l'orient de l'Égypte.

Ce livre est publié aux Éditions L'Interligne à Ottawa (Ontario), Canada.
Il est composé en caractère Garamond, et a été achevé d'imprimer sur les presses
de l'imprimerie AGMV Marquis (Québec), en octobre 2005.